#수학유형서
#리더공부비법
#한권으로유형올킬
#학원에서검증된문제집

수학리더
유형

Chunjae
Makes
Chunjae

▼

기획총괄	박금옥
편집개발	윤경옥, 김미애, 박초아, 조선현, 조은영,
	김연정, 김수정, 김유림, 남태희
디자인총괄	김희정
표지디자인	윤순미, 박민정
내지디자인	박희춘
제작	황성진, 조규영

발행일	2021년 11월 15일 2판 2021년 11월 15일 1쇄
발행인	(주)천재교육
주소	서울시 금천구 가산로9길 54
신고번호	제2001-000018호
고객센터	1577-0902
교재 구입 문의	1522-5566

수학 리더 유형 5-1

라이트 유형서 차례

구성과 특장

1 단원 도입

단원에서 중요한
핵심 개념이나 자주 틀리는
유형에 대해 재미있는
스토리로 진단해 주고
처방해 준다능~

2 기본 학습

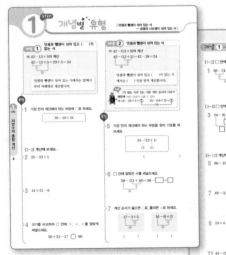

개념에 따른
교과서 유형
수록!

연산·이해
기초 문제
반복 연습

개념별 유형 중
핵심 유형을
진단하는 TEST

3 문제 해결력 강화 학습

기본 → 변형 → 문장제
→ 실생활 유형으로
꼬리를 무는 유형

What → How →
Solve 단계로 문제를
분석하고 해결하는 유형

하나의 유형을
반복해서 연습한 후
변형된 어려운 유형을
함께 익히는 사고력을
플러스 시켜주는 유형

4 특별 학습

앞 단원 내용을
잊기 전에
다시 한번
풀어 보면서
기억하자!

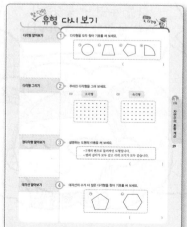

창의·융합·
코딩 관련
문항이나
이야기를
접해 볼 수 있는
특별 코너!

1 자연수의 혼합 계산

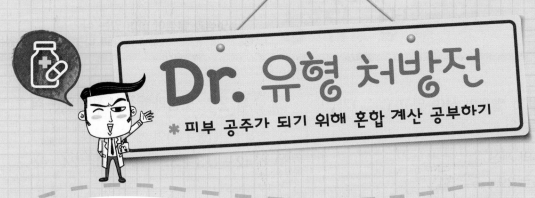

STEP 1 개념별 유형

개념 1 덧셈과 뺄셈이 섞여 있고 ( )가 없는 식

⑩ 42−13+5의 계산

42−13+5=29+5=34
　　①
　　②

덧셈과 뺄셈이 섞여 있는 식에서는 앞에서부터 차례대로 계산합니다.

개념 2 덧셈과 뺄셈이 섞여 있는 식

⑩ 42−(13+5)의 계산

42−(13+5)=42−18=24
　　①
　　②

덧셈과 뺄셈이 섞여 있고 ( )가 있는 식에서는 ( ) 안을 먼저 계산합니다.

주의

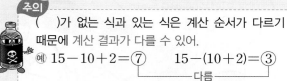

( )가 없는 식과 있는 식은 계산 순서가 다르기 때문에 계산 결과가 다를 수 있어.
⑩ 15−10+2=⑦　　15−(10+2)=③
　　　　　　　　다름

유형

1 가장 먼저 계산해야 하는 부분에 ○표 하세요.

35−19+24

[2~3] 계산해 보세요.

2 25−23+1

3 14+21−9

4 크기를 비교하여 ○ 안에 >, =, <를 알맞게 써넣으세요.

56+23−17 ○ 60

유형

5 가장 먼저 계산해야 하는 부분을 찾아 기호를 써 보세요.

34−(12+1)
　↑　　↑
　㉠　　㉡

( )

6 □ 안에 알맞은 수를 써넣으세요.

50−(31+16)=50−□=□
　　①
　　②

7 계산 순서가 옳으면 ○표, 틀리면 ×표 하세요.

17−3+5
　①
　②

16−(9+2)
　①
　②

( )　　　　　( )

8 계산해 보세요.

$$33-(16+7)$$

9 바르게 계산한 것의 기호를 써 보세요.

> ㉠ $48-27+19=2$
> ㉡ $24-(15+3)=6$

(　　　　　　　　　)

10 계산 결과를 찾아 이어 보세요.

$15+26-19$ ・

・ 1

・ 22

$21-(9+11)$ ・

・ 23

11 □ 안에 알맞은 수를 써넣고, 알맞은 말에 ○표 하세요.

> $40-17+15=$ □
> $40-(17+15)=$ □

➡ 두 식의 계산 결과는

(같습니다 , 다릅니다).

12 수직선을 보고 □ 안에 알맞은 수를 써넣으세요.

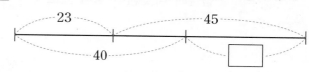

13 ( )가 없어도 계산 결과가 같은 식을 찾아 기호를 써 보세요.

> ㉠ $20+(9-7)$ 　 ㉡ $20-(9+7)$

(　　　　　　　　　)

14 선주는 마트에서 사탕 500원어치, 젤리 700원어치를 사고 2000원을 냈습니다. 선주가 받을 거스름돈은 얼마인지 구해 보세요.

(1) 사탕 500원어치와 젤리 700원어치는 모두 얼마인지 구하는 식을 써 보세요.

□ + □ = □

(2) 거스름돈은 얼마인지 먼저 계산해야 하는 부분을 ( )로 묶어 하나의 식으로 나타내어 구해 보세요.

식

답 _____

개념 ③ 곱셈과 나눗셈이 섞여 있고 ( )가 없는 식

예) $25 \div 5 \times 5$의 계산

$$25 \div 5 \times 5 = 5 \times 5 = 25$$

① ②

> 곱셈과 나눗셈이 섞여 있는 식에서는 앞에서부터 차례대로 계산합니다.

유형

15 □ 안에 알맞은 수를 써넣으세요.

$$50 \div 5 \times 2 = \boxed{} \times 2 = \boxed{}$$

① ②

16 계산해 보세요.

(1) $24 \div 2 \times 4$

(2) $4 \times 6 \div 2$

17 문제 를 읽고 ○ 안에 알맞은 기호를, □ 안에 알맞은 수를 써넣어 식을 완성하고, 답을 구해 보세요.

> **문제**
> 머핀을 한 판에 10개씩 4판 구웠습니다. 이 머핀을 남김없이 2상자에 똑같이 나누어 담았을 때 한 상자에 담은 머핀은 몇 개인가요?

식 $10 \bigcirc 4 \bigcirc 2 = \boxed{}$

식 _____

답 _____

개념 ④ 곱셈과 나눗셈이 섞여 있는 식

예) $25 \div (5 \times 5)$의 계산

$$25 \div (5 \times 5) = 25 \div 25 = 1$$

① ②

> 곱셈과 나눗셈이 섞여 있고 ( )가 있는 식에서는 ( ) 안을 먼저 계산합니다.

> $25 \div 5 \times 5$는 ( )가 없고
> $25 \div (5 \times 5)$는 ( )가 있어.

> ( )가 있는 식은 ( ) 안을 먼저 계산해야 해서 두 식의 계산 결과는 달라~.

유형

18 계산 순서가 옳은 것에 ○표 하세요.

$$84 \div (3 \times 7)$$
① ②

$$24 \div (4 \times 2)$$
① ②

(   )   (   )

19 □ 안에 알맞은 수를 써넣으세요.

$$70 \div (5 \times 7) = \boxed{}$$

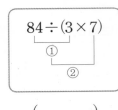

20 지호가 말한 식을 계산해 보세요.

$$48 \div (4 \times 3)$$

지호   (   )

21 계산이 <u>잘못된</u> 곳을 찾아 바르게 고쳐 보세요.

$$90 \div (3 \times 6) = 30 \times 6 = 180$$
① ②

↓

$$90 \div (3 \times 6)$$

[22~23] 두 식을 계산하여 비교하려고 합니다. 물음에 답하세요.

| $48 \div 3 \times 2$ | $48 \div (3 \times 2)$ |

22 두 식을 비교하여 각각 계산해 보세요.

| $48 \div 3 \times 2$ | $48 \div (3 \times 2)$ |

23 두 식의 계산 결과는 같은가요, 다른가요?

( )

24 계산 결과가 5인 것에 ◯표 하세요.

| $5 \times 4 \div 2$ | |
| $40 \div (4 \times 2)$ | |

25 계산한 것이 <u>틀린</u> 것의 기호를 쓰고, 바르게 계산한 값을 써 보세요.

$$\bigcirc \ 56 \div 4 \times 2 = 7$$
$$\bigcirc \ 45 \div (3 \times 5) = 3$$

틀린 것 ( )
바르게 계산한 값 ( )

26 두 식을 보고 <u>잘못</u> 설명한 사람의 이름을 써 보세요.

$$\bigcirc \ 54 \div (3 \times 3) \qquad \bigcirc \ 54 \div 3 \times 3$$

다은 — 두 식의 계산 순서는 달라.

하윤 — ⊙의 계산 결과는 54야.

시우 — 두 식의 계산 결과는 달라.

( )

27 귤 40개를 상자 한 개에 5개씩 4줄로 담으려고 합니다. 귤을 모두 담으려면 상자가 몇 개 필요한지 하나의 식으로 나타내고 구해 보세요.

식 _____

답 _____

[1~2] □ 안에 알맞은 수를 써넣으세요.

1 $50 - 24 + 14 = \boxed{} + 14$
　　　　①
　　　　　　　 $= \boxed{}$
　　　　　②

2 $72 \div (6 \times 2) = 72 \div \boxed{}$
　　　　　　①
　　　　　　　　　 $= \boxed{}$
　　　　　　②

[3~4] □ 안에 알맞은 수를 써넣으세요.

3 $24 - (6 + 10) = \boxed{}$

4 $36 \div 6 \times 2 = \boxed{}$

[5~12] 계산해 보세요.

5 $80 - 15 + 24$

6 $60 \div (5 \times 6)$

7 $49 - (13 + 27)$

8 $42 \div 6 \times 3$

9 $10 \times 4 \div 8$

10 $36 + 15 - 20$

11 $43 - (20 + 5)$

12 $56 \div (4 \times 2)$

1 계산해 보세요. [1점]

$$47-10+21$$

(　　　　)

2 바르게 계산한 것의 기호를 써 보세요. [1점]

㉠ $45÷(3×3)=45$
㉡ $30-(2+8)=20$

(　　　　)

3 하나의 식으로 나타내고 계산해 보세요. [1점]

26과 13의 합에서 14를 뺀 수

➡ _____

4 크기를 비교하여 ○ 안에 >, =, <를 알맞게 써넣으세요. [1점]

$$14×3÷2 \bigcirc 21$$

5 계산 결과가 10보다 큰 것의 기호를 써 보세요. [2점]

㉠ $22-(7+4)$
㉡ $24÷(4×2)$

(　　　　)

6 해준이의 몸무게는 35 kg, 누나의 몸무게는 34 kg입니다. 형은 누나보다 4 kg 더 무거울 때 형은 해준이보다 몇 kg 더 무거운지 하나의 식으로 나타내어 구해 보세요. [2점]

식 _____

답 _____

7 두 식의 계산 결과의 차를 구해 보세요. [2점]

· $60÷(4×5)$
· $60÷4×5$

(　　　　)

개념 5 덧셈, 뺄셈, 곱셈이 섞여 있는 식

1. (　)가 없는 식

예) $33-2\times4+10=33-8+10$
　　　　　　①
　　　　　$=25+10$
　　②
　　　　$=35$
　　　③

덧셈, 뺄셈, 곱셈이 섞여 있는 식에서는 곱셈을 먼저 계산합니다.

2. (　)가 있는 식

예) $33-2\times(4+10)=33-2\times14$
　　　　　　①
　　　　　$=33-28$
　　②
　　　　$=5$
　　③

(　)가 있는 식은 (　) 안을 가장 먼저 계산합니다.

유형

1 가장 먼저 계산해야 하는 부분의 기호를 써 보세요.

$$2\times(7-5)+10$$
　　↑　　↑　　↑
　　㉠　㉡　㉢

(　　　　　)

2 [보기]와 같이 계산 순서를 나타내어 보세요.

[보기]

$16-5\times3+7$
　　　　①
　　②
　③

$40-4\times(3+6)$

3 다음 식의 계산 결과는 얼마인가요?····(　　)

$$14+25-3\times4$$

① 51　　　② 36　　　③ 144
④ 102　　⑤ 27

4 계산해 보세요.

$$24+(18-12)\times3$$

(　　　　　)

5 다음 계산식을 보고 바르게 설명한 것의 기호를 써 보세요.

$$59-2\times(26+3)$$

㉠ 2×26을 가장 먼저 계산합니다.
㉡ 계산 결과는 1입니다.
㉢ $59-2$를 가장 먼저 계산합니다.

(　　　　　)

6 서아가 말한 것을 하나의 식으로 나타내고 계산해 보세요.

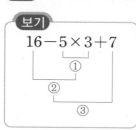

28에서 5와 3의 합을 2배한 수를 뺀 수

서아

→ _____

7 색종이가 50장 있습니다. 여학생 2명과 남학생 4명이 각각 5장씩 가졌을 때 남은 색종이는 몇 장인지 구하려고 합니다. 물음에 답하세요.

(1) 하나의 식으로 나타내는 과정입니다. □ 안에 알맞은 수를 써넣으세요.

> 여학생과 남학생 수의 합
>
> 😺😺 + 😊😊😊😊
>
> $2 + \square$

⬇

> 학생들이 가진 색종이의 수
>
> (😺😺 + 😊😊😊😊) × 5
>
> $(2 + \square) \times \square$

⬇

> 남은 색종이의 수
>
> 50장 − (😺😺 + 😊😊😊😊) × 5
>
> $\square - (2 + \square) \times \square$

(2) 남은 색종이는 몇 장인가요?

(   )

8 주하는 쿠키 40개를 구웠습니다. 이 중 한 상자에 4개씩 3상자에 담고 나머지는 가지고 있던 머핀 5개와 함께 주머니에 넣었습니다. 주머니에 넣은 쿠키와 머핀은 몇 개인지 하나의 식으로 나타내어 구해 보세요.

 식 _____

답 _____

개념 6 덧셈, 뺄셈, 나눗셈이 섞여 있는 식

1. (   )가 없는 식

예) $30 + 20 \div 5 - 3 = 30 + 4 - 3$
   ①
   $= 34 - 3$
   ②
   $= 31$
   ③

> 덧셈, 뺄셈, 나눗셈이 섞여 있는 식에서는 나눗셈을 먼저 계산합니다.

2. (   )가 있는 식

예) $(30 + 20) \div 5 - 3 = 50 \div 5 - 3$
   ①
   $= 10 - 3$
   ②
   $= 7$
   ③

> (   )가 있는 식은 (   ) 안을 가장 먼저 계산합니다.

유형

9 가장 먼저 계산해야 하는 부분에 ○표 하세요.

(1) $9 + 21 \div 3 - 2$

(2) $5 + 40 - 30 \div 6$

10 □ 안에 알맞은 수를 써넣으세요.

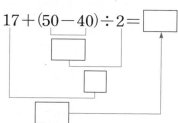

$17 + (50 - 40) \div 2 = \square$

[11~12] 계산해 보세요.

11 $5+35\div(7-2)$

12 $20+56\div7-4$

13 계산이 틀린 곳을 찾아 바르게 고쳐 보세요.

$$25+(16-4)\div4=25+16-1$$
$$=41-1$$
$$=40$$

↓

$$25+(16-4)\div4$$

14 (문제)를 읽고 식을 세워 답을 구하려고 합니다. 식의 알맞은 곳에 ( )를 써넣고, 답을 구해 보세요.

(문제)
잼 한 병은 2300원, 빵 한 상자는 3000원입니다. 빵은 한 상자에 3개씩 들어 있습니다. 유라가 잼 한 병과 빵 한 개를 사고 4000원을 냈을 때 받는 거스름돈은 얼마인가요? (단, 빵 한 개의 값은 같습니다.)

$$4000-2300+3000\div3=\boxed{}(원)$$

15 계산 결과가 38인 식을 찾아 기호를 써 보세요.

㉠ $40+18\div9-4$
㉡ $30+40\div5-5$

( )

16 크기가 더 큰 것을 찾아 기호를 써 보세요.

㉠ $64\div16-(1+2)$ ㉡ 2

( )

17 계산 결과를 찾아 이어 보세요.

$(28-12)\div4+13$ ·

· 17

· 18

$28-12\div4+13$ ·

· 38

18 준희네 모둠 학생 4명은 처음에 가지고 있던 도화지 20장에 더 받은 도화지 24장을 합하여 4명이 똑같이 나누어 가졌습니다. 준희는 받은 도화지 중 5장을 사용했다면 준희에게 남은 도화지는 몇 장인지 하나의 식으로 나타내고 구해 보세요.

식 _____

답 _____

단원
1

자연수의 혼합 계산

14

개념 7 덧셈, 뺄셈, 곱셈, 나눗셈이 섞여 있는 식

예 $34 \div 2 - (1+1) \times 4$ 의 계산

$$34 \div 2 - (1+1) \times 4 = 34 \div 2 - 2 \times 4$$
$$= 17 - 2 \times 4$$
$$= 17 - 8$$
$$= 9$$

덧셈, 뺄셈, 곱셈, 나눗셈이 섞여 있는 식에서는 곱셈과 나눗셈을 먼저 계산하고 ( )가 있으면 ( ) 안을 가장 먼저 계산합니다.

유형

[19~20] 계산 순서에 맞게 차례대로 기호를 써 보세요.

19
$$(5+7) \times 4 \div 2 - 20$$
$$\uparrow \quad \uparrow \quad \uparrow \quad \uparrow$$
$$㉠ \quad ㉡ \quad ㉢ \quad ㉣$$

(　　　　　　)

20
$$40 - 36 \div (6 \times 2) + 10$$
$$\uparrow \quad \uparrow \quad \uparrow \quad \uparrow$$
$$㉠ \quad ㉡ \quad ㉢ \quad ㉣$$

(　　　　　　)

21 □ 안에 알맞은 수를 써넣으세요.

$$10 + 35 \div 7 \times 5 - 4 = 10 + \boxed{} \times 5 - 4$$
$$= 10 + \boxed{} - 4$$
$$= \boxed{} - 4$$
$$= \boxed{}$$

22 계산해 보세요.

$$40 - 20 \div 5 + 3 \times 4$$

(　　　　　　)

23 바르게 계산한 사람의 이름을 써 보세요.

다은

$$6 + 3 \times (10 - 2) \div 4 = 12$$

$$30 - (12 + 6) \div 3 \times 2 = 2$$

현서

(　　　　　　)

서술형
24 계산이 틀린 이유를 쓰고, 바르게 계산해 보세요.

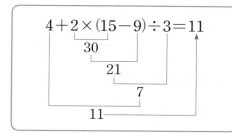
$$4 + 2 \times (15 - 9) \div 3 = 11$$

이유 _____

_____

_____

(　　　　　　)

25 크기를 비교하여 ○ 안에 >, =, <를 알맞게 써넣으세요.

$$20 \bigcirc 15 + (7 - 4) \times 4 \div 2$$

[1~4] □ 안에 알맞은 수를 써넣으세요.

1 $(11-3) \times 8 + 16 = \boxed{}$

2 $35 + 42 \div 7 - 3 = \boxed{}$
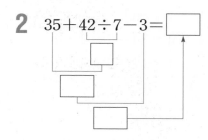

3 $2 + 80 \div 4 \times 3 - 3 = \boxed{}$

4 $(4+12) \div 8 \times 7 - 5 = \boxed{}$
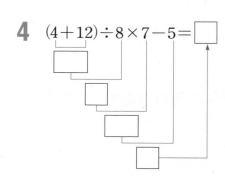

[5~10] 계산해 보세요.

5 $26 + (16 - 4) \div 4$

6 $4 \times (3 + 6) - 21$

7 $23 - 4 \times 3 + 12$

8 $17 + 45 \div (15 - 6)$

9 $24 \div 4 + (3 - 1) \times 7$

10 $5 + 3 \times (20 - 15) \div 5$

유형 진단 TEST

점수 /10점

1 계산 결과를 찾아 ○표 하세요. [1점]

$$45-4\times5+8$$

213   17   33

(   )   (   )   (   )

2 계산해 보세요. [1점]

$$32-(2+5)\times4\div2$$

(   )

3 계산이 틀린 곳을 찾아 바르게 고쳐 보세요. [1점]

$$(19+38)\div19-2=19+2-2$$
$$=21-2$$
$$=19$$

↓

$$(19+38)\div19-2$$

4 두 계산식의 계산 결과는 같은가요, 다른가요? [1점]

- $(20+10)\div10-2$
- $20+10\div10-2$

(   )

5 계산 결과를 찾아 이어 보세요. [2점]

$$25-(4+3)\times2$$ ·

$$4+2\times5-12\div3$$ ·

· 10

· 11

· 12

6 계산 결과가 더 큰 것을 찾아 기호를 써 보세요. [2점]

$$\bigcirc\ 14+20-2\times8$$
$$\bigcirc\ 14+(20-2)\times8$$

(   )

7 케이크 한 조각은 3000원, 팥빵 한 개는 1200원, 쿠키 5개는 5000원입니다. 케이크 한 조각의 값은 팥빵 1개와 쿠키 1개 값의 합보다 얼마나 더 비싼지 하나의 식으로 나타내어 구해 보세요. (단, 쿠키 1개의 값은 같습니다.) [2점]

 _____

 _____

꼬리를 무는 유형

❶ 혼합 계산식의 계산 순서 알아보기

기본 유형

1 가장 먼저 계산해야 하는 곳의 기호를 쓰고, 계산해 보세요.

$$14+12\div(20-16)\times3$$
$$\underset{㉠}{\uparrow}\quad\underset{㉡}{\uparrow}\quad\underset{㉢}{\uparrow}\quad\underset{㉣}{\uparrow}$$

(   ), (   )

변형 유형

2 계산 순서를 나타내고, 계산해 보세요.

$$3\times(4+14)\div9-6$$

(   )

변형 유형

3 앞에서부터 차례대로 계산해야 하는 식을 찾아 기호를 써 보세요.

㉠ $4\times20\div(5-3)+2$
㉡ $35\div7\times2+6-3$

(   )

❷ ( )가 있을 때와 없을 때의 계산 결과 비교하기

기본 유형

4 다음 식에 ( )가 없으면 ( )가 있을 때와 계산 결과가 같은지 다른지 써 보세요.

$$4\times(30\div15)$$

(   )

변형 유형

5 다음 식에 ( )가 없으면 ( )가 있을 때보다 계산 결과가 커지는지 작아지는지 써 보세요.

$$84\div(3\times7)$$

(   )

변형 유형

6 계산 결과를 비교하여 ○ 안에 >, =, <를 알맞게 써넣으세요.

$$31-10+5\;\bigcirc\;31-(10+5)$$

실생활 유형

7 우진이가 식을 보고 수학 시간에 발표한 내용입니다. 발표한 내용이 옳으면 ○표, 틀리면 ×표 하세요.

$$75\div(5\times3)$$

위의 식에 ( )가 없어도 계산 결과는 같아요.

우진

(   )

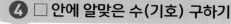

❸ 문장을 하나의 식으로 나타내고 계산하기

기본 유형

8 하나의 식으로 나타내고 계산해 보세요.

12에 4와 3의 곱을 더하고 5를 뺀 수

➡ _____

변형 유형

9 (   )를 사용하여 하나의 식으로 나타내고 계산해 보세요.

30에서 5와 4의 합에 2를 곱한 값을 뺀 수

➡ _____

실생활 유형

10 현재 기온은 화씨 86도입니다. 선생님의 설명을 보고 현재 기온을 섭씨로 나타내면 몇 도(℃)인지 하나의 식으로 나타내어 구해 보세요.

화씨온도(℉)에서 32를 뺀 수에 5를 곱하고 9로 나누면 섭씨온도(℃)가 돼.

선생님

식 _____

답 _____ ℃

❹ □ 안에 알맞은 수(기호) 구하기

기본 유형

11 □ 안에 알맞은 수를 써넣으세요.

$$\boxed{} \div (7 \times 3) = 3$$

변형 유형

12 ㉠에 알맞은 수를 구해 보세요.

$$54 - (㉠ + 21) = 16$$

(   )

변형 유형

13 □ 안에 +, − 중 알맞은 기호를 써넣으세요.

$$52 \div 4 \;\boxed{}\; 5 = 8$$

문장제 유형

14 어떤 수에서 13과 15의 합을 빼면 4가 됩니다. 어떤 수를 □라 하여 하나의 식을 세우고 어떤 수를 구해 보세요.

식 _____

답 _____

독해력 유형 1 달에서 잰 무게의 차 구하기

지구에서 잰 무게는 달에서 잰 무게의 약 6배입니다. 세 사람이 모두 달에서 몸무게를 잰다면 지호와 동생의 몸무게를 합한 무게가 어머니의 몸무게보다 약 몇 kg 더 무거운지 하나의 식으로 나타내어 구해 보세요.

사람	어머니	지호	동생
지구에서 잰 몸무게(kg)		42	36
달에서 잰 몸무게(kg)	11		

What? 구하려는 것을 찾아 밑줄을 그어 보세요.

How? ❶ 달에서 잰 지호와 동생의 몸무게의 합을 식으로 나타내기

❷ 구하려는 것을 하나의 식으로 나타내고 답 구하기

Solve ❶ 달에서 잰 지호와 동생의 몸무게의 합을 식으로 나타내어 보세요.

(☐ + ☐) ÷ ☐

❷ 달에서 잰 지호와 동생의 몸무게를 합한 무게가 어머니의 몸무게보다 약 몇 kg 더 무거운지 하나의 식으로 나타내어 구해 보세요.

식 _____

답 약 _____

쌍둥이 유형 1-1

지구에서 잰 무게는 달에서 잰 무게의 약 6배입니다. 세 사람이 모두 달에서 몸무게를 잰다면 경미와 오빠의 몸무게를 합한 무게가 아버지의 몸무게보다 약 몇 kg 더 무거운지 하나의 식으로 나타내어 구해 보세요.

사람	아버지	경미	오빠
지구에서 잰 몸무게(kg)		36	48
달에서 잰 몸무게(kg)	13		

❶

❷

답 약 _____

쌍둥이 유형 1-2

지구에서 잰 무게는 달에서 잰 무게의 약 6배입니다. 세 사람이 모두 달에서 몸무게를 잰다면 삼촌의 몸무게는 진수와 누나의 몸무게를 합한 무게보다 약 몇 kg 더 무거운지 하나의 식으로 나타내어 구해 보세요.

사람	삼촌	진수	누나
지구에서 잰 몸무게(kg)		48	42
달에서 잰 몸무게(kg)	16		

❶

❷

답 약 _____

독해력 유형 2 재료를 사고 남은 돈 구하기

다음 채소를 사용하여 볶음밥 2인분을 만들려고 합니다. 5000원으로 필요한 채소를 사고 남은 돈이 얼마인지 하나의 식으로 나타내어 구해 보세요.

양파 4인분 2200원

고추 1인분 400원

당근 2인분 1500원

What? 구하려는 것을 찾아 밑줄을 그어 보세요.

How?
❶ 양파와 고추 2인분의 값을 각각 식으로 나타내기
❷ 2인분을 만들 때 필요한 채소의 값을 식으로 나타내기
❸ 구하려는 것을 하나의 식으로 나타내고 답 구하기

Solve
❶ 양파와 고추 2인분의 값을 각각 식으로 나타내어 보세요.

┌ 양파 2인분: 2200÷ ☐
└ 고추 2인분: 400× ☐

❷ 2인분을 만들 때 필요한 채소의 값을 식으로 나타내어 보세요.

2200÷ ☐ +400× ☐ + ☐

❸ ❷의 식을 이용하여 5000원으로 필요한 채소를 사고 남은 돈이 얼마인지 하나의 식으로 나타내어 구해 보세요.

식 _____

답 _____

쌍둥이 유형 2-1

다음 재료를 사용하여 팥빙수 3인분을 만들려고 합니다. 6000원으로 필요한 재료를 사고 남은 돈이 얼마인지 하나의 식으로 나타내어 구해 보세요.

키위 1인분	700원
과일 통조림 6인분	3000원
팥 3인분	2000원

❶

❷

❸

답 _____

쌍둥이 유형 2-2

다음 채소를 사용하여 샌드위치 4인분을 만들려고 합니다. 10000원으로 필요한 채소를 사고 남은 돈이 얼마인지 하나의 식으로 나타내어 구해 보세요.

상추 12인분	600원
파프리카 8인분	1600원
토마토 4인분	800원

❶

❷

❸

답 _____

플러스 유형 ❶ **계산이 틀린 곳을 찾아 바르게 고치기**

플러스 유형 ❷ **두 식을 하나의 식으로 나타내기**

1-1 계산이 틀린 곳을 찾아 바르게 고쳐 보세요.

$$16+(40-16)\div 4=16+24\div 4$$
$$=40\div 4$$
$$=10$$

⬇

$$16+(40-16)\div 4$$

2-1 두 식을 하나의 식으로 나타내어 보세요.

• $18+15=33$ • $33-20=13$

➡ _____

2-2 두 식을 하나의 식으로 나타내어 보세요.

• $4\times 3=12$ • $12\div 6=2$

➡ _____

1-2 계산이 틀린 곳을 찾아 바르게 고쳐 보세요.

$$52-3\times(6+8)=52-3\times 14$$
$$=49\times 14$$
$$=686$$

⬇

$$52-3\times(6+8)$$

사고력 유형

2-3 두 식을 ( )를 사용하여 하나의 식으로 나타내어 보세요.

• $17+21=38$ • $43-38=5$

➡ _____

2-4 두 식을 ( )를 사용하여 하나의 식으로 나타내어 보세요.

• $3\times 6=18$ • $54\div 18=3$

➡ _____

1-3 계산 순서가 틀린 곳을 찾아 바르게 나타내고, 계산해 보세요.

$$20\div(5\times 2)=8$$
①
②

➡

$$20\div(5\times 2)$$

플러스 유형 **처방전**

두 식에 공통으로 들어 있는 수를 찾아서 하나의 식으로 나타낼 수 있다능~.

플러스 유형 ❸ ( )가 있을 때와 없을 때의 계산 결과 비교하기

3-1 계산 결과가 더 큰 것의 기호를 써 보세요.

> ㉠ $48-(9+25)$ 　　㉡ $48-9+25$

(　　　　　　)

3-2 계산 결과가 더 큰 것을 찾아 기호를 써 보세요.

> ㉠ $72÷3×3$ 　　㉡ $72÷(3×3)$

(　　　　　　)

3-3 계산 결과를 비교하여 ○ 안에 $>$, $=$, $<$를 알맞게 써넣으세요.

$$40-5+6×2 \bigcirc 40-(5+6)×2$$

3-4 계산 결과를 비교하여 ○ 안에 $>$, $=$, $<$를 알맞게 써넣으세요.

$$32+(20-15)÷5 \bigcirc 32+20-15÷5$$

플러스 유형 ❹ 식에 알맞은 문제를 만들고, 답 구하기

4-1 식에 알맞은 문제를 완성하고, 답을 구해 보세요.

$$15+9-3$$

문제 승재는 위인전 15권, _____

_____

_____

답 _____

4-2 식에 알맞은 문제를 완성하고, 답을 구해 보세요.

$$30÷(5×2)$$

문제 쿠키 30개를 상자 한 개에 _____

_____

답 _____

서술형
4-3 식에 알맞은 문제를 만들고, 답을 구해 보세요.

$$34-(15+8)$$

문제 _____

_____

_____

_____

답 _____

플러스 유형 5 식이 성립하도록 ( )로 묶기

5-1 식이 성립하도록 ( )로 묶어 보세요.

$$36 - 10 + 4 = 22$$

서술형

5-2 식이 성립하도록 ( )로 묶으려고 합니다. 풀이 과정을 쓰고 ( )로 알맞게 묶어 보세요.

$$96 \div 8 \times 2 = 6$$

풀이

사고력 유형

5-3 민서가 말하는 식의 계산 결과가 16이 되게 하려고 합니다. 식이 성립하도록 ( )로 묶어 보세요.

$$41 - 5 \times 2 + 3$$

민서

플러스 유형 6 약속에 따라 계산하기

6-1 기호 ★을 다음과 같이 약속할 때 15★4를 계산해 보세요.

$$가★나=가+나-가$$

( )

서술형

6-2 기호 ♥를 다음과 같이 약속할 때 18♥9를 계산하려고 합니다. 풀이 과정을 쓰고 답을 구해 보세요.

$$가♥나=가÷나×나$$

풀이

답 _____

6-3 '가♣나=가×(가+나)-나'라고 약속할 때 다음을 계산해 보세요.

$$6♣4$$

( )

플러스 유형 처방전

계산 순서가 달라질 수 있는 곳에 ( )를 넣어 계산 결과를 확인해 보세용~.

플러스 유형 처방전

약속에 따라 **가** 대신 어떤 수를, **나** 대신 어떤 수를 넣어서 계산해야 하는지 살펴봐용~.

플러스 유형 ❼ □ 안에 들어갈 수 있는 가장 작은 자연수 구하기

독해력 유형

7-1 □ 안에 들어갈 수 있는 가장 작은 자연수를 구해 보세요.

$$\square-16\div(2+6)>18$$

단계 **1** 계산할 수 있는 부분을 먼저 계산하려고 합니다. $16\div(2+6)$은 얼마인가요?

(   )

단계 **2** '$\square-16\div(2+6)=18$'이라 할 때 □ 안에 알맞은 수는 얼마인가요?

(   )

단계 **3** □ 안에 들어갈 수 있는 가장 작은 자연수는 얼마인가요?

(   )

7-2 □ 안에 들어갈 수 있는 가장 작은 자연수를 구해 보세요.

$$\square-56\div(10+4)>20$$

(   )

플러스 유형 ❽ 수 카드를 사용하여 계산 결과가 가장 클(작을) 때의 값 구하기

독해력 유형

8-1 수 카드 2 , 3 , 5 를 한 번씩 모두 사용하여 다음 식을 만들려고 합니다. 계산 결과가 가장 클 때의 값을 구해 보세요.

$$60\div(\boxed{㉠}\times\boxed{㉡})+\boxed{㉢}$$

단계 **1** 알맞은 말에 ◯표 하세요.

계산 결과가 가장 크려면 $\boxed{㉠}\times\boxed{㉡}$ 의 값을 (크게 , 작게) 해야 합니다.

단계 **2** 계산 결과가 가장 크게 되도록 ㉠, ㉡, ㉢의 자리에 알맞은 수를 써넣으세요.

$$60\div(\square\times\square)+\square$$

단계 **3** 계산 결과가 가장 클 때의 값은 얼마인가요?

(   )

8-2 수 카드 2 , 1 , 8 을 한 번씩 모두 사용하여 다음 식을 만들려고 합니다. 계산 결과가 가장 작을 때의 값을 구해 보세요.

$$48\div(\square\times\square)+\square$$

(   )

플러스 유형 처방전

나누어지는 수가 같을 때
- 몫이 크게 되려면 나누는 수를 작게,
- 몫이 작게 되려면 나누는 수를 크게 해야 한다능~

1 단원

자연수의 혼합 계산

1 가장 먼저 계산해야 하는 부분을 찾아 기호를 써 보세요.

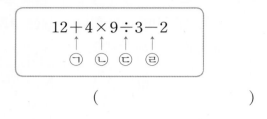

$$12+4\times9\div3-2$$
ㄱ   ㄴ   ㄷ   ㄹ

(   )

2 □ 안에 알맞은 수를 써넣으세요.

$$20+(30-25)\times3=20+\boxed{}\times3$$
$$=20+\boxed{}$$
$$=\boxed{}$$

3 보기 와 같이 계산해 보세요.

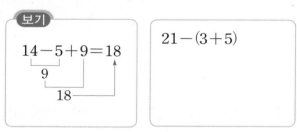

보기

$$14-5+9=18$$
9
18

$$21-(3+5)$$

1
단원

자연수의 혼합 계산

26

[4~5] 계산해 보세요.

4 $35-24\div6+7$

5 $100\div10+3\times(10-6)$

6 계산이 틀린 곳을 찾아 바르게 고쳐 보세요.

$$17+5\times(8-3)=17+40-3$$
$$=57-3$$
$$=54$$

↓

$$17+5\times(8-3)$$

7 두 식의 계산 결과가 같으면 ○표, 다르면 △표 하세요.

$$42\div2\times3$$ $$42\div(2\times3)$$

(   )

8 두 식을 ( )를 사용하여 하나의 식으로 나타내어 보세요.

· $6+15=21$ · $28-21=7$

→ _____

9 바르게 계산한 것을 찾아 기호를 써 보세요.

ㄱ $45\div5\times3=3$
ㄴ $30+4\times(5-2)=42$

(   )

10 계산 결과가 15인 계산식을 찾아 ○표 하세요.

$6+2\times(30-12)\div4$	
$48-(18+15)\div3$	

11 ( )가 없어도 계산 결과가 같은 식을 찾아 기호를 써 보세요.

> ㉠ $24\times(4\div2)$　　㉡ $36\div(4\times9)$

( )

12 크기를 비교하여 ○ 안에 >, =, <를 알맞게 써넣으세요.

$$30-(4+24)\div4 \bigcirc 20$$

13 한 명이 한 시간에 종이학을 8개 접을 수 있습니다. 3명이 종이학 96개를 접으려면 적어도 몇 시간이 걸리는지 하나의 식으로 나타내어 구해 보세요.

식 _____

답 _____

14 맛깔 분식점에 있는 음식의 가격입니다. 준수는 라면을 먹었고, 지호는 떡볶이와 만두를 먹었습니다. 준수는 지호보다 얼마를 더 내야 하는지 하나의 식으로 나타내어 구해 보세요.

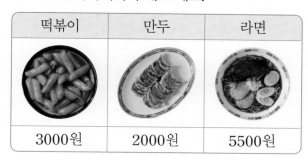

떡볶이	만두	라면
3000원	2000원	5500원

식 _____

답 _____

15 □ 안에 알맞은 수를 구해 보세요.

$$6\times(20-13)+\square=50$$

( )

16 현재 기온은 화씨 68도입니다. 다음 설명을 보고 현재 기온을 섭씨로 나타내면 몇 도(°C)인지 하나의 식으로 나타내어 구해 보세요.

> 화씨온도(°F)에서 32를 뺀 수에 5를 곱하고 9로 나누면 섭씨온도(°C)가 됩니다.

식 _____

답 _____ °C

17 서술형 » 23쪽 4-3 유사 문제

식에 알맞은 문제를 만들고, 답을 구해 보세요.

$$15 \times 4 \div 3$$

문제 _____

_____

_____

답 _____

18 서술형 » 24쪽 5-2 유사 문제

식이 성립하도록 ( )로 묶으려고 합니다. 풀이 과정을 쓰고 ( )로 알맞게 묶어 보세요.

$$12 + 42 \div 6 - 3 = 26$$

풀이 _____

_____

_____

_____

_____

19 서술형 » 24쪽 6-2 유사 문제

기호 ♣를 다음과 같이 약속할 때 25♣20을 계산하려고 합니다. 풀이 과정을 쓰고 답을 구해 보세요.

$$가 ♣ 나 = 가 \div (가 - 나) + 나$$

풀이 _____

_____

_____

_____

답 _____

20 독해력 유형 서술형 » 25쪽 7-1 유사 문제

□ 안에 들어갈 수 있는 가장 작은 자연수를 구하려고 합니다. 풀이 과정을 쓰고 답을 구해 보세요.

$$\square - (4 + 6) \times 5 > 22$$

풀이 _____

_____

_____

_____

답 _____

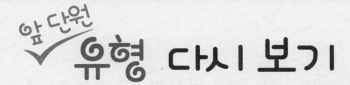 

앞 단원 유형 다시 보기

다각형 알아보기

1 다각형을 모두 찾아 기호를 써 보세요.

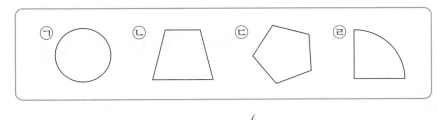

( )

다각형 그리기

2 주어진 다각형을 그려 보세요.

(1) 오각형 　　　　(2) 육각형

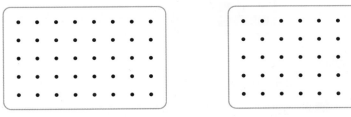

정다각형 알아보기

3 설명하는 도형의 이름을 써 보세요.

- 7개의 변으로 둘러싸인 도형입니다.
- 변의 길이가 모두 같고 각의 크기가 모두 같습니다.

( )

대각선 알아보기

4 대각선의 수가 더 많은 다각형을 찾아 기호를 써 보세요.

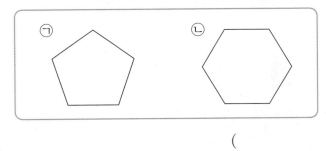

( )

재미있는 **창의·융합·코딩**

별별 코딩학습

계산기로 계산하기

코딩 1 계산기에는 계산 결과를 저장하는 기능이 있습니다. 계산기의 저장 기능을 이용하여 덧셈, 뺄셈, 곱셈, 나눗셈이 섞여 있는 식을 계산하려고 합니다. 식을 계산하기 위해 계산기에서 눌러야 하는 버튼을 보기와 같이 빈칸에 차례로 쓰고, 계산 결과를 써 보세요.

MC : 저장 결과를 지웁니다.

M+ : 저장 결과에 새로 입력된 값을 더합니다.

M− : 저장 결과에서 새로 입력된 값을 뺍니다.

MR : 저장 결과를 불러옵니다.

보기

$20-4\times2+10\div5$

→ | MC | 2 | 0 | M+ | 4 | × | 2 | M− | 1 | 0 | ÷ | 5 | M+ | MR |

(14)

계산을 하기 전 계산기의 시작값은 0이므로 M+를 눌러야 해.
그래야 0에 처음 수를 더해서 계산기에 저장할 수 있어.

즉 20과 같이 처음 나오는 수인 경우에도
수를 입력하고 반드시 M+를 눌러 주어야 해.

① $15+18\div3-4\times1$

→ | MC | | | M+ | | | | | | | | | | | | | | |

( )

② $81\div9-3\times2+17$

→ | MC | | | | | | | | | | | | | | | | | |

( )

화살표 거꾸로 따라가기

창의 2 화살표 방향에 따라 계산한 값을 보고 처음 수를 구해 보세요.

1 ♣부터 화살표 방향에 따라 계산하면 13이 나와. ♣에 알맞은 수를 구해 봐.

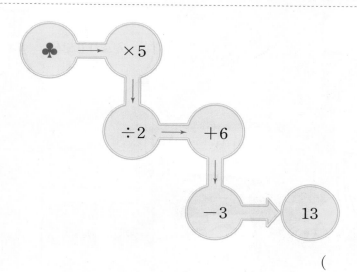

(   )

2 🍎부터 화살표 방향을 따라 계산하면 20이 나와. 🍎에 알맞은 수를 구해 봐.

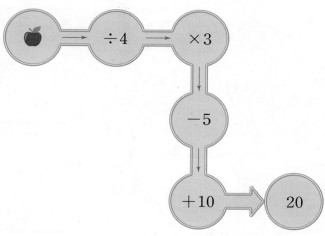

(   )

2 약수와 배수

Dr. 유형 처방전

* 최소공배수 날짜에 만나야 하는 귀신 커플

1 STEP 개념별 유형

개념 1 약수

• 약수 알아보기

> 약수: 어떤 수를 나누어떨어지게 하는 수
> └─▶나머지가 0

예 6의 약수 구하기

$6÷1=6$ 　　　 $6÷2=3$

$6÷3=2$ 　　　 $6÷6=1$

6을 나누어떨어지게 하는 수를 6의 약수라고 합니다.

➔ 6의 약수: 1, 2, 3, 6

1은 모든 수의 약수야.

어떤 수의 약수 중 가장 작은 수는 1, 가장 큰 수는 자기 자신이야.

유형

1 나눗셈식을 보고 8의 약수를 모두 써 보세요.

$8÷1=8$ 　　　 $8÷2=4$

$8÷4=2$ 　　　 $8÷8=1$

(　　　　　　)

2 □ 안에 알맞은 수를 써넣고, 15의 약수를 모두 구해 보세요.

$15÷\boxed{}=15$ 　　 $15÷\boxed{}=5$

$15÷\boxed{}=3$ 　　 $15÷\boxed{}=1$

➔ 15의 약수: _____

[3~4] 약수를 모두 구해 보세요.

3

> 25의 약수

(　　　　　　)

4

> 28의 약수

(　　　　　　)

5 왼쪽 수가 오른쪽 수의 약수이면 ○표, 아니면 ×표 하세요.

4	30

(　　　　　　)

6 바르게 설명한 사람은 누구인지 이름을 써 보세요.

6은 21의 약수야.　　　　7은 21의 약수야.

시우

다은

(　　　　　　)

7 다음 수 중 30의 약수를 모두 찾아 ○표 하세요.

| 1 | 3 | 4 | 9 | 10 | 15 |

8 22의 약수 중에서 가장 큰 수를 구해 보세요.

( )

9 두 수의 곱이 20인 식을 모두 쓴 것입니다. 20의 약수를 모두 구해 보세요.

$20=1\times20$ $20=2\times10$ $20=4\times5$

( )

10 18의 약수의 개수는 몇 개인지 구하려고 합니다. 물음에 답하세요.

(1) 18의 약수를 모두 써 보세요.

( )

(2) 18의 약수는 모두 몇 개인가요?

( )

개념 ② 배수

• 배수 알아보기

배수: 어떤 수를 1배, 2배, 3배…… 한 수

⑳ 5를 1배 한 수: $5\times1=5$
5를 2배 한 수: $5\times2=10$
5를 3배 한 수: $5\times3=15$
⋮
5를 1배, 2배, 3배…… 한 수를 5의 배수라고 합니다.

➔ 5의 배수: 5, 10, 15……

유형

11 2의 배수를 구하려고 합니다. 빈칸에 알맞은 수를 써넣으세요.

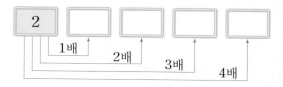

12 7의 배수를 곱셈식을 이용하여 구하려고 합니다. □ 안에 알맞은 수를 써넣으세요.

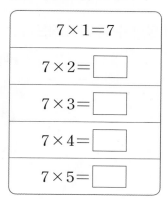

| $7\times1=7$ |
| $7\times2=\square$ |
| $7\times3=\square$ |
| $7\times4=\square$ |
| $7\times5=\square$ |

1 STEP 개념별 유형

[13~14] 배수를 작은 수부터 차례로 3개씩 써 보세요.

13 3의 배수

( )

14 10의 배수

( )

15 4의 배수는 어느 것인가요?·················( )
① 1　　　　② 6　　　　③ 10
④ 15　　　　⑤ 24

16 민서가 말한 수 중 가장 작은 수는 얼마인가요?

6의 배수

민서

( )

17 8의 배수 중 수직선에 나타낼 수 있는 배수를 보기 와 같이 모두 나타내어 보세요.

보기

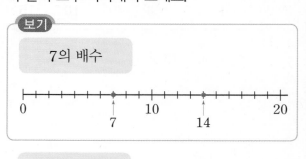

7의 배수

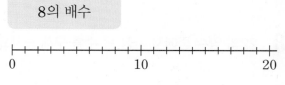

8의 배수

18 수 배열표를 보고 5의 배수를 모두 찾아 색칠해 보세요.

1	2	3	4	5
6	7	8	9	10
11	12	13	14	15
16	17	18	19	20

19 11의 배수를 모두 찾아 써 보세요.

15　　22　　36　　44

( )

20 9의 배수는 모두 몇 개인가요?··········( )
① 1개　　　　② 3개　　　　③ 9개
④ 18개　　　　⑤ 무수히 많습니다.

개념 **3** 약수와 배수의 관계

1. 두 수의 곱으로 나타내어 알아보기

예
$$6=1\times6 \qquad 6=2\times3$$

(1) 6은 1, 2, 3, 6의 배수입니다.

(2) 1, 2, 3, 6은 6의 약수입니다.

2. 여러 수의 곱으로 나타내어 알아보기

예
$$18=1\times18 \qquad 18=6\times3$$
$$18=2\times9 \qquad 18=2\times3\times3$$

(1) 18은 1, 2, 3, 6, 9, 18의 배수입니다.

(2) 1, 2, 3, 6, 9, 18은 18의 약수입니다.

 유형

21 식을 보고 알맞은 말에 ○표 하세요.

$$28=7\times4$$

(1) 28은 7과 4의 (약수 , 배수)입니다.

(2) 7과 4는 28의 (약수 , 배수)입니다.

22 식을 보고 □ 안에 알맞은 수를 써넣으세요.

$$9=1\times9 \qquad 9=3\times3$$

(1) □ 은/는 1, 3, 9의 배수입니다.

(2) 1, □ , □ 은/는 9의 약수입니다.

23 식을 보고 바르게 설명한 것에 ○표 하세요.

$$15=3\times5$$

• 5는 15의 약수입니다. ·················(　)

• 3은 15의 배수입니다. ·················(　)

24 두 수가 약수와 배수의 관계인 것을 찾아 기호를 써 보세요.

ㄱ | 8 | 32

ㄴ | 6 | 22

(　　　　　)

25 보기 에서 약수와 배수의 관계인 수를 찾아 써 보세요.

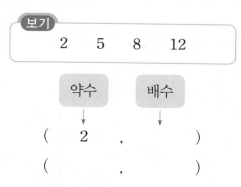

보기
2　　5　　8　　12

약수　　　　배수
↓　　　　　↓
(　2　 , 　　　)
(　　　 , 　　　)

26 12를 여러 수의 곱으로 나타낸 것입니다. '약수'와 '배수'를 넣은 문장을 완성해 보세요.

$$12=1\times12 \qquad 12=4\times3$$
$$12=2\times6 \qquad 12=2\times2\times3$$

약수 ➡ 1, 2, 3, 4, 6, 12는

────────────────────

배수 ➡ 12는

[1~4] 배수를 작은 수부터 차례로 3개 써 보세요.

1 2의 배수

(   )

2 8의 배수

(   )

3 9의 배수

(   )

4 11의 배수

(   )

[5~6] 약수를 모두 찾아 색칠해 보세요.

5 20의 약수

6 16의 약수

[7~10] 30을 여러 수의 곱으로 나타낸 것입니다. 약수와 배수의 관계를 설명한 것이 옳으면 ○표, 틀리면 ✕표 하세요.

$30 = 1 \times 30$	$30 = 2 \times 15$	$30 = 3 \times 10$	$30 = 5 \times 6$	$30 = 2 \times 3 \times 5$

7 30은 1의 배수입니다.

(   )

8 9는 30의 약수입니다.

(   )

9 2, 3, 5는 30의 약수입니다.

(   )

10 30은 2와 15의 약수입니다.

(   )

1 주어진 수의 약수를 모두 써 보세요. [1점]

(1) 15

(   )

(2) 24

(   )

2 7의 배수가 <u>아닌</u> 수에 모두 ×표 하세요. [1점]

1	7	18	21	35

3 두 수가 약수와 배수의 관계가 되도록 빈칸에 1 이외의 알맞은 수를 써넣으세요. [1점]

10	

4 수 배열표를 보고 4의 배수에는 ○표, 3의 배수에는 △표 하세요. [1점]

1	2	3	4	5
6	7	8	9	10
11	12	13	14	15
16	17	18	19	20

5 9는 108의 약수인지 예, 아니요로 답하고 그 이유를 써 보세요. [2점]

(   )

이유 _____

_____

_____

6 약수와 배수의 관계에 대해 바르게 설명한 것을 찾아 기호를 써 보세요. [2점]

> ㉠ 6은 3의 배수이고 10의 약수입니다.
> ㉡ 10과 15는 약수와 배수의 관계입니다.
> ㉢ 4는 24의 약수이고 24는 4의 배수입니다.
> ㉣ 36은 4의 배수이고 9의 약수입니다.

(   )

7 미리네 집에서 이모네 댁으로 가는 버스가 오전 8시부터 25분 간격으로 출발합니다. 오전 8시부터 오전 9시까지 버스가 출발하는 시각을 모두 구해 보세요. [2점]

(   )

2 단원

약수와 배수

39

개념 4 공약수와 최대공약수

1. 공약수 알아보기

> 공약수: 두 수의 공통된 약수 ★★

> 예 4와 8의 공약수
>   4의 약수: 1, 2, 4
>   8의 약수: 1, 2, 4, 8
>   ➡ 4와 8의 공약수: 1, 2, 4

2. 최대공약수 알아보기

> 최대공약수: 공약수 중에서 가장 큰 수

> 예 4와 8의 최대공약수
>   4와 8의 공약수는 1, 2, 4이고 이 중에서
>   가장 큰 수는 4입니다.
>   ➡ 4와 8의 최대공약수: 4

유형

[1~2] 12와 16의 최대공약수를 구하려고 합니다.
물음에 답하세요.

1 12의 약수를 모두 찾아 ○표, 16의 약수를 모두
찾아 △표 하세요.

1	2	3	4	5	6	7	8
9	10	11	12	13	14	15	16

2 12와 16의 공약수를 모두 쓰고, 최대공약수를 구
해 보세요.

공약수 (   )

최대공약수 (   )

3 다음은 어떤 두 수의 공약수를 모두 쓴 것입니다.
이 두 수의 최대공약수는 얼마인가요?

> 1, 2, 3, 6

(   )

4 표의 빈칸에 25와 15의 약수를 모두 써넣고, 25와
15의 모든 공약수와 최대공약수를 구해 보세요.

25의 약수	
15의 약수	

공약수 (   )

최대공약수 (   )

5 우진이가 설명하는 어떤 수를 모두 구해 보세요.

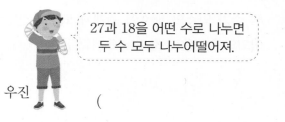

> 27과 18을 어떤 수로 나누면
> 두 수 모두 나누어떨어져.

우진

(   )

6 공약수와 최대공약수에 대한 설명으로 틀린 것을
찾아 기호를 써 보세요.

> ㉠ 24와 36의 공약수 중에서 가장 큰 수는 6
> 입니다.
> ㉡ 33과 9의 공약수 중에서 가장 작은 수는 1
> 입니다.

(   )

2 단원

약수와 배수

40

개념 5 공약수와 최대공약수의 관계

예 6과 18의 공약수와 최대공약수의 관계

① 6의 약수: 1, 2, 3, 6

　18의 약수: 1, 2, 3, 6, 9, 18

② 6과 18의 공약수: 1, 2, 3, 6

③ 6과 18의 최대공약수: 6

➡ 6과 18의 <u>공약수</u>는 <u>최대공약수의 약수</u>입
니다.
　　└→1, 2, 3, 6　　└→6의 약수

> 두 수의 공약수
> ＝두 수의 최대공약수의 약수

개념 6 최대공약수 구하는 방법

예 12와 18의 최대공약수 구하기

(1) 두 수의 곱으로 나타내어 구하기

$$12=1×12 \quad 12=2×6 \quad 12=3×4$$
$$18=1×18 \quad 18=2×9 \quad 18=3×6$$

방법 1 　$12=2×6$　　$18=3×6$ →공통으로 들어
　　　　　　　↓　　　　　　↓　　있는 가장 큰 수
　　　　　　12와 18의 최대공약수

방법 2 　12와 18의 공약수 → 6) 12　　18
　　　　　　　　　　　　　　　↓　2　　　3
　　　　　　　12와 18의 최대공약수

(2) 여러 수의 곱으로 나타내어 구하기
　　　　　　　　　　　　　　　　　→공통으로 들어 있는
방법 1 　$12=2×3×2$　　$18=\overline{2×3}×3$　곱셈식
　　　　　　　‖　　　　　　　‖
　　　　　　　6　　　　　　　6
　　　　　　　↓　　　　　　　↓
　　　　　　12와 18의 최대공약수

방법 2 　12와 18의 공약수 → 2) 12　　18
　　　　　　6과 9의 공약수 → 3) 6　　　9
　　　　　　　　　　　　　　　↓　2　　　3 →더 이상
　　　　　12와 18의 최대공약수: $2×3=6$　나누어지지
　　　　　　　　　　　　　　　　　　　　　않음

단원 2

약수와 배수

41

유형

7 16과 24의 공약수와 최대공약수를 보고 □ 안에
알맞은 말을 써넣으세요.

> • 16과 24의 공약수: 1, 2, 4, 8
> • 16과 24의 최대공약수: 8

16과 24의 공약수는 두 수의 최대공약수의
□ 입니다.

8 어떤 두 수의 최대공약수가 18일 때 두 수의 공
약수가 <u>아닌</u> 수를 찾아 써 보세요.

> 　1　　6　　9　　12　　18

　　　　　　(　　　　　　　　　　　)

9 어떤 두 수의 최대공약수가 12일 때 두 수의 공
약수를 모두 써 보세요.

　　　　　　(　　　　　　　　　　　)

유형

10 16과 20의 최대공약수를 구하기 위한 곱셈식입
니다. 두 수의 최대공약수를 구해 보세요.

> $16=4×4$　　$20=4×5$

　　　　　　(　　　　　　　　　　　)

11 □ 안에 알맞은 수를 써넣어 30과 45의 최대공
약수를 구해 보세요.

　　　　　3) 30　　　45
　　　　　□) □　　　15
　　　　　　　2　　　□

30과 45의 최대공약수 ➡ $3×□=□$

12 곱셈식을 보고 50과 20의 최대공약수를 구하려고 합니다. 물음에 답하세요.

$$50 = 1 \times 50 \qquad 50 = 2 \times 25$$
$$50 = 5 \times 10 \qquad 50 = 2 \times 5 \times 5$$

$$20 = 1 \times 20 \qquad 20 = 2 \times 10$$
$$20 = 4 \times 5 \qquad 20 = 2 \times 2 \times 5$$

(1) 50과 20의 최대공약수를 구하기 위한 여러 수의 곱셈식을 써 보세요.

$$50 = \boxed{} \times \boxed{} \times 5$$
$$20 = 2 \times \boxed{} \times \boxed{}$$

(2) 50과 20의 최대공약수는 얼마인가요?

( )

13 두 수의 최대공약수를 구해 보세요.

24, 30

( )

14 지우개 21개와 자 42개를 최대한 많은 사람에게 남김없이 똑같이 나누어 주려고 합니다. 최대 몇 명에게 줄 수 있는지 구해 보세요.

(1) 21과 42의 최대공약수는 얼마인가요?

( )

(2) 최대한 많은 사람에게 남김없이 똑같이 나누어 주려면 최대 몇 명에게 나누어 줄 수 있나요?

( )

개념 **7** 공배수와 최소공배수

1. 공배수 알아보기

공배수: 두 수의 공통된 배수

예 2와 3의 공배수
2의 배수: 2, 4, 6, 8, 10, 12……
3의 배수: 3, 6, 9, 12……
➔ 2와 3의 공배수: 6, 12……

2. 최소공배수 알아보기

최소공배수: 공배수 중에서 가장 작은 수

예 2와 3의 최소공배수
2와 3의 공배수는 6, 12, 18……이고 이 중에서 가장 작은 수는 6입니다.
➔ 2와 3의 최소공배수: 6

유형

15 □ 안에 알맞은 말을 써넣으세요.

(1) 2와 5의 공통된 배수 10, 20, 30……을 2와 5의 □□□□ 라고 합니다.

(2) 2와 5의 공배수 중에서 가장 작은 수인 10을 2와 5의 □□□□□ 라고 합니다.

16 4와 3의 공배수와 최소공배수를 □ 안에 써넣으세요.

• 4의 배수: 4, 8, 12, 16, 20, 24, 28……
• 3의 배수: 3, 6, 9, 12, 15, 18, 21, 24……

공배수 ➔ □ , □ ……
최소공배수 ➔ □

17 6과 4의 최소공배수를 구하려고 합니다. 물음에 답하세요.

(1) 6과 4의 배수를 빈칸에 각각 써넣으세요.

6의 배수	6	12				……
4의 배수	4	8				……

(2) 위 (1)의 표를 보고 6과 4의 최소공배수를 구해 보세요.

(　　　　　　)

18 설명이 옳은 것을 찾아 기호를 써 보세요.

> ㉠ 4와 10의 최소공배수는 2입니다.
> ㉡ 18, 36, 54……는 6과 9의 공배수입니다.

(　　　　　　)

19 하윤이와 지호가 말하는 두 수의 공배수를 작은 수부터 차례로 2개 써 보세요.

 하윤 〔 10 〕 〔 15 〕 지호

(　　　　　　)

20 설명하는 수를 구해 보세요.

> 4의 배수도 되고 5의 배수도 되는 수 중 가장 작은 수

(　　　　　　)

개념 8 **공배수와 최소공배수의 관계**

예 3과 4의 공배수와 최소공배수의 관계

① 3의 배수: 3, 6, 9, 12, 15, 18, 21, 24……

　4의 배수: 4, 8, 12, 16, 20, 24, 28……

② 3과 4의 공배수: 12, 24……

③ 3과 4의 최소공배수: 12

➡ 3과 4의 공배수는 최소공배수의 배수입니다.
　└→12, 24……　└→12의 배수

> 두 수의 공배수
> =두 수의 최소공배수의 배수

유형

21 공배수와 최소공배수의 관계에 대해 설명한 것입니다. 알맞은 말에 ○표 하세요.

> 두 수의 공배수는 두 수의 최소공배수의 (약수 , 배수)입니다.

22 어떤 두 수의 공배수를 가장 작은 수부터 쓴 것입니다. 두 수의 최소공배수를 써 보세요.

> 6, 12, 18, 24, 30……

(　　　　　　)

23 어떤 두 수의 최소공배수가 4일 때 두 수의 공배수를 작은 수부터 차례로 3개 써 보세요.

(　　　　　　)

개념 9 최소공배수 구하는 방법

㉆ 8과 20의 최소공배수 구하기

(1) 두 수의 곱으로 나타내어 구하기

$$8 = 1 \times 8 \qquad 8 = 2 \times 4$$
$$20 = 1 \times 20 \quad 20 = 2 \times 10 \quad 20 = 4 \times 5$$

방법 1 $8 = 2 \times 4 \qquad 20 = 4 \times 5$ → 공통인 수 4가 들어 있는 곱셈식

$2 \times 4 \times 5 = 40$ → 8과 20의 최소공배수

방법 2 8과 20의 최대공약수 → 4) 8 20
                                  2 5

↓

8과 20의 최소공배수: $4 \times 2 \times 5 = 40$

(2) 여러 수의 곱으로 나타내어 구하기

방법 1 $8 = 2 \times 2 \times 2 \qquad 20 = 2 \times 2 \times 5$

$2 \times 2 \times 2 \times 5 = 40$ → 8과 20의 최소공배수

방법 2 8과 20의 공약수 → 2) 8 20
        4와 10의 공약수 → 2) 4 10
                              2 5

↓

8과 20의 최소공배수: $2 \times 2 \times 2 \times 5 = 40$

유형

[24~25] 18과 12를 곱셈식으로 나타낸 것을 보고 물음에 답하세요.

$18 = 1 \times 18$	$12 = 1 \times 12$
$18 = 2 \times 9$	$12 = 2 \times 6$
$18 = 3 \times 6$	$12 = 3 \times 4$

24 18과 12의 최소공배수를 구하기 위한 두 수의 곱셈식을 써 보세요.

$18 = \boxed{} \times 6, \ 12 = \boxed{} \times 6$

25 18과 12의 최소공배수를 구해 보세요.

18과 12의 최소공배수:

$\boxed{} \times 6 \times \boxed{} = \boxed{}$

26 보기와 같이 두 수의 최소공배수를 구해 보세요.

보기

18, 6

2) 18 6   → 최소공배수:
3) 9   3
    3   1 $2 \times 3 \times 3 \times 1 = 18$

28, 12

) 28 12   → 최소공배수:

_____

27 두 수의 최소공배수를 찾아 이어 보세요.

16, 20 ·   · 42

                            · 80

14, 6 ·   · 4

28 봉사활동을 진호는 6일마다, 연주는 8일마다 합니다. 오늘 두 사람이 봉사활동을 함께 했다면 다음번에 두 사람이 봉사활동을 함께 하는 날은 오늘부터 며칠 후인지 구해 보세요.

(1) 6과 8의 최소공배수는 얼마인가요?

(   )

(2) 다음번에 두 사람이 봉사활동을 함께 하는 날은 오늘부터 며칠 후인가요?

(   )

2 단원

약수와 배수

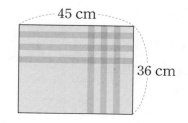

플러스

개념 10 최대공약수와 최소공배수의 활용

| 최대한 많은, 최대 몇 명, 가장 큰…… | → | 최대공약수 |

| 동시에, 함께, 같은 자리에, 가장 작은…… | → | 최소공배수 |

유형

문제를 읽고 먼저 최대공약수와 최소공배수 중 어느 것을 이용해야 할지 ○표 한 후 풀어 보세용~.

29 빵 30개와 우유 48개를 최대한 많은 학생에게 남김없이 똑같이 나누어 주려고 합니다. 빵과 우유를 최대 몇 명에게 나누어 줄 수 있나요?

| 최대공약수   최소공배수 |

(   )

30 수영장에 수희는 15일마다 가고, 주리는 5일마다 갑니다. 오늘 두 사람이 함께 수영장에 갔다면 다음번에 두 사람이 함께 수영장에 가는 날은 오늘부터 며칠 후인가요?

| 최대공약수   최소공배수 |

(   )

31 가로가 8 cm, 세로가 10 cm인 직사각형 모양의 타일을 겹치지 않게 늘어놓아 가장 작은 정사각형을 만들었습니다. 만든 정사각형의 한 변의 길이는 몇 cm인가요?

| 최대공약수   최소공배수 |

(   )

32 가로가 45 cm, 세로가 36 cm인 직사각형 모양의 천을 남는 부분 없이 크기가 같은 정사각형 모양으로 자르려고 합니다. 가장 큰 정사각형 모양으로 자르려면 한 변의 길이를 몇 cm로 잘라야 하나요?

45 cm

36 cm

| 최대공약수   최소공배수 |

(   )

33 길이가 36 cm, 24 cm인 색 테이프를 모두 똑같은 길이로 남김없이 자르려고 합니다. 한 도막의 길이를 최대한 길게 자르려면 몇 cm씩 잘라야 하나요?

36 cm

24 cm

| 최대공약수   최소공배수 |

(   )

34 어느 버스 터미널에서 부산행 버스는 15분마다, 대전행 버스는 9분마다 출발합니다. 오전 7시에 두 버스가 동시에 출발했다면 다음번에 동시에 출발하는 시각은 오전 몇 시 몇 분인가요?

| 최대공약수   최소공배수 |

(   )

2
단원

약수와 배수

45

[1~2] 30과 18의 최대공약수를 구하기 위한 곱셈식을 쓰고, 최대공약수를 구해 보세요.

| $30=1\times30$ | $30=2\times15$ | $30=3\times10$ | $30=5\times6$ | $30=2\times3\times5$ |
| $18=1\times18$ | $18=2\times9$ | $18=3\times6$ | $18=2\times3\times3$ | |

1 $\quad \begin{cases} 30=5\times \square \\ 18=3\times \square \end{cases}$

➡ 최대공약수: $\square$

2 $\quad \begin{cases} 30=2\times \square \times5 \\ 18=\square \times \square \times3 \end{cases}$

➡ 최대공약수: $2\times \square = \square$

[3~4] 27과 45의 최소공배수를 구하기 위한 곱셈식을 쓰고, 최소공배수를 구해 보세요.

| $27=1\times27$ | $27=3\times9$ | $27=3\times3\times3$ | |
| $45=1\times45$ | $45=3\times15$ | $45=5\times9$ | $45=3\times3\times5$ |

3 $\quad \begin{cases} 27=\square \times9 \\ 45=\square \times9 \end{cases}$

➡ 최소공배수: $\square \times9\times \square = \square$

4 $\quad \begin{cases} 27=3\times3\times \square \\ 45=3\times3\times \square \end{cases}$

➡ 최소공배수: $3\times3\times \square \times \square$
$= \square$

[5~7] 두 수의 최대공약수와 최소공배수를 각각 구해 보세요.

5 35, 40

$)\ 35\quad 40$

- 최대공약수
➡ (   )

- 최소공배수
➡ (   )

6 28, 20

$)\ 28\quad 20$

- 최대공약수
➡ (   )

- 최소공배수
➡ (   )

7 16, 24

$)\ 16\quad 24$

- 최대공약수
➡ (   )

- 최소공배수
➡ (   )

1 두 수의 최대공약수를 구해 보세요. [1점]

24, 32

(   )

2 두 사람이 말하는 수의 공약수를 모두 구해 보세요. [1점]

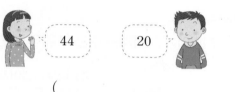

44   20

(   )

3 설명이 옳은 것에 ○표 하세요. [1점]

• 26과 22의 공약수는 두 수를 모두 나누어떨어지게 합니다. ·························· (   )

• 42와 30의 공약수 중에서 가장 큰 수는 210입니다. ····························· (   )

4 18과 15의 공배수 중에서 가장 작은 수를 구해 보세요. [1점]

(   )

5 어떤 두 수의 최소공배수가 16일 때 두 수의 공배수를 작은 것부터 차례로 3개 써 보세요. [2점]

(   )

6 10과 14의 최소공배수를 두 가지 방법으로 구해 보세요. [2점]

방법**1** 두 수의 곱으로 나타내어 구하기

방법**2** 공약수로 나누어 구하기

) 10   14

2
단원

약수와 배수

47

7 지희와 준수가 각각 아래의 규칙에 따라 바둑돌을 20개씩 놓을 때, 같은 자리에 흰 바둑돌을 놓는 경우는 모두 몇 번인지 구해 보세요. [2점]

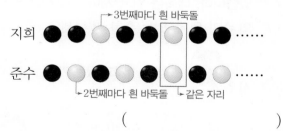

3번째마다 흰 바둑돌

지희

준수

2번째마다 흰 바둑돌   같은 자리

(   )

꼬리를 무는 유형

① 약수와 배수의 관계

기본 유형 1 두 수가 약수와 배수의 관계가 되도록 빈칸에 알맞은 수를 써넣으세요.

| 14 | |

변형 유형 2 두 수가 약수와 배수의 관계인 것에 ○표, 아닌 것에 ×표 하세요.

| 6 | 28 |

( )

| 5 | 25 |

( )

변형 유형 3 왼쪽 수가 오른쪽 수의 약수일 때 빈칸에 알맞은 수를 써넣으세요.

| | 39 |

실생활 유형 4 시우와 서아가 카드의 수를 맞히는 놀이를 하고 있습니다. 대화를 읽고 서아가 가지고 있는 카드의 수가 될 수 있는 수를 써 보세요.

내가 가지고 있는 카드는 **16** 이야.
시우

내가 가지고 있는 카드의 수는 네가 가지고 있는 카드의 수와 약수와 배수의 관계가 될 수 있어.

서아

( )

② 약수의 개수 구하기

기본 유형 5 30의 약수의 개수는 모두 몇 개인가요?

( )

변형 유형 6 지안이가 구하려는 수는 모두 몇 개인가요?

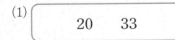
25를 나누어떨어지게 하는 수를 모두 구할 거야.

지안

( )

변형 유형 7 약수의 개수가 더 많은 수에 ○표 하세요.

(1)

| 20 | 33 |

(2)

| 27 | 49 |

❸ 최대공약수 구하기

기본 유형 8 다음에서 설명하는 수를 구해 보세요.

> 42와 14의 공약수 중에서 가장 큰 수

( )

문장제 유형 9 24와 20을 어떤 수로 나누면 두 수 모두 나누어 떨어집니다. 어떤 수 중에서 가장 큰 수를 구해 보세요.

( )

실생활 유형 10 우산과 우비가 다음과 같이 있습니다. 우산과 우비를 최대한 많은 사람에게 남김없이 똑같이 나누어 주려고 합니다. 우산과 우비를 최대 몇 명에게 나누어 줄 수 있나요?

☂ → 36개    🧥 → 24개

( )

❹ 최소공배수 구하기

기본 유형 11 다음에서 설명하는 수를 구해 보세요.

> 63과 42의 공배수 중에서 가장 작은 수

( )

문장제 유형 12 7의 배수이면서 2의 배수인 수 중에서 가장 작은 수를 구해 보세요.

( )

실생활 유형 13 규리는 다음과 같이 자전거를 타고 배드민턴을 칩니다. 자전거 타기와 배드민턴 치기를 오늘 함께 했다면 다음번에 함께 하는 날은 오늘부터 며칠 후인지 구해 보세요.

자전거 타기	배드민턴 치기
6일에 한 번	4일에 한 번

( )

수학 독해력 유형

독해력 유형 **1** 최대한 나누어 줄 수 있는 물건의 수 구하기

구슬 56개와 바둑돌 64개를 최대한 많은 상자에 남김없이 똑같이 담으려고 합니다. 상자 한 개에 구슬과 바둑돌을 각각 몇 개씩 담을 수 있는지 구해 보세요.

What? 구하려는 것을 찾아 밑줄을 그어 보세요.

How? ❶ 최대공약수를 이용하여 최대 몇 개의 상자에 담을 수 있는지 구하기
❷ 상자 한 개에 담을 수 있는 구슬의 수 구하기
❸ 상자 한 개에 담을 수 있는 바둑돌의 수 구하기

Solve ❶ 구슬 56개와 바둑돌 64개를 최대한 많은 상자에 남김없이 똑같이 담을 때 최대 몇 개의 상자에 담을 수 있는지 최대공약수를 구하고, 답을 구해 보세요.

```
 ) 56   64
```

( )

❷ 상자 한 개에 담을 수 있는 구슬은 몇 개인가요?

( )

❸ 상자 한 개에 담을 수 있는 바둑돌은 몇 개인가요?

( )

구하려는 것을 찾아 밑줄을 그은 후 세운 계획에 따라 문제를 풀어 봐~.

쌍둥이 유형 **1-1**

사탕 24개와 젤리 42개를 최대한 많은 학생에게 남김없이 똑같이 나누어 주려고 합니다. 한 학생이 사탕과 젤리를 각각 몇 개씩 받을 수 있는지 구해 보세요.

❶

❷

❸

답 사탕: _____ , 젤리: _____

쌍둥이 유형 **1-2**

물 72병과 주스 48병을 최대한 많은 사람에게 남김없이 똑같이 나누어 주려고 합니다. 한 사람이 물과 주스를 각각 몇 병씩 받을 수 있는지 구해 보세요.

❶

❷

❸

답 물: _____ , 주스: _____

독해력 유형 ② 출발점에서 몇 번 다시 만나는지 구하기

규혜와 민수는 운동장을 일정한 빠르기로 걷고 있습니다. 규혜는 6분마다, 민수는 8분마다 운동장을 한 바퀴 돕니다. 두 사람이 출발점에서 같은 방향으로 동시에 출발할 때, 출발 후 50분 동안 출발점에서 몇 번 다시 만나는지 구해 보세요.

What? 구하려는 것을 찾아 밑줄을 그어 보세요.

How?
❶ 최소공배수를 이용하여 규혜와 민수는 출발점에서 몇 분마다 다시 만나는지 구하기

❷ 규혜와 민수가 출발 후 몇 분 후에 출발점에서 다시 만나는지 구하기

❸ 규혜와 민수는 출발 후 50분 동안 출발점에서 몇 번 다시 만나는지 구하기

Solve
❶ 규혜와 민수는 출발점에서 몇 분마다 다시 만나는지 최소공배수를 구하고, 답을 구해 보세요.

$$) \overline{6 \quad 8}$$

(　　　　　　　)

❷ 규혜와 민수가 출발 후 몇 분 후에 출발점에서 다시 만나는지 □ 안에 알맞은 수를 써넣으세요.

24분, □분, □분……

❸ 규혜와 민수는 출발 후 50분 동안 출발점에서 몇 번 다시 만나나요?

(　　　　　　　)

구하려는 것을 찾아 밑줄을 그은 후 세운 계획에 따라 문제를 풀어 봐~.

쌍둥이 유형 2-1

경희와 주아는 공원의 둘레를 일정한 빠르기로 걷고 있습니다. 경희는 4분마다, 주아는 5분마다 공원을 한 바퀴 돕니다. 두 사람이 출발점에서 같은 방향으로 동시에 출발할 때, 출발 후 50분 동안 출발점에서 몇 번 다시 만나는지 구해 보세요.

❶

❷

❸

답 _____

쌍둥이 유형 2-2

성재와 소라는 자전거로 호수의 둘레를 일정한 빠르기로 달리고 있습니다. 성재는 5분마다, 소라는 3분마다 호수를 한 바퀴 돕니다. 두 사람이 출발점에서 같은 방향으로 동시에 출발할 때, 출발 후 50분 동안 출발점에서 몇 번 다시 만나는지 구해 보세요.

❶

❷

❸

답 _____

2
단원

약수와 배수

51

플러스 유형 ❶ 약수와 배수의 관계

[1-1~1-2] 보기 와 같이 문장을 보고 약수와 배수의 관계를 나타내는 식을 써 보세요.

> **보기**
> 42는 6과 7의 배수이고, 6과 7은 42의 약수입니다. ➡ $42 = 6 \times 7$

1-1 27은 3과 9의 배수이고, 3과 9는 27의 약수입니다.

➡ _____

1-2 24는 4와 6의 배수이고, 4와 6은 24의 약수입니다.

➡ _____

1-3 두 수의 곱으로 나타낸 식을 보고 보기 와 같이 '배수'와 '약수'를 넣은 문장을 만들어 보세요.

> **보기**
> $18 = 2 \times 9$
> ➡ 18은 2와 9의 배수이고, 2와 9는 18의 약수입니다.

$36 = 3 \times 12$

➡ _____

_____

플러스 유형 ❷ 배수 구하기

2-1 어떤 수의 배수를 작은 수부터 차례로 쓴 것입니다. □ 안에 알맞은 수를 구해 보세요.

> 3, 6, 9, 12, 15, □ ……

(   )

2-2 어떤 수의 배수를 작은 수부터 차례로 쓴 것입니다. □ 안에 알맞은 수를 구해 보세요.

> 8, 16, 24, 32, □, 48 ……

(   )

2-3 어떤 수의 배수를 작은 수부터 차례로 쓴 것입니다. 7번째 수를 구해 보세요.

> 6, 12, 18, 24 ……

(   )

2-4 어떤 수의 배수를 작은 수부터 차례로 쓴 것입니다. 12번째 수를 구해 보세요.

> 4, 8, 12, 16 ……

(   )

플러스 유형 ❸ 공약수와 최대공약수, 공배수와 최소 공배수의 관계

플러스 유형 ❹ 나누어떨어지는 수 구하기

3-1 어떤 두 수의 최대공약수가 25일 때 두 수의 공약수를 모두 써 보세요.

(　　　　　　　　)

4-1 32와 24를 어떤 수로 나누면 두 수 모두 나누어떨어집니다. 어떤 수가 될 수 있는 자연수를 모두 구해 보세요.

(　　　　　　　　)

서술형

4-2 12와 30을 어떤 수로 나누면 두 수 모두 나누어떨어집니다. 어떤 수가 될 수 있는 자연수를 모두 구하는 풀이 과정을 쓰고 답을 구해 보세요.

풀이

답 _____

3-2 28과 어떤 수의 최대공약수가 14일 때 두 수의 공약수를 모두 써 보세요.

(　　　　　　　　)

2
단원

약수와 배수

3-3 어떤 두 수의 최소공배수가 30일 때 두 수의 공배수를 작은 수부터 차례로 3개 써 보세요.

(　　　　　　　　)

사고력 유형

4-3 두 사람이 말하는 나눗셈은 모두 나누어떨어집니다. □ 안에 공통으로 들어갈 수 있는 자연수를 모두 구해 보세요.

 54÷□ 　　　 72÷□

(　　　　　　　　)

3-4 어떤 수와 6의 최소공배수가 18일 때 두 수의 공배수를 작은 수부터 차례로 3개 써 보세요.

(　　　　　　　　)

플러스 유형 처방전

두 수를 어떤 수로 나누었을 때 두 수 모두 나누어떨어지게 하는 수는 두 수의 공약수라능~.

플러스 유형 **5** 버스가 출발하는 시각 알아보기

플러스 유형 **6** 조건에 맞는 공배수 구하기

5-1 어느 터미널에서 동해로 가는 버스가 오전 10시부터 11분 간격으로 출발합니다. 오전 10시부터 오전 11시까지 버스는 몇 번 출발하나요?

(   )

6-1 20부터 40까지의 수 중에서 3의 배수이면서 4의 배수인 수를 모두 써 보세요.

(   )

서술형

5-2 어느 놀이동산에 동물원에서 식물원으로 가는 버스가 오전 9시부터 13분 간격으로 출발합니다. 오전 9시부터 오전 10시까지 버스는 몇 번 출발하는지 풀이 과정을 쓰고 답을 구해 보세요.

풀이

답 _____

서술형

6-2 10부터 30까지의 수 중에서 4의 배수이면서 2의 배수인 수를 모두 구하려고 합니다. 풀이 과정을 쓰고 답을 구해 보세요.

풀이

답 _____

사고력 유형

5-3 어느 정류장에서 백화점으로 가는 버스가 6분 간격으로 출발합니다. 오후 1시에 버스가 첫 번째로 출발했다면 5번째로 출발하는 버스는 오후 몇 시 몇 분에 출발하는지 구해 보세요.

(   )

6-3 5의 배수이면서 3의 배수인 수 중 100에 가장 가까운 수를 구해 보세요.

(   )

플러스 유형 처방전

버스가 ■분마다 출발할 때에는 ■의 배수를 구하면 버스가 출발하는 시각을 구할 수 있어용~.

플러스 유형 처방전

■의 배수이면서 ▲의 배수인 수
➡ ■와 ▲의 공배수

플러스 유형 ❼　　조건을 모두 만족하는 수 구하기

독해력 유형

7-1 조건을 모두 만족하는 수를 구해 보세요.

> 조건1 14보다 크고 21보다 작은 자연수입니다.
> 조건2 2의 배수입니다.
> 조건3 18의 약수입니다.

단계1 조건1 을 만족하는 수를 모두 써 보세요.

(　　　　　　　　　)

단계2 위 단계1 에서 답한 수 중 조건2 를 만족하는 수를 모두 써 보세요.

(　　　　　　　　　)

단계3 조건을 모두 만족하는 수는 얼마인가요?

(　　　　　　　　　)

7-2 조건을 모두 만족하는 수를 구해 보세요.

> 조건1 10보다 크고 18보다 작은 자연수입니다.
> 조건2 4의 배수입니다.
> 조건3 24의 약수입니다.

(　　　　　　　　　)

플러스 유형 ❽　　어떤 수 구하기

독해력 유형

8-1 어떤 수로 43을 나누면 나머지가 3이고, 36을 나누면 나머지가 1입니다. 어떤 수를 구해 보세요.

단계1 □ 안에 알맞은 수를 써넣으세요.

> 어떤 수는 [　　] 과 [　　] 의 공약수입니다.

단계2 위 단계1 에서 답한 두 수의 최대공약수는 얼마인가요?

(　　　　　　　　　)

단계3 두 수의 최대공약수의 약수를 모두 구해 보세요.

(　　　　　　　　　)

단계4 어떤 수는 얼마인가요?

(　　　　　　　　　)

8-2 어떤 수로 57을 나누면 나머지가 1이고, 45를 나누면 나머지가 5입니다. 어떤 수를 구해 보세요.

(　　　　　　　　　)

2 단원

약수와 배수

55

2. 약수와 배수

점수

1 27과 36의 최대공약수를 구하려고 합니다. 다음을 보고 □ 안에 알맞은 수를 써넣으세요.

$$
\begin{array}{r}
3)\overline{27\quad 36} \\
3)\overline{9\quad 12} \\
\overline{3\quad 4}
\end{array}
$$

➜ 27과 36의 최대공약수: □ × □ = □

2 식을 보고 □ 안에 '약수'와 '배수'를 알맞게 써넣으세요.

$$5 \times 6 = 30$$

(1) 30은 5와 6의 [　　] 입니다.

(2) 5와 6은 30의 [　　] 입니다.

3 □ 안에 알맞은 수를 써넣고, 21의 약수를 모두 구해 보세요.

$$21 \div 1 = 21 \qquad 21 \div \boxed{} = 7$$

$$21 \div \boxed{} = 3 \qquad 21 \div \boxed{} = 1$$

➜ 21의 약수: _____

4 4의 배수가 아닌 수는 어느 것인가요?(　　　)

① 4　　　　② 12　　　③ 16

④ 22　　　⑤ 32

5 두 수의 최소공배수를 구해 보세요.

20, 12

(　　　　　　　)

6 다음 중 6의 배수는 모두 몇 개인가요?

| 1 | 12 | 24 | 26 | 30 |

(　　　　　　　)

7 왼쪽 수가 오른쪽 수의 약수인 것에 ○표, 아닌 것에 ×표 하세요.

| 3 | 16 |　| 7 | 63 |

(　　　)　　　　(　　　)

8 보기 에서 약수와 배수의 관계인 수를 찾아 써 보세요.

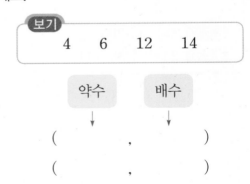

보기

| 4 | 6 | 12 | 14 |

약수　　　배수
↓　　　　↓

(　　　,　　　)

(　　　,　　　)

9 두 수의 공약수를 모두 쓰고, 최대공약수를 구해 보세요.

> 42, 30

공약수 (　　　　　　　　)

최대공약수 (　　　　　　　　)

10 두 수의 곱으로 나타낸 곱셈식을 보고 10과 14의 최소공배수를 구해 보세요.

> 10＝1×10　　　10＝2×5

> 14＝1×14　　　14＝2×7

(　　　　　　　　)

11 바르게 설명한 것을 찾아 기호를 써 보세요.

> ㉠ 10의 약수는 2와 5뿐입니다.
> ㉡ 4와 6은 약수와 배수의 관계입니다.
> ㉢ 25와 10의 공약수는 두 수를 모두 나누어 떨어지게 합니다.

(　　　　　　　　)

12 모든 자연수의 약수가 되는 수는 얼마인가요?

(　　　　　　　　)

13 약수의 개수가 가장 많은 수를 써 보세요.

> 6　　20　　11

(　　　　　　　　)

14 어떤 두 수의 최소공배수가 9일 때 두 수의 공배수를 작은 것부터 차례로 3개 써 보세요.

(　　　　　　　　)

15 가로가 24 cm, 세로가 20 cm인 직사각형 모양의 종이를 남는 부분 없이 크기가 같은 정사각형 모양으로 자르려고 합니다. 가장 큰 정사각형 모양으로 자르려면 한 변의 길이를 몇 cm로 해야 하나요?

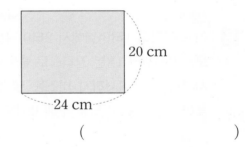

(　　　　　　　　)

16 미희와 경주가 각각 아래의 규칙에 따라 바둑돌을 30개씩 놓을 때, 같은 자리에 흰 바둑돌을 놓는 경우는 모두 몇 번인지 구해 보세요.

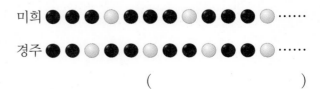

(　　　　　　　　)

정답 및 풀이 13쪽

17 서술형   » 53쪽 4-2 유사 문제

14와 42를 어떤 수로 나누면 두 수 모두 나누어 떨어집니다. 어떤 수가 될 수 있는 자연수를 모두 구하는 풀이 과정을 쓰고 답을 구해 보세요.

풀이

답 _____

18 서술형   » 54쪽 5-2 유사 문제

어느 공항의 1터미널에서 2터미널로 가는 버스가 오전 7시부터 18분 간격으로 출발합니다. 오전 7시부터 오전 8시까지 버스는 몇 번 출발하는지 풀이 과정을 쓰고 답을 구해 보세요.

풀이

답 _____

19 서술형   » 54쪽 6-2 유사 문제

15부터 45까지의 수 중에서 2의 배수이면서 5의 배수인 수를 모두 구하려고 합니다. 풀이 과정을 쓰고 답을 구해 보세요.

풀이

답 _____

20 독해력 유형 서술형   » 55쪽 7-1 유사 문제

조건을 모두 만족하는 수를 구하는 풀이 과정을 쓰고 답을 구해 보세요.

조건1 10보다 크고 20보다 작은 자연수입니다.
조건2 3의 배수입니다.
조건3 30의 약수입니다.

풀이

답 _____

덧셈, 뺄셈, 곱셈이 섞여 있는 식

1 보기와 같이 계산 순서를 나타내고, 계산해 보세요.

보기

$$30-(5+2)\times2=30-7\times2$$
$$①$$
$$=30-14$$
$$②$$
$$=16$$
$$③$$

$$12+(15-13)\times6$$

덧셈, 뺄셈, 곱셈, 나눗셈이 섞여 있는 식

2 계산해 보세요.

덧셈, 뺄셈, 곱셈, 나눗셈, ( )가 섞여 있는 식은 ( ) 안을 먼저 계산하고 곱셈과 나눗셈, 덧셈과 뺄셈 순서로 계산해.

$$(2+6)\times5-20\div4$$

( )

덧셈, 뺄셈, 나눗셈이 섞여 있는 식

3 계산 결과의 크기를 비교하여 ○ 안에 >, =, <를 알맞게 써넣으세요.

$$13+(20-15)\div5 \bigcirc 13+20-15\div5$$

덧셈, 뺄셈이 섞여 있는 식

4 지혜는 딸기 맛 사탕 80개, 포도 맛 사탕 50개를 가지고 있습니다. 그중에서 사탕 25개를 동생에게 주었다면 지혜에게 남아 있는 사탕은 몇 개인지 하나의 식으로 나타내어 구해 보세요.

 식 _____

답 _____

2
단원

약수와 배수

59

순서도로 배수 판별하기

코딩 1 다음은 배수 판별법에 따라 배수를 판별하기 위한 순서도입니다. 순서도를 보고 두 사람의 대화를 완성해 보세요.

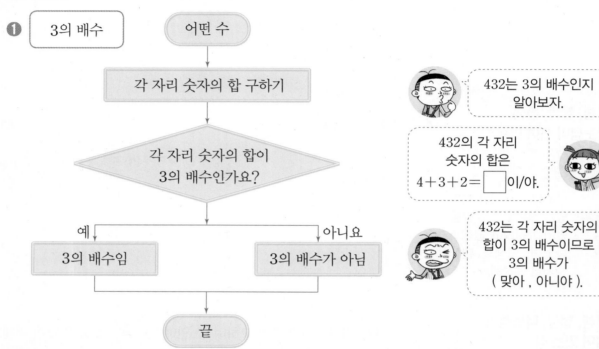

❶ 3의 배수   어떤 수

각 자리 숫자의 합 구하기

각 자리 숫자의 합이 3의 배수인가요?

예 → 3의 배수임   아니요 → 3의 배수가 아님

끝

432는 3의 배수인지 알아보자.

432의 각 자리 숫자의 합은 4+3+2=□이/야.

432는 각 자리 숫자의 합이 3의 배수이므로 3의 배수가 (맞아 , 아니야).

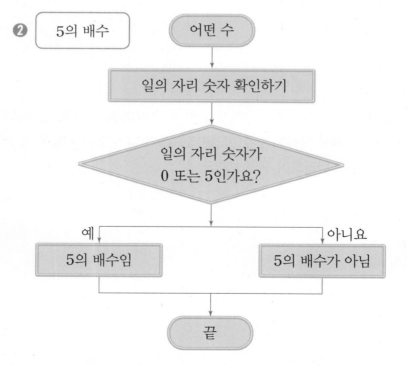

❷ 5의 배수   어떤 수

일의 자리 숫자 확인하기

일의 자리 숫자가 0 또는 5인가요?

예 → 5의 배수임   아니요 → 5의 배수가 아님

끝

647은 5의 배수일까?

647의 일의 자리 숫자는 □이야.

647은 일의 자리 숫자가 0도 아니고 5도 아니므로 5의 배수가 (맞아 , 아니야).

십간십이지란?

창의 2 우리 조상들은 십간(10간)과 십이지(12종류의 동물)를 순서대로 하나씩 짝을 지어 해마다 이름을 붙였습니다.

십간	갑	을	병	정	무	기	경	신	임	계

십이지	자	축	인	묘	진	사	오	미	신	유	술	해

간지는 십간과 십이지를 조합한 것입니다. 십간십이지표를 완성하고, 간지는 몇 년마다 반복되는지 구해 보세요.

십간십이지표

갑자	을축	병인	정묘	무진	기사	경오	신미	임신	
갑술	을해	병자	정축	무인	기묘	경진	신사	임오	계미
갑신	을유	병술	정해		기축	경인	신묘	임진	계사
갑오		병신	정유	무술	기해	경자	신축	임인	계묘
갑진	을사	병오	정미	무신	기유		신해	임자	계축
갑인	을묘	병진	정사	무오	기미	경신	신유		계해

┌ 십간은 10년마다 반복됩니다.
└ 십이지는 [ ]년마다 반복됩니다.

➡ 간지는 10과 12의 최소공배수인 [ ]년마다 반복됩니다.

십간십이지표를 보고 다은이가 한 말을 완성해 봐~.

나는 2005년 을유년에 태어났어.

서준

난 2007년 정해년에 태어났어.

하윤

나는 2009년 [ ]년에 태어났어.

다은

3 규칙과 대응

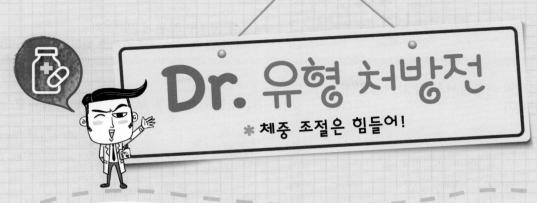

Dr. 유형 처방전

＊ 체중 조절은 힘들어!

달리기를 1분 동안 하면 7 킬로칼로리의 열량이 소모되므로 20분 동안 달리면 20×7=140 (킬로칼로리)가 소모된거야.

시간(분)	1	2	3	4	5	6	……
열량(킬로칼로리)	7	14	21	28	35	42	……

그런데 어떡하니~ 밥 한 공기가 약 300 킬로칼로리인데……

호호호~ 밥 두 공기를 먹으면 약 600 킬로칼로리라고~

힝~ 도대체 달리기를 몇 분을 해야 하는 거야…… 그럼 달리기는 힘드니까 밥을 한 공기만 먹어야겠네요.

그날 저녁

냠냠~ 난 딱 한 공기만 먹는 거야!

어머나! 체중 조절한다는 아이가 무슨 두 공기 같은 한 공기를……

개념 1 규칙적인 배열에서 두 양 사이의 관계 알아보기

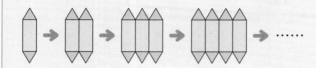

1. 규칙 알아보기

(1) 사각형의 수가 1개씩 늘어날 때 삼각형의 수는 2개씩 늘어납니다.

(2) 삼각형의 수는 사각형의 수의 2배로 늘어납니다.

2. 대응 관계 알아보기

(1) 사각형의 수는 삼각형의 수의 반과 같습니다.

(2) 삼각형의 수는 사각형의 수의 2배입니다.

3 단원

규칙과 대응

64

[1~2] 도형의 배열을 보고 물음에 답하세요.

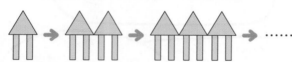

1 다음에 이어질 알맞은 모양에 ○표 하세요.

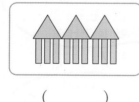 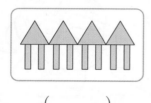

(   )   (   )

2 삼각형의 수와 사각형의 수 사이의 대응 관계를 생각하며 □ 안에 알맞은 수를 써넣으세요.

사각형의 수는 삼각형의 수의 □배입니다.

[3~6] 도형의 배열을 보고 물음에 답하세요.

3 사각형이 1개일 때 원은 몇 개인가요?

(   )

4 사각형이 1개씩 늘어날 때 원은 몇 개씩 늘어나는지 써 보세요.

(   )

5 사각형의 수와 원의 수 사이의 대응 관계를 생각하며 □ 안에 알맞은 수를 써넣으세요.

• 사각형이 5개일 때 필요한 원의 수는 □개입니다.

• 사각형이 10개일 때 필요한 원의 수는 □개입니다.

6 사각형의 수와 원의 수 사이의 대응 관계를 써 보세요.

_____

_____

개념 2 변화하는 모양에서 두 양 사이의 관계 알아보기

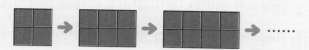

1. 변하는 부분과 변하지 않는 부분 알아보기

왼쪽에 있는 빨간색 사각판 2개는 변하지 않고, 오른쪽 옆에 있는 빨간색 사각판과 파란색 사각판의 수가 각각 1개씩 늘어납니다.

2. 표를 이용하여 대응 관계 알아보기

파란색 사각판의 수(개)	1	2	3	……
빨간색 사각판의 수(개)	3	4	5	……

(1) 빨간색 사각판의 수는 파란색 사각판의 수보다 2개 많습니다.

(2) 파란색 사각판의 수는 빨간색 사각판의 수보다 2개 적습니다.

유형

[7~8] 삼각형과 사각형으로 규칙적인 배열을 만들고 있습니다. 물음에 답하세요.

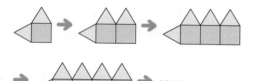

7 삼각형의 수와 사각형의 수 사이의 대응 관계입니다. 알맞은 말에 ○표 하세요.

> 삼각형의 수는 사각형의 수보다 1개
> (많습니다 , 적습니다).

8 표의 빈칸에 알맞은 수를 써넣으세요.

사각형의 수(개)	1	2	3	4	……
삼각형의 수(개)	2				……

[9~12] 마름모와 원으로 규칙적인 배열을 만들고 있습니다. 물음에 답하세요.

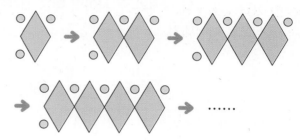

9 변하는 부분과 변하지 않는 부분을 생각하며 마름모의 수와 원의 수가 어떻게 변하는지 표를 완성하여 알아보세요.

마름모의 수(개)	1	2	3	4	……
원의 수(개)	3				……

10 원의 수는 마름모의 수보다 몇 개 더 많을까요?

(   )

11 마름모가 6개일 때 원은 몇 개 필요한가요?

(   )

12 마름모의 수와 원의 수 사이의 대응 관계를 써 보세요.

_____

_____

개념 3 **대응 관계를 식으로 나타내기**

예 비행기의 수와 날개의 수 사이의 대응 관계를 식으로 나타내기

비행기의 수(대)	1	2	3	4	……
날개의 수(개)	2	4	6	8	……

➡ (비행기의 수)×2=(날개의 수)

> 두 양 사이의 대응 관계를 식으로 간단하게 나타낼 때는 각 양을 ○, □, ☆ 등과 같이 기호로 표현할 수 있습니다.

➡ 비행기의 수를 □, 날개의 수를 △라고 할 때, 두 양 사이의 대응 관계를 식으로 나타내면 □×2=△(또는 △÷2=□)입니다.

유형

[13~15] 표를 보고 진수의 나이와 형의 나이 사이의 대응 관계를 식으로 나타내려고 합니다. □ 안에 알맞게 써넣으세요.

진수의 나이(살)	11	12	13	14	……
형의 나이(살)	14	15	16	17	……

13 진수의 나이에 □을/를 더하면 형의 나이입니다. ➡ (진수의 나이)+□=(형의 나이)

14 형의 나이에서 □을/를 빼면 진수의 나이입니다. ➡ (형의 나이)−□=(진수의 나이)

15 진수의 나이를 ♡, 형의 나이를 ☆이라고 할 때, 두 양 사이의 대응 관계를 식으로 나타내면 [   ]입니다.

[16~18] 어느 미술관에 학생 한 명이 입장하려면 입장료를 600원 내야 합니다. 물음에 답하세요.

16 미술관에 입장하는 학생 수와 입장료 사이의 대응 관계를 표를 완성하여 알아보세요.

학생 수(명)	입장료(원)
1	600
2	
3	
4	
5	
⋮	⋮

17 알맞은 카드를 골라 표를 이용하여 알 수 있는 두 양 사이의 대응 관계를 식으로 나타내어 보세요.

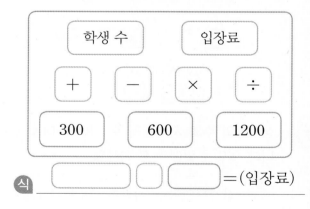

식 [   ] [   ]=(입장료)

18 □ 안에 알맞게 써넣으세요.

> 학생 수를 ◇, 입장료를 ○라고 할 때, 두 양 사이의 대응 관계를 식으로 나타내면 [   ]입니다.

개념 4 생활 속에서 대응 관계를 찾아 식으로 나타내기

예) 철봉에서 대응 관계를 찾아 식으로 나타내기

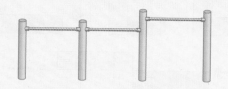

서로 대응하는 두 양	철봉 대의 수
	철봉 기둥의 수
대응 관계	철봉 대의 수는 철봉 기둥의 수보다 1개 작습니다.

➜ 철봉 대의 수를 □, 철봉 기둥의 수를 ☆이라고 하고 대응 관계를 식으로 나타내면 ☆−1=□(또는 □+1=☆)입니다.

 유형

[19~21] 한 바구니에 사과가 5개씩 들어 있습니다. 바구니의 수와 사과의 수 사이의 대응 관계를 식으로 나타내려고 합니다. 물음에 답하세요.

19 표를 완성해 보세요.

바구니의 수(개)	1	2	3	4	⋯⋯
사과의 수(개)	5	10			⋯⋯

20 바구니의 수와 사과의 수 사이의 대응 관계를 완성해 보세요.

사과의 수는 _____

21 바구니의 수를 □, 사과의 수를 △라고 할 때, 두 양 사이의 대응 관계를 식으로 나타내어 보세요.

 식 _____

[22~23] 그림을 보고 물음에 답하세요.

22 그림에서 대응 관계를 찾아 써 보세요.

서로 대응하는 두 양	
	쟁반의 수
대응 관계	

23 위에서 찾은 대응 관계를 식으로 나타내어 보세요.

[ ]을/를 ♡, 쟁반의 수를 ◇라고 하면 대응 관계는 [ ]입니다.

24 누름 못을 사용하여 게시판에 도화지를 붙였습니다. 사용한 누름 못의 수와 도화지의 수 사이의 대응 관계를 표를 완성하여 알아보고 식으로 나타내어 보세요.

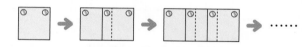

누름 못의 수(개)	5	8	10		⋯⋯
도화지의 수(장)		7	9	19	⋯⋯

식 _____

25 대응 관계를 나타낸 식을 보고, 식에 알맞은 상황을 만들어 보세요.

◇−3=♡

_____

_____

[1~4] 도형의 배열을 보고 □ 안에 알맞은 수를 써넣으세요.

1

삼각형의 수는 원의 수의 □ 배입니다.

2

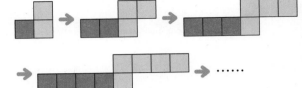

노란색 사각형의 수는 빨간색 사각형의 수
보다 □ 큽니다.

3

사각형의 수는 원의 수를 □ (으)로 나눈
몫입니다.

4

사각형의 수는 삼각형의 수보다 □ 작습
니다.

[5~10] 표를 보고 두 수 사이의 대응 관계를 식으로 나타내어 보세요.

5

□	1	2	3	4	……
△	4	5	6	7	……

식 _____

6

◎	1	2	3	4	……
☆	3	6	9	12	……

식 _____

7

○	25	30	35	40	……
◇	5	6	7	8	……

식 _____

8

□	10	11	12	13	……
△	3	4	5	6	……

식 _____

9

▽	10	3	15	7	……
♡	100	30	150	70	……

식 _____

10

○	1	2	3	4	……
△	6	7	8	9	……

식 _____

유형 진단 TEST
점수 /10점

1 도형의 배열을 보고 삼각형의 수는 사각형의 수의 몇 배인지 구해 보세요. [1점]

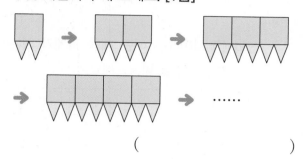

( )

2 도형으로 규칙적인 배열을 만들고 있습니다. 초록색 사각형이 7개일 때 노란색 사각형은 몇 개 필요한가요? [1점]

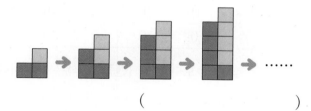

( )

3 지수의 나이와 연도 사이의 대응 관계를 표를 완성하여 알아보고 기호를 사용하여 식으로 나타내어 보세요. [2점]

지수의 나이(살)	12	13	14	20	⋯⋯
연도(년)	2019	2020	2021		⋯⋯

지수의 나이를 □, 연도를 □(이)라고 할 때, 두 양 사이의 대응 관계를 식으로 나타내면 [ ]입니다.

4 □와 ○ 사이의 대응 관계를 식으로 나타내어 보세요. [2점]

□	13	30	5	19	⋯⋯
○	27	10	35	21	⋯⋯

식 _____

5 그림에서 두 양 사이의 대응 관계가 있는 것을 찾아 2가지 써 보세요. [2점]

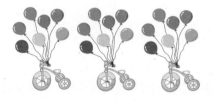

_____
_____
_____

서술형

6 그림에서 탁자마다 의자를 1개씩 더 놓을 때 탁자의 수와 의자의 수 사이의 대응 관계를 식으로 나타내고, 그 이유를 써 보세요. [2점]

식 _____

이유 _____

① 두 양 사이의 대응 관계 알아보기

기본 유형

1 컵의 수와 빨대의 수 사이의 대응 관계를 설명하려고 합니다. □ 안에 알맞은 수를 써넣으세요.

빨대의 수는 컵의 수의 □배입니다.

변형 유형

2 삼각대의 수와 삼각대 다리의 수 사이의 대응 관계를 바르게 설명한 사람은 누구인가요?

하윤
삼각대 다리의 수는 삼각대의 수보다 3 크지.

삼각대 다리의 수는 삼각대의 수의 3배라구~.

서준

( )

실생활 유형

3 연주는 11살, 오빠는 17살입니다. 연주와 오빠의 나이 사이의 대응 관계를 써 보세요.

_____

_____

② 표를 보고 대응 관계를 2가지로 설명하기

기본 유형

4 △와 ○ 사이에는 어떤 대응 관계가 있는지 □ 안에 알맞은 수를 써넣으세요.

△	1	2	3	4	……
○	9	18	27	36	……

┌ ○는 △의 □배입니다.
└ ○를 □(으)로 나누면 △입니다.

변형 유형

5 ◇와 ♤ 사이에는 어떤 대응 관계가 있는지 □ 안에 알맞은 수를 써넣으세요.

◇	10	20	30	40	……
♤	0	10	20	30	……

┌ ♤는 ◇보다 □만큼 더 작은 수입니다.
└ ◇는 ♤보다 □만큼 더 큰 수입니다.

실생활 유형

6 어느 박물관의 어린이 한 명의 입장료는 3000원입니다. 어린이 입장객의 수를 ☆, 어린이 입장료를 ◎라고 할 때, 두 양 사이의 대응 관계를 2가지로 설명해 보세요.

어린이 입장객의 수(☆)	1	2	3	4	……
어린이 입장료(◎)	3000	6000	9000	12000	……

_____

_____

③ 대응 관계를 찾아 식(말)으로 나타내기

기본 유형
7　그림에서 서로 대응하는 두 양을 찾아 대응 관계를 식으로 나타내어 보세요.

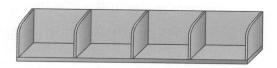

[　　　　　]을/를 ♡, [　　　　　]을/를 ◇라고 할 때 대응 관계를 식으로 나타내면 [　　　　　]입니다.

변형 유형
8　그림에서 대응 관계를 찾아 써 보세요.

서로 대응하는 두 양	
대응 관계	

실생활 유형
9　주변에서 서로 대응하는 두 양을 찾아 각각 기호로 나타내고, 대응 관계를 식으로 나타내어 보세요.

서로 대응하는 두 양			
	기호		기호

식 [_____]

④ 대응 관계를 나타낸 식을 보고 식에 알맞은 상황 만들기

기본 유형
10　대응 관계가 □×2=○인 두 양을 주변에서 찾아 써 보세요.

□	○

변형 유형 서술형
11　대응 관계를 나타낸 식과 보기 의 말을 이용하여 식에 알맞은 상황을 만들어 보세요.

☆＋3＝◎

보기
형의 나이
동생의 나이

_____
_____
_____

변형 유형
12　보기 와 같이 ▽와 ◇를 사용하여 두 양 사이의 대응 관계가 ▽×4＝◇가 되는 상황을 만들어 보세요.

보기
고양이의 수를 ▽, 고양이 다리의 수를 ◇라고 할 때, 고양이 다리의 수는 고양이의 수의 4배입니다.

_____
_____
_____

3
단원

규칙과 대응

독해력 유형 1   필요한 도형의 수 구하기

배열 순서에 따라 수 카드를 놓고 사각형으로 규칙적인 배열을 만들고 있습니다. 수 카드의 수가 10일 때 사각형은 몇 개 필요한지 구해 보세요.

   ......

What? 구하려는 것을 찾아 밑줄을 그어 보세요.

How? ❶ 수 카드의 수와 사각형의 수 사이의 대응 관계를 표로 나타내기

❷ 수 카드의 수와 사각형의 수 사이의 대응 관계를 식으로 나타내기

❸ ❷의 식을 이용하여 수 카드의 수가 10일 때 필요한 사각형의 개수 구하기

Solve ❶ 수 카드의 수와 사각형의 수 사이의 대응 관계를 표로 나타내어 보세요.

수 카드의 수	1	2	3	4	......
사각형의 수(개)	3				......

❷ 수 카드의 수와 사각형의 수 사이의 대응 관계를 식으로 나타내어 보세요.

(수 카드의 수) × ☐ = (사각형의 수)

❸ 수 카드의 수가 10일 때 사각형이 몇 개 필요한가요?

(   )

 구하려는 것을 찾아 밑줄을 그은 후 세운 계획에 따라 문제를 풀어 봐~.

쌍둥이 유형 1-1

배열 순서에 따라 수 카드를 놓고 육각형으로 규칙적인 배열을 만들고 있습니다. 수 카드의 수가 12일 때 육각형은 몇 개 필요한지 구해 보세요.

     ......

❶

❷

❸

답 _____

쌍둥이 유형 1-2

배열 순서에 따라 수 카드를 놓고 삼각형으로 규칙적인 배열을 만들고 있습니다. 수 카드의 수가 9일 때 삼각형은 몇 개 필요한지 구해 보세요.

     ......

❶

❷

❸

답 _____

독해력 유형 2 수를 말하고 답할 때 답하는 수 구하기

지유가 수를 말하면 한석이가 답하고 있습니다. 지유가 9를 말할 때 한석이가 답하는 수를 구해 보세요.

| 지유가 말한 수(○) | 20 | 7 | 10 | 35 | 13 | …… |
| 한석이가 답한 수(♤) | 15 | 2 | 5 | 30 | 8 | …… |

What? 구하려는 것을 찾아 밑줄을 그어 보세요.

_____

How? ❶ 지유가 말한 수와 한석이가 답한 수 사이의 대응 관계를 식으로 나타내기

❷ ❶의 식을 이용하여 지유가 9를 말할 때 한석이가 답하는 수 구하기

Solve ❶ □ 안에 알맞은 수를 써넣으세요.

> 지유가 말한 수를 ○, 한석이가 답한 수를 ♤라고 할 때, 두 양 사이의 대응 관계를 식으로 나타내면 ○− □ =♤입니다.

❷ 지유가 9를 말할 때 한석이가 답하는 수는 얼마인가요?

(   )

지유가 9를 말할 때 한석이가 답하는 수를 구하려면?

두 사람이 말한 수와 답한 수 사이의 대응 관계를 알아야 하죠~.

쌍둥이 유형 2-1

주현이가 수를 말하면 정화가 답하고 있습니다. 주현이가 9를 말할 때 정화가 답하는 수를 구해 보세요.

| 주현이가 말한 수(♡) | 11 | 2 | 17 | 29 | 8 | …… |
| 정화가 답한 수(△) | 15 | 6 | 21 | 33 | 12 | …… |

❶

❷

답 _____

쌍둥이 유형 2-2

가연이가 수를 말하면 찬영이가 답하고 있습니다. 가연이가 9를 말할 때 찬영이가 답하는 수를 구해 보세요.

| 가연이가 말한 수(□) | 12 | 5 | 14 | 8 | 10 | …… |
| 찬영이가 답한 수(☆) | 60 | 25 | 70 | 40 | 50 | …… |

❶

❷

답 _____

STEP 4 사고력 플러스 유형

플러스 유형 ❶ 대응 관계를 알고 표로 나타내기

1-1 △와 ○ 사이의 대응 관계를 나타낸 식입니다. 표를 완성해 보세요.

$$△+9=○$$

△	3	4	5	6	……
○	12	13			……

1-2 ☆과 □ 사이의 대응 관계를 나타낸 식입니다. 표를 완성해 보세요.

$$☆-5=□$$

☆	6	7	8	9	……
□	1	2			……

1-3 ◎는 ◇의 3배입니다. 표를 완성해 보세요.

◇	5	3	10	8	……
◎	15		30		……

플러스 유형 ❷ 대응 관계를 찾아 알맞은 수 구하기

2-1 △와 ○ 사이의 대응 관계를 나타낸 표입니다. 빈칸에 알맞은 수를 써넣으세요.

△	1	2	3	4	5	……
○	10	20	30	40		……

2-2 □와 ♣ 사이의 대응 관계를 나타낸 표입니다. 빈칸에 알맞은 수를 써넣으세요.

□	30	29	28	27	26	……
♣	23	22	21		19	……

2-3 ◇와 ♡ 사이의 대응 관계를 나타낸 표입니다. ◇가 7일 때 ♡는 얼마일까요?

◇	1	2	3	4	……
♡	8	16	24	32	……

( )

2-4 ▽와 ◎ 사이의 대응 관계를 나타낸 표입니다. ▽가 32일 때 ◎는 얼마일까요?

▽	26	27	28	29	……
◎	17	18	19	20	……

( )

플러스 유형 ③ 바둑돌의 배열에서 대응 관계를 식으로 나타내기

플러스 유형 ④ 겹쳐서 이어 붙일 때의 대응 관계 알아보기

3-1 바둑돌의 배열을 보고 표를 완성하고, 순서를 □, 바둑돌의 수를 △라고 할 때, □와 △ 사이의 대응 관계를 식으로 나타내어 보세요.

순서(□)	1	2	3	4	……
바둑돌의 수(△)	2				……

식 _____

3-2 바둑돌의 배열을 보고 표를 완성하고, 순서를 ○, 바둑돌의 수를 ☆이라고 할 때, ○와 ☆ 사이의 대응 관계를 식으로 나타내어 보세요.

순서(○)	1	2	3	4	……
바둑돌의 수(☆)	3				……

식 _____

3-3 바둑돌의 배열을 보고 표를 완성하고, 순서를 ♡, 바둑돌의 수를 ◇라고 할 때, ♡와 ◇ 사이의 대응 관계를 식으로 나타내어 보세요.

순서(♡)	1	2	3	4	……
바둑돌의 수(◇)	4	5			……

식 _____

4-1 도화지에 누름 못을 꽂아서 벽에 붙이고 있습니다. 도화지의 수와 누름 못의 수 사이의 대응 관계를 써 보세요.

_____

4-2 나무토막에 못을 박아서 이어 붙이고 있습니다. 나무토막의 수와 못의 수 사이의 대응 관계를 써 보세요.

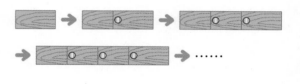

_____

사고력 유형

4-3 색종이를 이어 붙이기 위해 누름 못을 꽂고 있습니다. 색종이의 수와 누름 못의 수 사이의 대응 관계를 써 보세요.

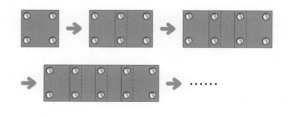

_____

플러스 유형 5 대응 관계를 이용하여 수 구하기

5-1 만화 영화를 1초 동안 상영하려면 그림이 20장 필요합니다. 만화 영화를 10초 상영하려면 그림이 몇 장 필요한가요?

(   )

서술형

5-2 만화 영화를 1초 동안 상영하려면 그림이 25장 필요합니다. 만화 영화를 100초 상영하려면 그림이 몇 장 필요한지 풀이 과정을 쓰고 답을 구해 보세요.

풀이

답 _____

사고력 유형

5-3 색 테이프를 1번 자르면 2도막, 2번 자르면 3도막이 됩니다. 이런 식으로 50번 자르면 색 테이프는 몇 도막이 되나요?

(   )

플러스 유형 6 연도와 나이 사이의 대응 관계 알아보기

6-1 연도와 수지의 나이 사이의 대응 관계를 찾아 표를 완성해 보세요.

연도(년)	2020	2022	2028	2030	······
수지의 나이(살)	12	14	20		······

서술형

6-2 연도와 현호의 나이 사이의 대응 관계를 나타낸 표입니다. 2031년에 현호의 나이는 몇 살인지 풀이 과정을 쓰고 답을 구해 보세요.

연도(년)	2020	2023	2027	2031	······
현호의 나이(살)	8	11	15		······

풀이

답 _____

사고력 유형

6-3 연도와 준영이의 나이 사이의 대응 관계를 나타낸 표입니다. 빈칸에 알맞은 수를 써넣으세요.

연도(년)	준영이의 나이(살)
2020	11
2031	22
2022	
	19

플러스 유형 ❼ 　자르는 데 걸리는 시간 알아보기

독해력 유형

7-1 나무 막대를 다음과 같이 자르려고 합니다. 나무 막대를 한 번 자르는 데 6초가 걸린다면 쉬지 않고 7도막으로 자르는 데 걸리는 시간은 몇 초인지 구해 보세요.

단계 **1** 나무 막대를 자른 횟수와 도막의 수 사이의 대응 관계를 표로 나타내어 보세요.

자른 횟수(번)	1	2	3	4	……
도막의 수(도막)	2				……

단계 **2** 나무 막대를 7도막으로 자르려면 몇 번 잘라야 하나요?

(　　　　　　　)

단계 **3** 나무 막대를 7도막으로 자르는 데 걸리는 시간은 몇 초인가요?

(　　　　　　　)

7-2 굵기가 일정한 철근을 한 번 자르는 데 4분이 걸린다면 쉬지 않고 16도막으로 자르는 데 걸리는 시간은 몇 분인지 구해 보세요.

(　　　　　　　)

플러스 유형 처방전

먼저 몇 번 잘라야 하는지 구한 후, 1번 자르는 데 걸리는 시간을 곱해서 구해용~.

플러스 유형 ❽ 　두 나라 시각 사이의 대응 관계를 이용하여 시각 구하기

독해력 유형

8-1 어느 여름의 같은 날 서울의 시각과 싱가포르의 시각 사이의 대응 관계를 나타낸 표입니다. 서울이 오후 8시일 때 싱가포르는 오후 몇 시인지 구해 보세요.

서울의 시각	오후 2시	오후 3시	오후 4시	오후 5시
싱가포르의 시각	오후 1시	오후 2시	오후 3시	오후 4시

단계 **1** 서울이 오후 2시일 때 싱가포르의 시각은 몇 시간 느린가요?

(　　　　　　　)

단계 **2** 서울의 시각을 □, 싱가포르의 시각을 △라고 할 때, 두 양 사이의 대응 관계를 식으로 나타내어 보세요.

식 _____

단계 **3** 서울이 오후 8시일 때 싱가포르는 오후 몇 시인가요?

(　　　　　　　)

8-2 같은 날 서울의 시각과 베트남 하노이의 시각 사이의 대응 관계를 나타낸 표입니다. 서울이 오후 10시일 때 하노이는 오후 몇 시인지 구해 보세요.

서울의 시각	오후 3시	오후 4시	오후 5시	오후 6시
하노이의 시각	오후 1시	오후 2시	오후 3시	오후 4시

(　　　　　　　)

3 단원

규칙과 대응

77

3. 규칙과 대응

[1~4] 도형의 배열을 보고 물음에 답하세요.

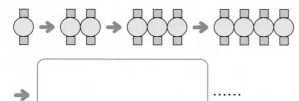

→ ┌─────────────┐ ......

1 위의 빈칸에 이어질 알맞은 모양을 그려 보세요.

2 사각형의 수와 원의 수 사이의 대응 관계를 표로 나타내어 보세요.

사각형의 수(개)	2	4	6	8	......
원의 수(개)	1				......

3 사각형의 수와 원의 수 사이의 대응 관계를 쓰려고 합니다. □ 안에 알맞게 써넣으세요.

□이 1개씩 늘어날 때 사각형은 □개씩 늘어납니다.

4 사각형의 수를 □, 원의 수를 △라고 할 때, 두 양 사이의 대응 관계를 식으로 바르게 나타낸 것에 ○표 하세요.

△+2=□   △×2=□

(   )   (   )

5 그림에서 대응 관계를 찾아 써 보세요.

서로 대응하는 두 양	
대응 관계	

[6~7] 그림을 보고 물음에 답하세요.

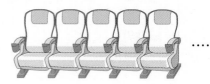 ......

6 의자의 수와 의자 팔걸이의 수 사이의 대응 관계를 표로 나타내어 보세요.

의자의 수(개)	1	2	3	4	5	......
의자 팔걸이의 수(개)	2					......

7 의자의 수를 △, 의자 팔걸이의 수를 ○라고 할 때, 두 양 사이의 대응 관계를 식으로 나타내어 보세요.

식 _____

8 그림에서 두 양 사이의 대응 관계가 있는 것을 찾아 써 보세요.

_____

_____

[9~10] 미술 시간에 장미꽃 1송이를 만드는 데 색종이가 10장 필요합니다. 물음에 답하세요.

9 □ 안에 알맞게 써넣으세요.

> 장미꽃의 수를 ◇, 색종이의 수를 △라고 할 때, 두 양 사이의 대응 관계를 식으로 나타내면 [   ]입니다.

10 장미꽃 8송이를 만들려면 필요한 색종이는 몇 장인가요?

(   )

11 ▽과 ○ 사이의 대응 관계를 나타낸 식입니다. 표를 완성해 보세요.

$$▽ - 9 = ○$$

▽	19	11	21	13	……
○	10	2			……

12 하루의 시간 중에서 낮의 길이를 ◇시간, 밤의 길이를 ♡시간이라고 할 때, 두 양 사이의 대응 관계를 바르게 말한 사람의 이름을 써 보세요.

다은

> 낮의 길이에 24를 더하면 밤의 길이가 돼.

> 두 양 사이의 대응 관계를 24 − ♡ = ◇로 나타낼 수 있어.

우진

(   )

13 ☆과 ◇ 사이의 대응 관계를 식으로 나타내어 보세요.

☆	13	9	3	16	……
◇	25	21	15	28	……

식 _____

14 배열 순서에 따라 수 카드를 놓고 사각형으로 규칙적인 배열을 만들고 있습니다. 수 카드의 수가 12일 때 사각형은 몇 개 필요한가요?

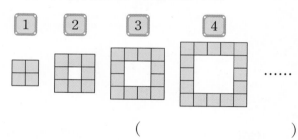

(   )

15 강희가 수를 말하면 준서가 답하고 있습니다. 강희가 11을 말할 때 준서가 답하는 수는 얼마인가요?

강희가 말한 수	10	8	7	4	……
준서가 답한 수	60	48	42	24	……

(   )

서술형
16 대응 관계를 나타낸 식을 보고, 식에 알맞은 상황을 만들어 보세요.

$$□ + 3 = ○$$

_____

_____

17 서술형   >> 76쪽 5-2 유사 문제

만화 영화를 1초 동안 상영하려면 그림이 25장 필요합니다. 만화 영화를 50초 상영하려면 그림이 몇 장 필요한지 풀이 과정을 쓰고 답을 구해 보세요.

풀이

답

18 서술형   >> 76쪽 6-2 유사 문제

연도와 석주의 나이 사이의 대응 관계를 나타낸 표입니다. 2035년에 석주의 나이는 몇 살인지 풀이 과정을 쓰고 답을 구해 보세요.

연도(년)	2020	2026	2031	2035	......
석주의 나이(살)	9	15	20		......

풀이

답

19 독해력 유형 서술형   >> 77쪽 7-2 유사 문제

굵기가 일정한 철근을 한 번 자르는 데 5분이 걸린다면 쉬지 않고 10도막으로 자르는 데 걸리는 시간은 몇 분인지 풀이 과정을 쓰고 답을 구해 보세요.

풀이

답

20 독해력 유형 서술형   >> 77쪽 8-2 유사 문제

같은 날 서울의 시각과 태국 방콕의 시각 사이의 대응 관계를 나타낸 표입니다. 서울이 오전 8시일 때 방콕은 오전 몇 시인지 풀이 과정을 쓰고 답을 구해 보세요.

서울의 시각	오전 3시	오전 4시	오전 5시	오전 6시
방콕의 시각	오전 1시	오전 2시	오전 3시	오전 4시

풀이

답

약수 구하기

1 32의 약수를 모두 구해 보세요.

( )

약수와 배수의 관계

2 12와 약수와 배수의 관계인 수를 모두 찾아 ○표 하세요.

| 5 | 6 | 12 | 18 | 24 | 36 |

최대공약수 구하기

3 20과 36을 공약수로 나누어 보고 두 수의 최대공약수를 구해 보세요.

) 20 36

➔ 20과 36의 최대공약수: _____

최소공배수 구하기

4 어느 버스정류장에서 **가** 버스는 10분마다 출발하고 **나** 버스는 15분마다 출발합니다. 두 버스가 오전 6시에 동시에 출발했다면 다음번에 두 버스가 동시에 출발하는 시각은 오전 몇 시 몇 분인가요?

( )

버스가 동시에 출발해서 다음번에 동시에 출발하는 시각을 구하려면 최소공배수를 구해야 해~.

로봇의 규칙을 찾아보자!

코딩 **1** 물건을 넣으면 넣은 물건의 수보다 더 많은 양이 나오는 로봇이 있습니다. 마지막에 초콜릿을 몇 개 넣은 것인지 구해 보세요.

엄청 좋은 로봇이야.
로봇에 식빵 2개를 넣었더니 10개가 나오고
초코과자 5개를 넣었더니 25개가 나왔어~.
마지막에 초콜릿이 40개가 나왔는데 초콜릿을 몇 개 넣은 걸까?

넣은 양과 나오는 양 사이의 대응 관계를 알아보면

(나오는 양) = (넣은 양) × ☐ 또는 (넣은 양) = (나오는 양) ÷ ☐ (이)야.

그러니까 마지막에 넣은 초콜릿은 40 ÷ ☐ = ☐ (개)구나.

서로 다른 그림을 찾아보자!

빨간색 사각판과 노란색 사각판을 이용하여 직사각형 모양을 만들고 있어. 어떻게 배열되어 있는지 살펴보고 그림에서 대응 관계를 찾아봐!

빨간색 사각판의 수와 노란색 사각판의 수 사이의 대응 관계를 찾을 수 있어. 음~~ 빨간색 사각판의 수는 노란색 사각판의 수보다 2개가 많네~.

좋았어. 이제 그림 ❶과 ❷에서 서로 다른 그림 5가지를 찾아 써 보자!

① ─────────────────────────────

② ─────────────────────────────

③ ─────────────────────────────

④ ─────────────────────────────

⑤ ─────────────────────────────

4 약분과 통분

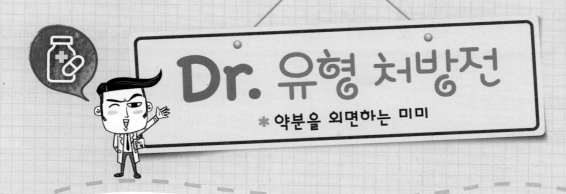

Dr. 유형 처방전

* 약분을 외면하는 미미

개념 **1** 크기가 같은 분수

• 크기가 같은 분수 찾아보기

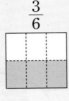

예) $\frac{1}{2}$　　$\frac{2}{4}$　　$\frac{3}{6}$

색칠한 부분이 모두 같아~.

→ $\frac{1}{2}$, $\frac{2}{4}$, $\frac{3}{6}$ ……은 크기가 같은 분수입니다.

유형

1 $\frac{1}{3}$과 $\frac{2}{6}$의 크기를 알아보려고 합니다. 분수만큼 빈칸의 아래부터 색칠하고, 알맞은 말에 ○표 하세요.

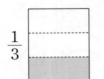

$\frac{1}{3}$

$\frac{2}{6}$

$\frac{1}{3}$과 $\frac{2}{6}$는 크기가 (같은 , 다른) 분수입니다.

2 그림을 보고 □ 안에 크기가 같은 분수를 써넣으세요.

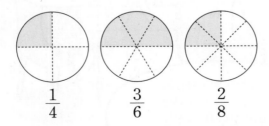

$\frac{1}{4}$　　$\frac{3}{6}$　　$\frac{2}{8}$

→ 크기가 같은 분수: [　] 와/과 [　]

3 분수만큼 수직선에 표시하고, □ 안에 크기가 같은 분수를 써넣으세요.

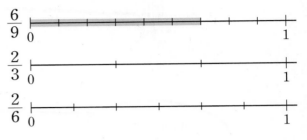

$\frac{6}{9}$　0 ─────────── 1

$\frac{2}{3}$　0 ─────────── 1

$\frac{2}{6}$　0 ─────────── 1

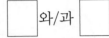

→ 크기가 같은 분수: [　] 와/과 [　]

4 세 분수의 크기를 같게 빈칸의 아래부터 색칠하고, ㉠에 알맞은 분수를 써 보세요.

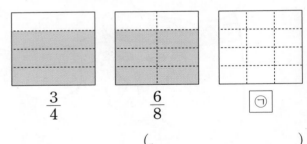

$\frac{3}{4}$　　$\frac{6}{8}$　　㉠

(　　　　　　)

5 모양과 크기가 같은 컵에 초코우유가 담겨 있습니다. 보기 와 같은 양이 담긴 컵을 찾아 기호를 써 보세요.

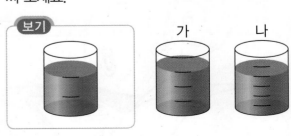

보기　　　가　　나

(　　　　　　)

개념 **2** 크기가 같은 분수 만들기

• 크기가 같은 분수 만드는 방법

(1) 분모와 분자에 각각 0이 아닌 같은 수를 곱
하면 크기가 같은 분수가 됩니다.

예)
$$\frac{1}{3} = \frac{2}{6} = \frac{3}{9} = \frac{4}{12}$$
(×2, ×3, ×4)

(2) 분모와 분자를 각각 0이 아닌 같은 수로 나
누면 크기가 같은 분수가 됩니다.

예)
$$\frac{8}{16} = \frac{4}{8} = \frac{2}{4} = \frac{1}{2}$$
(÷2, ÷4, ÷8)

유형

[6~7] 그림을 보고 크기가 같은 분수가 되도록 □
안에 알맞은 수를 써넣으세요.

6

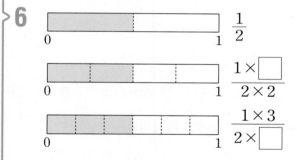

$$\frac{1}{2}$$

$$\frac{1 \times \square}{2 \times 2}$$

$$\frac{1 \times 3}{2 \times \square}$$

7

$$\frac{6}{18}$$

$$\frac{6 \div \square}{18 \div 2}$$

$$\frac{6 \div 3}{18 \div \square}$$

8 크기가 같은 분수를 만들려고 합니다. □ 안에 알
맞은 수를 써넣으세요.

$$\frac{2}{5} = \frac{2 \times \square}{5 \times 3} = \boxed{}$$

9 □ 안에 알맞은 수를 써넣어 크기가 같은 분수를
만들어 보세요.

$$\frac{16}{24} = \frac{8}{\square} = \frac{\square}{6} = \frac{2}{\square}$$

10 크기가 같은 분수끼리 짝 지은 것을 찾아 기호를
써 보세요.

$$\bigcirc \left(\frac{4}{6}, \frac{2}{4} \right) \qquad \bigcirc \left(\frac{2}{5}, \frac{4}{10} \right)$$

(　　　　　)

11 다은이의 설명대로 $\frac{6}{10}$과 크기가 같은 분수를 만
들어 보세요.

분모와 분자를 각각 0이 아닌 같은
수로 나누면 크기가 같은 분수가 돼.

다은

$$\frac{6}{10} = \boxed{}$$

4
단원

약분과 통분

87

12 $\frac{3}{4}$과 크기가 같은 분수 중에서 분모가 8인 분수를 써 보세요.

(   )

13 $\frac{8}{12}$과 크기가 같은 분수에 ○표 하세요.

$$\frac{3}{6} \qquad \frac{2}{3} \qquad \frac{2}{4}$$

14 크기가 같은 분수끼리 이어 보세요.

$\frac{4}{5}$ ·

$\frac{1}{2}$ ·

· $\frac{4}{10}$

· $\frac{5}{10}$

· $\frac{8}{10}$

15 주어진 방법에 따라 $\frac{10}{20}$과 크기가 같은 분수를 만들어 보세요.

방법 1 분모와 분자에 각각 0이 아닌 수를 곱하기

$\frac{10}{20}$ → _____

방법 2 분모와 분자를 각각 0이 아닌 같은 수로 나누기

$\frac{10}{20}$ → _____

개념 3 분수를 간단하게 나타내기

1. 약분한다: 분모와 분자를 공약수로 나누어 간단한 분수로 만드는 것

예 $\frac{6}{12} = \frac{6 \div 3}{12 \div 3} = \frac{2}{4}$ ➡ $\frac{\overset{2}{\cancel{6}}}{\underset{4}{\cancel{12}}} = \frac{2}{4}$

2. 기약분수: 분모와 분자의 공약수가 1뿐인 분수

예 $\frac{6}{12}$을 기약분수로 나타내기

방법 1 분모와 분자의 최대공약수로 나누기

$\frac{\overset{1}{\cancel{6}}}{\underset{2}{\cancel{12}}} = \frac{1}{2}$

방법 2 분모와 분자의 공약수가 1뿐일 때까지 나누기

$\frac{\overset{2}{\cancel{6}}}{\underset{4}{\cancel{12}}} = \frac{\overset{1}{\cancel{2}}}{\underset{2}{\cancel{4}}} = \frac{1}{2}$

유형

16 분모와 분자의 공약수를 이용하여 $\frac{12}{18}$를 약분하려고 합니다. 물음에 답하세요.

(1) 12와 18의 공약수를 모두 써 보세요.

(   )

(2) 분모와 분자를 공약수로 나누어 약분해 보세요.

$\frac{12}{18}$ ➡ $\frac{\square}{9}$, $\frac{4}{\square}$, $\frac{\square}{3}$

(3) 위 (2)의 약분한 분수들 중에서 분모와 분자의 공약수가 1뿐인 분수를 써 보세요.

(   )

17 기약분수로 나타내려고 합니다. □ 안에 알맞은 수를 써넣으세요.

$$\frac{16}{32} = \frac{16 \div \boxed{}}{32 \div \boxed{}} = \boxed{}$$

18 보기 와 같은 방법으로 약분하여 기약분수로 나타내어 보세요.

보기

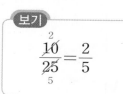

$$\frac{32}{36}$$

19 기약분수를 찾아 써 보세요.

$$\frac{3}{9} \qquad \frac{2}{7} \qquad \frac{4}{10}$$

(　　　　　　　　)

20 $\frac{18}{54}$ 을 약분한 분수가 <u>아닌</u> 것을 찾아 △표 하세요.

$$\frac{2}{9} \qquad \frac{9}{27} \qquad \frac{6}{18}$$

21 기약분수로 나타내었을 때 <u>다른</u> 하나를 찾아 기호를 써 보세요.

$$㉠\ \frac{8}{10} \qquad ㉡\ \frac{14}{21} \qquad ㉢\ \frac{12}{15}$$

(　　　　　　　　)

22 다음 분수를 한 번만 약분하여 기약분수로 나타내려고 합니다. 분모와 분자를 나누어야 하는 수는 얼마인가요?

$$\frac{24}{36}$$

(　　　　　　　　)

23 $\frac{20}{30}$ 을 약분하려고 합니다. 바르게 말한 사람의 이름을 써 보세요.

지호 : 분모를 6으로 나누고 분자를 10으로 나누어 약분해서 $\frac{2}{5}$ 를 만들었어.

분모와 분자를 각각 최대공약수 10으로 나누어 기약분수 $\frac{2}{3}$ 를 만들었어.

하윤

(　　　　　　　　)

4
단원

약분과 통분

89

[1~4] 주어진 분수와 크기가 같은 분수를 1개 만들어 보세요.

1 $\dfrac{3}{7}$ (   )

2 $\dfrac{5}{6}$ (   )

3 $\dfrac{10}{30}$ (   )

4 $\dfrac{8}{12}$ (   )

[5~7] 크기가 같은 분수끼리 묶여 있는 것은 ○표, 아닌 것은 ×표 하세요.

5
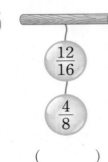
$\dfrac{12}{16}$
$\dfrac{4}{8}$

(   )

6
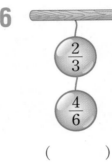
$\dfrac{2}{3}$
$\dfrac{4}{6}$

(   )

7
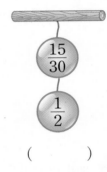
$\dfrac{15}{30}$
$\dfrac{1}{2}$

(   )

[8~13] 기약분수로 나타내어 보세요.

8 $\dfrac{6}{18}$ (   )

9 $\dfrac{10}{15}$ (   )

10 $\dfrac{8}{14}$ (   )

11 $\dfrac{20}{32}$ (   )

12 $\dfrac{18}{24}$ (   )

13 $\dfrac{12}{16}$ (   )

1 □ 안에 알맞은 수를 써넣어 크기가 같은 분수를 만들어 보세요. [1점]

$$\frac{2}{5} = \frac{4}{\boxed{}} = \frac{\boxed{}}{15} = \frac{\boxed{}}{20}$$

2 약분해 보세요. [1점]

$$\boxed{\frac{20}{32}} \rightarrow \underline{\hspace{5cm}}$$

3 기약분수로 바르게 나타낸 것을 찾아 기호를 써 보세요. [1점]

ㄱ $\frac{10}{14}$ → $\frac{5}{7}$　　ㄴ $\frac{14}{35}$ → $\frac{2}{7}$

(　　　　　　　　)

4 $\frac{4}{7}$와 크기가 같은 분수를 2개 만들어 보세요. [1점]

(　　　　　　　　)

5 세 분수의 크기가 같게 빈칸의 아래부터 색칠하고, □ 안에 알맞은 분수를 써넣으세요. [2점]

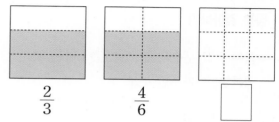

$\frac{2}{3}$　　　　$\frac{4}{6}$　　　　$\boxed{}$

6 기약분수로 나타내면 $\frac{2}{3}$가 되는 분수는 어느 것인가요? [2점] ·················(　　)

① $\frac{2}{6}$　　② $\frac{4}{9}$　　③ $\frac{8}{12}$

④ $\frac{12}{15}$　　⑤ $\frac{14}{18}$

7 $\frac{8}{20}$과 크기가 같은 분수를 구한 것입니다. 같은 방법으로 구한 두 개를 찾아 기호를 써 보세요. [2점]

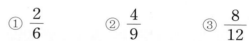

ㄱ $\frac{4}{10}$　　ㄴ $\frac{16}{40}$　　ㄷ $\frac{2}{5}$

(　　　 , 　　　)

개념 ④ 분모가 같은 분수로 나타내기

· 통분 알아보기

> 통분한다: 분수의 분모를 같게 하는 것
> 공통분모: 통분한 분모

(예) $\dfrac{3}{4}$과 $\dfrac{1}{6}$을 통분하기

방법 1 분모의 곱을 공통분모로 하기

$$\left(\dfrac{3}{4},\ \dfrac{1}{6}\right) \rightarrow \left(\dfrac{3\times6}{4\times6},\ \dfrac{1\times4}{6\times4}\right) \rightarrow \left(\dfrac{18}{24},\ \dfrac{4}{24}\right)$$

방법 2 분모의 최소공배수를 공통분모로 하기

$$\left(\dfrac{3}{4},\ \dfrac{1}{6}\right) \rightarrow \left(\dfrac{3\times3}{4\times3},\ \dfrac{1\times2}{6\times2}\right) \rightarrow \left(\dfrac{9}{12},\ \dfrac{2}{12}\right)$$

└→ 분모의 최소공배수: 12

1 $\dfrac{1}{2}$, $\dfrac{3}{4}$과 크기가 같은 분수를 나타낸 것입니다. 분모가 같은 분수끼리 짝 지어 보고, 이때의 공통 분모를 써 보세요.

> $$\dfrac{1}{2} = \dfrac{2}{4} = \dfrac{3}{6} = \dfrac{4}{8} = \dfrac{5}{10} = \dfrac{6}{12} = \cdots\cdots$$
> $$\dfrac{3}{4} = \dfrac{6}{8} = \dfrac{9}{12} = \dfrac{12}{16} = \dfrac{15}{20} = \dfrac{18}{24} = \cdots\cdots$$

$$\left(\dfrac{2}{4},\ \dfrac{3}{4}\right),\ \left(\dfrac{4}{8},\ \dfrac{\Box}{8}\right),\ \left(\dfrac{\Box}{12},\ \dfrac{9}{\Box}\right)\cdots\cdots$$

➜ 공통분모: 4, ☐, ☐ ……

2 분모의 곱을 공통분모로 하여 통분해 보세요.

$$\left(\dfrac{3}{7},\ \dfrac{1}{3}\right) \rightarrow \left(\dfrac{3\times\Box}{7\times3},\ \dfrac{1\times7}{3\times\Box}\right)$$

$$\rightarrow \left(\dfrac{\Box}{\ },\ \dfrac{\Box}{\ }\right)$$

3 $\dfrac{4}{5}$와 $\dfrac{2}{3}$를 통분한 것입니다. ☐ 안에 알맞은 수를 써넣으세요.

$$\left(\dfrac{4}{5},\ \dfrac{2}{3}\right) \rightarrow \left(\dfrac{\Box}{15},\ \dfrac{\Box}{15}\right)$$

4 $\dfrac{5}{8}$와 $\dfrac{3}{4}$을 통분하려고 합니다. 공통분모가 될 수 있는 수는 무엇인가요?·····················(   )

① 2   ② 4   ③ 6
④ 8   ⑤ 10

5 $\dfrac{5}{6}$와 $\dfrac{2}{9}$를 통분한 것을 찾아 ○표 하세요.

$\left(\dfrac{15}{18},\ \dfrac{6}{18}\right)$	$\left(\dfrac{30}{54},\ \dfrac{12}{54}\right)$	$\left(\dfrac{15}{18},\ \dfrac{4}{18}\right)$

6 두 분수를 통분하려고 합니다. 공통분모가 될 수 있는 수 중에서 가장 작은 수를 구해 보세요.

$$\left(\dfrac{7}{8},\ \dfrac{5}{6}\right)$$

(   )

7 분모의 최소공배수를 공통분모로 하여 통분해 보세요.

(1) $\left(\dfrac{5}{12}, \dfrac{3}{10}\right)$ ➡ $\left(\qquad , \qquad\right)$

(2) $\left(\dfrac{5}{8}, \dfrac{7}{12}\right)$ ➡ $\left(\qquad , \qquad\right)$

8 두 분수를 오른쪽과 같이 통분했습니다. ㉠, ㉡, ㉢에 알맞은 수를 각각 써 보세요.

$$\left(\dfrac{11}{15}, \dfrac{3}{5}\right) ➡ \left(\dfrac{55}{㉠}, \dfrac{㉡}{㉢}\right)$$

㉠ (　　　　　　　)
㉡ (　　　　　　　)
㉢ (　　　　　　　)

9 $\dfrac{1}{4}$과 $\dfrac{3}{8}$을 두 가지 방법으로 통분해 보세요.

방법 **1** 분모의 곱을 공통분모로 하기

방법 **2** 분모의 최소공배수를 공통분모로 하기

개념 5 분수의 크기 비교

· 분모가 다른 분수의 크기 비교

공통분모로 통분하기	➡	통분한 분수의 크기 비교하기

통분한 후 분모가 같은 분수는 분자끼리 비교해.

예 $\dfrac{1}{2}$과 $\dfrac{1}{3}$의 크기 비교

$$\left(\dfrac{1}{2}, \dfrac{1}{3}\right) ➡ \left(\dfrac{3}{6}, \dfrac{2}{6}\right) ➡ \dfrac{1}{2} > \dfrac{1}{3}$$

통분하기

유형

10 분수의 크기를 비교하여 ○ 안에 >, =, <를 알맞게 써넣으세요.

$$\left(\dfrac{4}{5}, \dfrac{3}{4}\right) ➡ \left(\dfrac{16}{20}, \dfrac{15}{20}\right)$$

$$➡ \dfrac{16}{20} ○ \dfrac{15}{20} ➡ \dfrac{4}{5} ○ \dfrac{3}{4}$$

11 두 분수의 크기를 비교하려고 합니다. □ 안에 알맞은 수를 써넣고, ○ 안에 >, =, <를 알맞게 써넣으세요.

$$\left(\dfrac{2}{7}, \dfrac{1}{3}\right) ➡ \left(\dfrac{□}{21}, \dfrac{□}{21}\right) ➡ \dfrac{2}{7} ○ \dfrac{1}{3}$$

12 분수의 크기를 비교하여 ○ 안에 >, =, <를 알맞게 써넣으세요.

$$\dfrac{4}{9} ○ \dfrac{12}{27}$$

4 단원

약분과 통분

93

13 더 큰 분수를 찾아 기호를 써 보세요.

$$\bigcirc \ 1\frac{7}{8} \qquad \bigcirc \ 1\frac{8}{9}$$

( )

14 분수의 크기를 바르게 비교한 것을 찾아 색칠해 보세요.

| $\frac{2}{9} < \frac{5}{12}$ | $\frac{4}{7} > \frac{5}{8}$ |

15 감자와 고구마 중 더 무거운 것은 어느 것인가요?

감자: $\frac{2}{7}$ kg   고구마: $\frac{3}{10}$ kg

( )

16 물이 가 컵에는 $\frac{7}{10}$ L, 나 컵에는 $\frac{5}{6}$ L 들어 있습니다. 물이 더 적게 들어 있는 컵은 어느 컵인지 써 보세요.

( )

17 $\frac{2}{3}$ 보다 작은 분수를 찾아 써 보세요.

$$\frac{3}{5} \qquad \frac{5}{7}$$

( )

18 설명이 **틀린** 사람은 누구인지 이름을 써 보세요.

시우

분모가 같은 분수는 분자가 큰 분수가 더 큰 분수야.

분모가 다른 분수는 분모가 큰 분수가 더 큰 분수야.

서아

( )

19 성수와 지호는 같은 금액의 용돈을 받아 봉사단체에 각각 기부를 했습니다. 성수는 용돈의 $\frac{2}{5}$ 를, 지호는 용돈의 $\frac{3}{8}$ 을 기부했을 때 기부를 더 많이 한 사람은 누구인지 이름을 써 보세요.

( )

개념 **6** 세 분수의 크기 비교

· 분모가 다른 세 분수의 크기 비교

세 분수의 크기를 비교할 때에는 두 분수씩 통분하여 차례로 크기를 비교합니다.

예 $\dfrac{7}{8}$, $\dfrac{2}{5}$, $\dfrac{5}{9}$의 크기 비교

$\dfrac{7}{8} > \dfrac{2}{5}$, $\dfrac{2}{5} < \dfrac{5}{9}$, $\dfrac{7}{8} > \dfrac{5}{9}$

➡ 크기가 큰 분수부터 차례로 쓰기:

$\dfrac{7}{8}$, $\dfrac{5}{9}$, $\dfrac{2}{5}$

개념 **7** 분수와 소수의 관계

1. 수직선으로 분수와 소수의 관계 알아보기

$0 \quad \dfrac{1}{10} \quad \dfrac{2}{10} \quad \dfrac{3}{10} \quad \dfrac{4}{10} \quad \dfrac{5}{10} \quad \dfrac{6}{10} \quad \dfrac{7}{10} \quad \dfrac{8}{10} \quad \dfrac{9}{10} \quad 1$

$0 \quad 0.1 \quad 0.2 \quad 0.3 \quad 0.4 \quad 0.5 \quad 0.6 \quad 0.7 \quad 0.8 \quad 0.9 \quad 1$

2. 분수를 소수로, 소수를 분수로 나타내기

(1) 분수를 소수로 나타내기

분모를 10, 100……으로 고친 다음 소수로 나타냅니다.

예 $\dfrac{2}{5} = \dfrac{2 \times 2}{5 \times 2} = \dfrac{4}{10} = 0.4$

(2) 소수를 분수로 나타내기

분모가 10, 100……인 분수로 고칩니다.

예 $0.7 ➡ \dfrac{7}{10}$, $0.17 ➡ \dfrac{17}{100}$

 20 $\dfrac{1}{4}$, $\dfrac{2}{5}$, $\dfrac{1}{3}$의 크기를 비교하려고 합니다. 물음에 답하세요.

(1) □ 안에 알맞은 수를 써넣고, ○ 안에 >, =, <를 알맞게 써넣으세요.

$\left(\dfrac{1}{4}, \dfrac{2}{5} \right) ➡ \left(\dfrac{5}{20}, \dfrac{\square}{20} \right) ➡ \dfrac{1}{4} ○ \dfrac{2}{5}$

$\left(\dfrac{2}{5}, \dfrac{1}{3} \right) ➡ \left(\dfrac{\square}{15}, \dfrac{5}{15} \right) ➡ \dfrac{2}{5} ○ \dfrac{1}{3}$

$\left(\dfrac{1}{4}, \dfrac{1}{3} \right) ➡ \left(\dfrac{\square}{12}, \dfrac{\square}{12} \right) ➡ \dfrac{1}{4} ○ \dfrac{1}{3}$

(2) 크기가 큰 분수부터 차례로 써 보세요.

(　　　　,　　　　,　　　　)

21 세 분수의 크기를 비교하여 가장 큰 분수를 써 보세요.

$\dfrac{4}{5}$, $\dfrac{3}{7}$, $\dfrac{5}{6}$

(　　　　　　　)

 22 □ 안에 알맞은 분수와 소수를 써넣으세요.

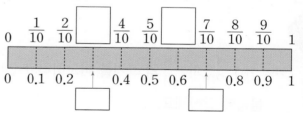

$0 \quad \dfrac{1}{10} \quad \dfrac{2}{10} \quad \square \quad \dfrac{4}{10} \quad \dfrac{5}{10} \quad \square \quad \dfrac{7}{10} \quad \dfrac{8}{10} \quad \dfrac{9}{10} \quad 1$

$0 \quad 0.1 \quad 0.2 \quad\quad 0.4 \quad 0.5 \quad 0.6 \quad\quad 0.8 \quad 0.9 \quad 1$

23 $\dfrac{4}{5}$를 소수로 나타내어 보세요.

(　　　　　　　)

24 관계있는 것끼리 이어 보세요.

$\dfrac{1}{2}$ ·　　　· 0.4

　　　　　　· 0.5

$\dfrac{3}{5}$ ·　　　· 0.6

개념 ⑧ 분수와 소수의 크기 비교

1. 두 분수의 크기 비교하기

예) $\dfrac{4}{40}$와 $\dfrac{6}{20}$의 크기 비교하기

방법**1** 두 분수를 약분하여 비교하기

$$\left(\dfrac{4}{40},\ \dfrac{6}{20}\right) \to \left(\dfrac{1}{10},\ \dfrac{3}{10}\right) \to \dfrac{4}{40} < \dfrac{6}{20}$$

방법**2** 두 분수를 소수로 나타내어 비교하기

$$\left(\dfrac{4}{40},\ \dfrac{6}{20}\right) \to (0.1,\ 0.3) \to \dfrac{4}{40} < \dfrac{6}{20}$$

2. 분수와 소수의 크기 비교하기

예) $\dfrac{1}{2}$과 0.7의 크기 비교하기

방법**1** 분수를 소수로 나타내어 비교하기

$$\left(\dfrac{1}{2},\ 0.7\right) \to (0.5,\ 0.7) \to \dfrac{1}{2} < 0.7$$

방법**2** 소수를 분수로 나타내어 비교하기

$$\left(\dfrac{1}{2},\ 0.7\right) \to \left(\dfrac{1}{2},\ \dfrac{7}{10}\right) \to \dfrac{1}{2} < 0.7$$

4 단원

약분과 통분

96

유형

[25~26] $\dfrac{6}{20}$과 $\dfrac{18}{30}$의 크기를 비교하려고 합니다. 물음에 답하세요.

25 두 분수를 약분하여 크기를 비교해 보세요.

$$\left(\dfrac{6}{20},\ \dfrac{18}{30}\right) \to \left(\dfrac{\square}{10},\ \dfrac{\square}{10}\right) \to \dfrac{6}{20}\ \bigcirc\ \dfrac{18}{30}$$

26 두 분수를 소수로 나타내어 크기를 비교해 보세요.

$$\left(\dfrac{6}{20},\ \dfrac{18}{30}\right) \to \left(\dfrac{3}{10},\ \dfrac{\square}{10}\right)$$
$$\to 0.3\ \bigcirc\ \boxed{}$$
$$\to \dfrac{6}{20}\ \bigcirc\ \dfrac{18}{30}$$

27 $\dfrac{3}{5}$과 0.4의 크기를 비교하려고 합니다. 분수를 소수로 나타내고, ○ 안에 >, =, <를 알맞게 써넣으세요.

$$\dfrac{3}{5} = \dfrac{\square}{10} = \boxed{} \qquad \dfrac{3}{5}\ \bigcirc\ 0.4$$

28 두 수의 크기를 비교하여 ○ 안에 >, =, <를 알맞게 써넣으세요.

$$0.7\ \bigcirc\ \dfrac{4}{5}$$

29 길이가 더 짧은 끈의 기호를 써 보세요.

㉠ $\dfrac{11}{20}$ m   ㉡ 0.5 m

(   )

30 크기 비교를 바르게 한 것을 찾아 기호를 써 보세요.

$$㉠\ 0.3 < \dfrac{2}{5} \qquad ㉡\ 2\dfrac{1}{2} < 2.3$$

(   )

31 학교에서 더 가까운 곳은 어디인지 써 보세요.

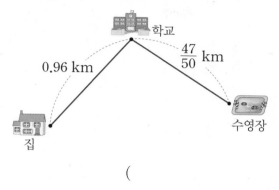

(   )

32 가장 큰 수를 알아보려고 합니다. 물음에 답하세요.

$$1\frac{1}{4} \quad \frac{4}{5} \quad 1.1$$

(1) $1\frac{1}{4}$과 $\frac{4}{5}$를 각각 소수로 나타내어 보세요.

$$1\frac{1}{4} = \boxed{}, \quad \frac{4}{5} = \boxed{}$$

(2) 세 수 중 가장 큰 수를 써 보세요.

(   )

33 찰흙을 수혜는 0.17 kg, 지호는 $\frac{1}{5}$ kg 가지고 있습니다. 가지고 있는 찰흙이 더 무거운 사람은 누구인지 이름을 써 보세요.

(   )

플러스 개념 9 분자가 분모보다 1만큼 더 작은 분수의 크기 비교

분자가 분모보다 1만큼 더 작은 분수는 분모가 클수록 큽니다.

예) $\frac{3}{4}$과 $\frac{4}{5}$의 크기 비교

$$\frac{3}{\textcircled{4}} \quad \frac{4}{\textcircled{5}} \rightarrow \frac{3}{4} < \frac{4}{5}$$
$$\underset{4<5}{}$$

유형

34 분수만큼 색칠하고, ○ 안에 >, =, <를 알맞게 써넣으세요.

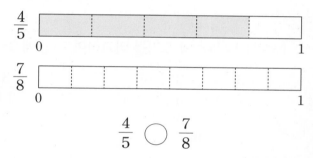

$$\frac{4}{5} \bigcirc \frac{7}{8}$$

35 두 분수의 크기를 비교하여 ○ 안에 >, =, <를 알맞게 써넣으세요.

(1) $\frac{2}{3} \bigcirc \frac{3}{4}$ (2) $\frac{8}{9} \bigcirc \frac{6}{7}$

36 세 분수의 크기를 비교하여 가장 작은 수를 써 보세요.

$$\frac{5}{6} \quad \frac{3}{4} \quad \frac{9}{10}$$

(   )

4 단원

약분과 통분

97

[1~2] 분모의 곱을 공통분모로 하여 통분해 보세요.

1 $\left(\dfrac{5}{6}, \dfrac{2}{3}\right)$ → (,   )

2 $\left(\dfrac{3}{5}, \dfrac{5}{8}\right)$ → (,   )

[3~4] 분모의 최소공배수를 공통분모로 하여 통분해 보세요.

3 $\left(\dfrac{9}{10}, \dfrac{3}{8}\right)$ → (,   )

4 $\left(\dfrac{5}{24}, \dfrac{2}{9}\right)$ → (,   )

[5~7] 두 분수의 크기를 비교하여 ○ 안에 >, =, <를 알맞게 써넣으세요.

5 $\dfrac{6}{7}$ ○ $\dfrac{3}{5}$

6 $1\dfrac{3}{14}$ ○ $1\dfrac{1}{2}$

7 $\dfrac{18}{20}$ ○ $\dfrac{9}{10}$

[8~10] 두 수의 크기를 비교하여 보기 와 같이 ○ 안에 더 큰 수, △ 안에 더 작은 수를 써넣으세요.

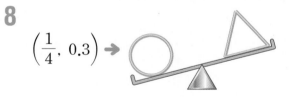

보기

$\left(0.2, \dfrac{3}{10}\right)$ → ○$\dfrac{3}{10}$ △0.2

8 $\left(\dfrac{1}{4}, 0.3\right)$ →

9 $\left(1\dfrac{4}{5}, 1.4\right)$ →

10 $\left(0.76, \dfrac{3}{4}\right)$ →

1 공통분모가 8이 되게 통분해 보세요. [1점]

$$\left(\frac{3}{8}, \frac{1}{2}\right) \rightarrow (\qquad , \qquad)$$

2 두 수의 크기를 비교하여 ○ 안에 >, =, <를 알맞게 써넣으세요. [1점]

$$2.3 \bigcirc 2\frac{1}{3}$$

3 더 작은 분수에 △표 하세요. [1점]

$$\frac{2}{3} \qquad \frac{7}{10}$$

4 설명이 <u>틀린</u> 것을 찾아 기호를 써 보세요. [1점]

> ㉠ 분모가 다른 분수의 크기 비교는 분모끼리 비교합니다.
> ㉡ 분모가 다른 세 분수의 크기 비교는 통분하여 비교합니다.

( )

5 두 분수를 오른쪽과 같이 통분했습니다. ㉠, ㉡, ㉢에 알맞은 수를 각각 써 보세요. [2점]

$$\left(\frac{5}{9}, \frac{5}{6}\right) \rightarrow \left(\frac{㉠}{㉡}, \frac{30}{㉢}\right)$$

㉠ ( )
㉡ ( )
㉢ ( )

6 세 분수의 크기를 비교하여 작은 수부터 차례로 써 보세요. [2점]

$$\frac{4}{7}, \quad \frac{7}{9}, \quad \frac{3}{4}$$

( )

7 세 접시에 사탕이 같은 수만큼 담겨 있었습니다. 사탕을 가장 적게 먹은 사람은 누구인지 이름을 써 보세요. [2점]

다은 : 나는 한 접시에 있는 사탕의 $\frac{1}{2}$을 먹었어.

서아 : 나는 한 접시에 있는 사탕의 $\frac{2}{3}$를 먹었어.

현서 : 나는 한 접시에 있는 사탕의 $\frac{2}{5}$를 먹었어.

( )

4
단원

약분과 통분

1 분수를 소수로, 소수를 분수로 나타내기

기본 유형

1 분수를 소수로 나타내어 보세요.

$$2\frac{3}{4}$$

( )

변형 유형

2 소수를 분모가 10인 분수로 나타내어 보세요.

0.9

( )

변형 유형

3 소수를 기약분수로 나타내어 보세요.

1.25

( )

실생활 유형

4 어머니께서 간식으로 단호박 라떼를 만드셨습니다. 어머니께서 만드신 단호박 라떼는 몇 L인지 소수로 나타내어 보세요.

단호박 라떼:
$$\frac{17}{20}\text{ L}$$

( )

2 크기가 같은 분수 만들기

기본 유형

5 보기 와 같은 방법으로 주어진 분수와 크기가 같은 분수를 2개 만들어 보세요.

보기
분모와 분자에 각각 0이 아닌 같은 수를 곱하여 만듭니다.

$$\frac{8}{10}$$ ➡ ( )

변형 유형

6 보기 와 같은 방법으로 주어진 분수와 크기가 같은 분수를 모두 만들어 보세요.

보기
분모와 분자를 각각 0이 아닌 같은 수로 나누어 만듭니다.

$$\frac{16}{20}$$ ➡ ( )

변형 유형

7 주어진 분수와 크기가 같은 분수를 2개 만들어 보세요.

$$\frac{14}{18}$$

( )

❸ 분수의 크기 비교하기

기본 유형
8 두 분수의 크기를 비교하여 더 큰 분수를 위의 빈칸에 써넣으세요.

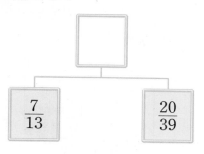

$\dfrac{7}{13}$　　　$\dfrac{20}{39}$

변형 유형
9 세 분수의 크기를 비교하여 가장 큰 분수를 위의 빈칸에 써넣으세요.

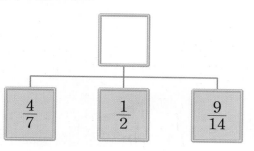

$\dfrac{4}{7}$　　$\dfrac{1}{2}$　　$\dfrac{9}{14}$

실생활 유형
10 지안이와 시우 중 가방이 더 무거운 사람은 누구인지 이름을 써 보세요.

지안　내 가방은 $\dfrac{13}{15}$ kg이야.

시우　내 가방은 $\dfrac{8}{9}$ kg이야.

(　　　　　　　)

❹ 약분하기

기본 유형
11 약분한 분수를 모두 써 보세요.

$\dfrac{32}{48}$

(　　　　　　　　　)

변형 유형
12 $\dfrac{9}{36}$를 약분하여 나타낼 수 있는 분수를 모두 찾아 ○표 하세요.

$\dfrac{3}{15}$　　$\dfrac{1}{4}$　　$\dfrac{3}{12}$　　$\dfrac{1}{6}$　　$\dfrac{1}{12}$

변형 유형
13 다음을 약분하여 나타낼 수 있는 분수 중에서 분모가 4인 분수를 써 보세요.

$\dfrac{18}{24}$

(　　　　　　　　)

문장제 유형
14 분모가 20이고 분자가 8인 진분수를 약분한 분수를 모두 써 보세요.

(　　　　　　　)

독해력 유형 ① 같은 양이 담긴 음료 찾기

모양과 크기가 같은 컵에 음료가 담겨 있습니다. 그림을 보고 같은 양이 담긴 음료를 찾아 써 보세요.

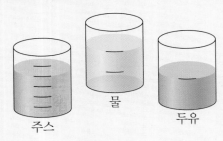

주스　　물　　두유

What? 구하려는 것을 찾아 밑줄을 그어 보세요.

How?
① 컵에 담긴 음료의 양을 각각 분수로 나타내기
② ①에서 같은 크기의 분수 찾기
③ 같은 양이 담긴 음료 찾기

Solve
① 컵에 담긴 음료의 양을 빈칸에 분수로 나타내어 보세요.

주스	물	두유
$\frac{4}{6}$		

② ①의 분수 중 크기가 같은 분수를 찾아 써 보세요.

(　　　　), (　　　　)

③ 같은 양이 담긴 음료를 찾아 써 보세요.

(　　　　), (　　　　)

구하려는 것을 찾아 밑줄을 그은 후 세운 계획에 따라 문제를 풀어 봐~.

쌍둥이 유형 1-1

모양과 크기가 같은 컵에 음료가 담겨 있습니다. 그림을 보고 같은 양이 담긴 음료를 찾아 써 보세요.

사과주스　　포도주스　　망고주스

①

②

③

답 _____ , _____

쌍둥이 유형 1-2

모양과 크기가 같은 컵에 음료가 담겨 있습니다. 그림을 보고 같은 양이 담긴 음료를 찾아 써 보세요.

매실차　　사이다　　녹차

①

②

③

답 _____ , _____

독해력 유형 **2**   □ 안에 들어갈 수 있는 수의 개수 구하기

다음 분수는 진분수인 기약분수입니다. □ 안에 들어갈 수 있는 수는 모두 몇 개인지 구해 보세요.

$$\dfrac{\square}{8}$$

What?   구하려는 것을 찾아 밑줄을 그어 보세요.

How?

❶ $\dfrac{\square}{8}$ 가 진분수일 때 □ 안에 들어갈 수 있는 수 구하기

❷ ❶에서 답한 수 중 $\dfrac{\square}{8}$ 가 기약분수일 때 □ 안에 들어갈 수 있는 수 구하기

❸ □ 안에 들어갈 수 있는 수는 모두 몇 개인지 구하기

Solve

❶ $\dfrac{\square}{8}$ 가 진분수일 때 □ 안에 들어갈 수 있는 수를 모두 써 보세요.

(   )

❷ ❶에서 답한 수 중 $\dfrac{\square}{8}$ 가 기약분수일 때 □ 안에 들어갈 수 있는 수를 모두 써 보세요.

(   )

❸ □ 안에 들어갈 수 있는 수는 모두 몇 개인가요?

(   )

 구하려는 것을 찾아 밑줄을 그은 후 세운 계획에 따라 문제를 풀어 봐~.

쌍둥이 유형 **2-1**

$\dfrac{\square}{6}$ 는 진분수인 기약분수입니다. □ 안에 들어갈 수 있는 수는 모두 몇 개인지 구해 보세요.

❶

❷

❸

답 _____

쌍둥이 유형 **2-2**

$\dfrac{\square}{12}$ 는 진분수인 기약분수입니다. □ 안에 들어갈 수 있는 수는 모두 몇 개인지 구해 보세요.

❶

❷

❸

답 _____

4 단원

약분과 통분

103

플러스 유형 ❶ 두 분수를 통분하기

1-1 두 분수를 통분하려고 합니다. 가장 작은 수를 공통분모로 하여 통분해 보세요.

$$\left(\frac{7}{10}, \frac{3}{5}\right) \rightarrow \left(\qquad , \qquad\right)$$

1-2 두 분수를 통분하려고 합니다. 가장 작은 수를 공통분모로 하여 통분해 보세요.

$$\left(\frac{11}{12}, \frac{5}{8}\right) \rightarrow \left(\qquad , \qquad\right)$$

1-3 두 분수를 두 가지 방법으로 통분해 보세요.

$$\frac{5}{6}, \frac{9}{10}$$

방법 1 분모의 곱을 공통분모로 하기
$$(\qquad , \qquad)$$

방법 2 분모의 최소공배수를 공통분모로 하기
$$(\qquad , \qquad)$$

플러스 유형 처방전

통분할 때 공통분모는 분모의 곱 또는 분모의 최소공배수로 구할 수 있다능~.

플러스 유형 ❷ 통분하기 전 두 분수 구하기

2-1 왼쪽 두 기약분수를 통분하였더니 오른쪽과 같이 되었습니다. 통분하기 전 두 기약분수를 구해 보세요.

$$\left(\boxed{}, \boxed{}\right) \xrightarrow{\text{통분}} \left(\frac{40}{56}, \frac{35}{56}\right)$$
$$(\qquad , \qquad)$$

2-2 왼쪽 두 기약분수를 통분하였더니 오른쪽과 같이 되었습니다. 통분하기 전 두 기약분수를 구해 보세요.

$$\left(\boxed{}, \boxed{}\right) \xrightarrow{\text{통분}} \left(\frac{18}{42}, \frac{35}{42}\right)$$
$$(\qquad , \qquad)$$

사고력 유형

2-3 왼쪽 두 분수를 통분하였더니 오른쪽과 같이 되었습니다. ㉠과 ㉡에 알맞은 수를 각각 구해 보세요.

$$\left(\frac{7}{㉠}, \frac{㉡}{3}\right) \xrightarrow{\text{통분}} \left(\frac{21}{30}, \frac{20}{30}\right)$$

㉠ $(\qquad)$
㉡ $(\qquad)$

2-4 왼쪽 두 분수를 통분하였더니 오른쪽과 같이 되었습니다. ㉠과 ㉡에 알맞은 수를 각각 구해 보세요.

$$\left(\frac{㉠}{3}, \frac{1}{㉡}\right) \xrightarrow{\text{통분}} \left(\frac{32}{48}, \frac{24}{48}\right)$$

㉠ $(\qquad)$
㉡ $(\qquad)$

플러스 유형 ③ 　조건에 맞는 공통분모 구하기

3-1 두 분수를 통분하려고 합니다. 공통분모가 될 수 있는 수 중에서 30보다 작은 수를 모두 구해 보세요.

$$\dfrac{2}{3}, \dfrac{1}{2}$$

(　　　　　　　　　　)

3-2 두 분수를 통분하려고 합니다. 공통분모가 될 수 있는 수 중에서 50보다 작은 수를 모두 구해 보세요.

$$\dfrac{3}{5}, \dfrac{1}{3}$$

(　　　　　　　　　　)

사고력 유형

3-3 두 분수를 통분하려고 합니다. 공통분모가 될 수 있는 수 중에서 30보다 크고 50보다 작은 수를 모두 구해 보세요.

$$\dfrac{5}{6}, \dfrac{3}{4}$$

(　　　　　　　　　　)

플러스 유형 ④ 　크기가 같은 분수 중에서 조건에 맞는 분수 구하기

4-1 $\dfrac{3}{4}$과 크기가 같은 분수 중에서 분모가 12인 분수를 구해 보세요.

(　　　　　　　　　　)

서술형

4-2 $\dfrac{2}{5}$와 크기가 같은 분수 중에서 분모가 45인 분수를 구하는 풀이 과정을 쓰고 답을 구해 보세요.

풀이

_____

_____

_____

_____

답 _____

4
단원

약분과 통분

105

4-3 $\dfrac{6}{18}$과 크기가 같은 분수 중에서 분모가 12인 분수를 구해 보세요.

(　　　　　　　　　　)

플러스 유형 처방전

공통분모는 통분한 분모이므로 두 분모의 공배수를 구하면 돼용~.

플러스 유형 처방전

주어진 분수가 기약분수가 아닐 때에는 먼저 기약분수로 만든 후 크기가 같은 분수를 만들어 봐용~.

플러스 유형 ❺ □ 안에 들어갈 수 있는 자연수 구하기

5-1 □ 안에 들어갈 수 있는 가장 큰 자연수를 구해 보세요.

$$\frac{3}{5} > \frac{\square}{4}$$

(   )

서술형

5-2 □ 안에 들어갈 수 있는 가장 큰 자연수는 얼마인지 풀이 과정을 쓰고 답을 구해 보세요.

$$\frac{6}{7} > \frac{\square}{5}$$

풀이 ▶

답 _____

5-3 □ 안에 들어갈 수 있는 가장 작은 자연수는 얼마인지 구해 보세요.

$$\frac{5}{6} < \frac{\square}{9}$$

(   )

플러스 유형 ❻ 분모와 분자의 합(차) 이용하기

6-1 $\frac{3}{4}$과 크기가 같은 분수 중에서 분모와 분자의 합이 25보다 크고 30보다 작은 분수를 구해 보세요.

(   )

서술형

6-2 $\frac{2}{5}$와 크기가 같은 분수 중에서 분모와 분자의 합이 15보다 크고 25보다 작은 분수를 구하려고 합니다. 풀이 과정을 쓰고 답을 구해 보세요.

풀이 ▶

답 _____

6-3 $\frac{4}{7}$와 크기가 같은 분수 중에서 분모와 분자의 차가 10보다 크고 15보다 작은 분수를 구해 보세요.

(   )

플러스 유형 ❼ 수 카드로 만든 분수를 소수로 나타내기

독해력 유형

7-1 수 카드가 3장 있습니다. 이 중에서 2장을 뽑아 진분수를 만들려고 합니다. 만들 수 있는 진분수 중 가장 큰 수를 소수로 나타내어 보세요.

| 2 | 4 | 5 |

단계 **1** 만들 수 있는 진분수를 모두 써 보세요.

(　　　　　　　)

단계 **2** 만들 수 있는 진분수 중 가장 큰 수는 무엇인가요?

(　　　　　　　)

단계 **3** 만들 수 있는 진분수 중 가장 큰 수를 소수로 나타내어 보세요.

(　　　　　　　)

7-2 수 카드가 3장 있습니다. 이 중에서 2장을 뽑아 진분수를 만들려고 합니다. 만들 수 있는 진분수 중 가장 큰 수를 소수로 나타내어 보세요.

| 4 | 5 | 8 |

(　　　　　　　)

플러스 유형 처방전

세 분수의 크기 비교를 할 때 세 분수를 한꺼번에 통분해서 차례로 크기를 비교해도 된다능~.

플러스 유형 ❽ 크기가 같은 분수를 만들 때 분모(분자)에 몇을 더해야 하는지 구하기

독해력 유형

8-1 $\dfrac{3}{8}$의 분자에 21을 더하고 분모에 얼마를 더하여 $\dfrac{3}{8}$과 크기가 같은 분수를 만들려고 합니다. 분모에 얼마를 더해야 하는지 구해 보세요.

단계 **1** $\dfrac{3}{8}$의 분자에 21을 더하면 분자는 얼마인가요?

(　　　　　　　)

단계 **2** $\dfrac{3}{8}$의 분자에 얼마를 곱하면 단계 **1** 에서 구한 분자와 같게 되나요?

(　　　　　　　)

단계 **3** 만들어진 분수의 분모는 얼마인가요?

(　　　　　　　)

단계 **4** 분모에 얼마를 더해야 하나요?

(　　　　　　　)

8-2 $\dfrac{7}{9}$의 분모에 54를 더하고 분자에 얼마를 더하여 $\dfrac{7}{9}$과 크기가 같은 분수를 만들려고 합니다. 분자에 얼마를 더해야 하는지 구해 보세요.

(　　　　　　　)

4 단원

약분과 통분

1 그림을 보고 알맞은 말에 ○표 하세요.

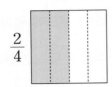 $\frac{2}{4}$ 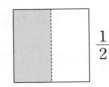 $\frac{1}{2}$

$\frac{2}{4}$와 $\frac{1}{2}$은 크기가 (같은 , 다른) 분수입니다.

2 $\frac{7}{10}$과 0.2의 크기를 비교하려고 합니다. 소수를 분수로 나타내고, ○ 안에 $>$, $=$, $<$를 알맞게 써넣으세요.

$\frac{7}{10}$ ○ 0.2 $0.2 = \frac{\square}{10}$

3 $\frac{12}{28}$와 크기가 같은 분수를 찾아 ○표 하세요.

$\frac{12}{28}$ ➡ $\frac{8}{14}$ $\frac{3}{7}$ $\frac{4}{7}$

4 분모의 곱을 공통분모로 하여 통분해 보세요.

$\left(\frac{3}{4}, \frac{1}{9} \right)$ ➡ (,   )

5 약분해 보세요.

$\frac{20}{24}$

(   )

6 □ 안에 알맞은 수를 써넣으세요.

$\frac{24}{32} = \frac{12}{\square} = \frac{\square}{8} = \frac{3}{\square}$

7 두 분수의 크기가 같게 색칠하고, □ 안에 알맞은 수를 써넣으세요.

$\frac{4}{6}$ 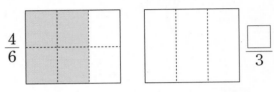 $\frac{\square}{3}$

8 두 수의 크기를 비교하여 ○ 안에 $>$, $=$, $<$를 알맞게 써넣으세요.

1.67 ○ $1\frac{13}{20}$

9 $\frac{7}{9}$과 $\frac{5}{6}$를 통분할 때 공통분모가 될 수 <u>없는</u> 수는 어느 것인가요? ·················(   )

① 18   ② 36   ③ 45

④ 54   ⑤ 72

10 두 분수를 오른쪽과 같이 통분했습니다. ㉠, ㉡, ㉢에 알맞은 수를 각각 구해 보세요.

$$\left(\frac{5}{6}, \frac{11}{12}\right) \rightarrow \left(\frac{㉠}{㉡}, \frac{㉢}{12}\right)$$

㉠ (   )

㉡ (   )

㉢ (   )

11 $\frac{5}{9}$와 크기가 같은 분수를 1개 써 보세요.

(   )

12 $\frac{24}{28}$를 약분하여 나타낼 수 있는 분수 중 분모가 7인 분수를 써 보세요.

(   )

13 두 접시에 아몬드가 같은 수만큼 담겨 있습니다. 아몬드를 더 많이 먹은 사람은 누구인지 이름을 써 보세요.

나는 한 접시에 있는 아몬드의 $\frac{2}{5}$를 먹었어.
하윤

나는 한 접시에 있는 아몬드의 $\frac{3}{8}$을 먹었어.

서아

(   )

14 왼쪽 수보다 작은 수에 ○표 하세요.

$\frac{8}{15}$	$\frac{13}{20}$	$\frac{5}{9}$	$\frac{1}{3}$

15 두 분수의 크기를 비교하여 더 큰 분수를 위의 빈 칸에 써넣으세요.

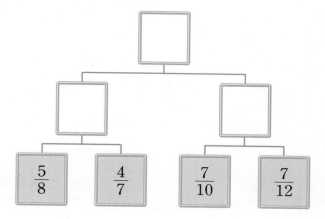

16 $\frac{8}{16}$의 약분에 대해 설명한 것이 <u>틀린</u> 것을 찾아 기호를 써 보세요.

㉠ $\frac{8}{16}$을 기약분수로 나타내면 $\frac{1}{2}$입니다.

㉡ $\frac{8}{16}$을 약분하여 만들 수 있는 분수는 모두 2개입니다.

㉢ $\frac{8}{16}$을 약분한 분수 중 분모가 가장 큰 분수는 $\frac{4}{8}$입니다.

(   )

정답 및 풀이 25쪽

서술형 　　　　　　　　　　　　　>> 105쪽 4-2 유사 문제

17 $\frac{5}{6}$와 크기가 같은 분수 중에서 분모가 36인 분수를 구하는 풀이 과정을 쓰고 답을 구해 보세요.

풀이

답 _____

서술형 　　　　　　　　　　　　　>> 106쪽 6-2 유사 문제

19 $\frac{7}{9}$과 크기가 같은 분수 중에서 분모와 분자의 합이 60보다 크고 70보다 작은 분수를 구하려고 합니다. 풀이 과정을 쓰고 답을 구해 보세요.

풀이

답 _____

서술형 　　　　　　　　　　　　　>> 106쪽 5-2 유사 문제

18 □ 안에 들어갈 수 있는 가장 큰 자연수는 얼마인지 풀이 과정을 쓰고 답을 구해 보세요.

$$\frac{7}{8} > \frac{\square}{12}$$

풀이

답 _____

독해력 유형 서술형 　　　　　　　　　>> 107쪽 7-1 유사 문제

20 수 카드가 3장 있습니다. 이 중에서 2장을 뽑아 진분수를 만들려고 합니다. 만들 수 있는 진분수 중 가장 작은 수를 소수로 나타내는 풀이 과정을 쓰고 답을 구해 보세요.

| 2 | 5 | 8 |

풀이

답 _____

**생활 속에서
대응 관계 알아보기**

**① 대응 관계를 식으로
나타내기**

[1~2] 준재가 달리기 한 시간(분)과 소모된 열량(킬로칼로리) 사이의 대응 관계를 나타낸 표입니다. 물음에 답하세요.

시간(분)	1	2	3	4	5	6	……
열량(킬로칼로리)	12	24	36				……

1 위의 표를 완성해 보세요.

**② 대응 관계를 식으로
나타내기**

2 달리기 한 시간을 □(분), 소모된 열량(킬로칼로리)을 △라고 할 때, 두 양 사이의 대응 관계를 식으로 나타내어 보세요.

 식 _____

[3~4] 도형의 배열을 보고 물음에 답하세요.

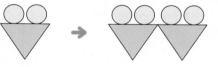 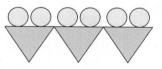

삼각형이 1개일 때 원은 몇 개 필요한지 살펴봐.

→ [   ] ……

**두 양 사이의 대응 관계
알아보기**

3 위의 빈칸에 다음에 이어질 모양을 그려 보세요.

**두 양 사이의 대응 관계
알아보기**

4 삼각형이 10개일 때 원은 몇 개 필요한가요?

(   )

코딩1 다음은 기약분수를 찾기 위한 코드입니다. ㉠에 알맞은 수를 구해 보세요.

만약 분모와 분자의 공약수가 ㉠ 뿐이라면

기약분수입니다.

아니면

기약분수가 아닙니다.

(   )

어떤 분수를 기약분수라고 하는지 생각해 봐.

코딩2 다음과 같은 크기 비교 블록에 두 수를 넣으면 더 큰 수가 나온대~.

A와 B 두 수를 크기 비교 블록에 넣었을 때 나오는 수를 구해 봐~

❶ $A=\dfrac{5}{9}$, $B=\dfrac{4}{7}$ ➡ 입력 ⎡ A와 B 중 더 큰 수 ⎡ 출력 ➡ ☐

❷ $A=\dfrac{3}{4}$, $B=0.8$ ➡ 입력 ⎡ A와 B 중 더 큰 수 ⎡ 출력 ➡ ☐

가로 세로 개념 낱말 퀴즈

창의 3 아래의 퀴즈를 읽어 보며 빈칸을 채워 보세요.

			❶	①	
❷		②			
		❸		한	다
				다	
		❹	③		

가로 낱말 퀴즈

❶ 통분한 분모는?

❷ **난센스!** 먹고 살기 위해 하는 내기는?

❸ 분모와 분자를 공약수로 나누어 간단한 분수로 만드는 것을 ○○한다고 합니다.

❹ **난센스!** 검정색 줄무늬가 있는 초록색 집의 빨간색 방에서 검은색 형제들이 모여 사는 것은?

세로 낱말 퀴즈

① 분수의 분모를 같게 하는 것을 ○○한다고 합니다.

② 분모와 분자의 공약수가 1뿐인 분수는?

③ 역사적 유물, 예술품 등을 수집, 보존, 진열하고 일반인에게 전시하는 시설은?

5 분수의 덧셈과 뺄셈

개념 1 받아올림이 없는 진분수의 덧셈

예 $\dfrac{1}{8}+\dfrac{5}{6}$ 의 계산

방법 1 두 분모의 곱을 공통분모로 하여 통분한 후 계산하기

$$\dfrac{1}{8}+\dfrac{5}{6}=\dfrac{1\times6}{8\times6}+\dfrac{5\times8}{6\times8}$$

약분하기

$$=\dfrac{6}{48}+\dfrac{40}{48}=\dfrac{46}{48}=\dfrac{23}{24}$$

방법 2 두 분모의 최소공배수를 공통분모로 하여 통분한 후 계산하기

$$\dfrac{1}{8}+\dfrac{5}{6}=\dfrac{1\times3}{8\times3}+\dfrac{5\times4}{6\times4}$$

$$=\dfrac{3}{24}+\dfrac{20}{24}=\dfrac{23}{24}$$

두 분수를 통분한 다음 분모는 그대로 두고 분자끼리 더해~.

유형

1 두 분모의 곱을 공통분모로 하여 통분한 후 계산하려고 합니다. □ 안에 알맞은 수를 써넣으세요.

$$\dfrac{1}{2}+\dfrac{3}{8}=\dfrac{1\times8}{2\times8}+\dfrac{3\times\square}{8\times2}$$

$$=\dfrac{8}{16}+\dfrac{\square}{16}=\dfrac{\square}{16}=\dfrac{\square}{8}$$

2 두 분모의 최소공배수를 공통분모로 하여 통분한 후 계산하려고 합니다. □ 안에 알맞은 수를 써넣으세요.

$$\dfrac{1}{10}+\dfrac{3}{4}=\dfrac{1\times2}{10\times\square}+\dfrac{3\times\square}{4\times5}$$

$$=\dfrac{2}{20}+\dfrac{\square}{20}=\dfrac{\square}{20}$$

[3~4] 계산해 보세요.

3 $\dfrac{5}{9}+\dfrac{1}{6}$

4 $\dfrac{1}{3}+\dfrac{5}{12}$

5 보기 와 같이 계산해 보세요.

보기

$$\dfrac{1}{4}+\dfrac{3}{8}=\dfrac{1\times8}{4\times8}+\dfrac{3\times4}{8\times4}$$

$$=\dfrac{8}{32}+\dfrac{12}{32}=\dfrac{20}{32}=\dfrac{5}{8}$$

$\dfrac{1}{6}+\dfrac{3}{4}$

6 빈 곳에 알맞은 분수를 써넣으세요.

(1)

$\dfrac{2}{5}$ $+\dfrac{1}{4}$

(2)

$\dfrac{1}{3}$ $+\dfrac{4}{15}$

7 두 분수의 합을 구해 보세요.

$$\frac{1}{8} \qquad \frac{3}{14}$$

(   )

8 희석이는 다음과 같이 잘못 계산했습니다. 처음 잘못 계산한 부분을 찾아 ○표 하고, 옳게 고쳐 계산해 보세요.

$$\frac{4}{9} + \frac{1}{3} = \frac{4}{9} + \frac{1 \times 1}{3 \times 3} = \frac{4}{9} + \frac{1}{9} = \frac{5}{9}$$

$$\frac{4}{9} + \frac{1}{3} \underline{\hspace{5cm}}$$

9 물 $\frac{2}{5}$ L에 기름 $\frac{3}{7}$ L를 섞었습니다. 물과 기름은 모두 몇 L인지 구해 보세요.

(1) 알맞은 식을 완성해 보세요.

식 $\underline{\hspace{1cm}} \frac{2}{5} + \boxed{} = \boxed{} \underline{\hspace{1cm}}$

(2) 물과 기름은 모두 몇 L인가요?

(   )

10 정화는 동화책을 $\frac{5}{12}$시간 동안 읽었고, 진수는 $\frac{1}{2}$시간 동안 읽었습니다. 두 사람이 동화책을 읽은 시간은 모두 몇 시간인가요?

식 $\underline{\hspace{6cm}}$

 답 $\underline{\hspace{5cm}}$

개념 2 받아올림이 있는 진분수의 덧셈

(예) $\frac{3}{4} + \frac{1}{2}$ 의 계산

방법 1 두 분모의 곱을 공통분모로 하여 통분한 후 계산하기

$$\frac{3}{4} + \frac{1}{2} = \frac{3 \times 2}{4 \times 2} + \frac{1 \times 4}{2 \times 4}$$

$$= \frac{6}{8} + \frac{4}{8} = \frac{10}{8} = 1\frac{\overset{1}{2}}{\underset{4}{8}} = 1\frac{1}{4}$$

방법 2 두 분모의 최소공배수를 공통분모로 하여 통분한 후 계산하기

$$\frac{3}{4} + \frac{1}{2} = \frac{3}{4} + \frac{1 \times 2}{2 \times 2}$$

$$= \frac{3}{4} + \frac{2}{4} = \frac{5}{4} = 1\frac{1}{4}$$

 계산 결과가 가분수인 경우 대분수로 고쳐서 나타내~.

유형

[11~12] $\frac{4}{5} + \frac{7}{10}$ 을 두 가지 방법으로 계산하려고 합니다. ☐ 안에 알맞은 수를 써넣으세요.

11 $\frac{4}{5} + \frac{7}{10} = \frac{4 \times 10}{5 \times 10} + \frac{7 \times 5}{10 \times \boxed{}}$

$$= \frac{40}{50} + \frac{35}{\boxed{}}$$

$$= \frac{\boxed{}}{50} = 1\frac{\boxed{}}{50} = 1\frac{\boxed{}}{2}$$

12 $\frac{4}{5} + \frac{7}{10} = \frac{4 \times 2}{5 \times \boxed{}} + \frac{7}{10}$

$$= \frac{8}{\boxed{}} + \frac{7}{10}$$

$$= \frac{\boxed{}}{10} = 1\frac{\boxed{}}{10} = \boxed{}$$

[13~14] 계산해 보세요.

13 $\dfrac{2}{3} + \dfrac{1}{2}$

14 $\dfrac{7}{8} + \dfrac{3}{4}$

15 보기 와 같이 계산해 보세요.

> 보기
>
> $$\dfrac{5}{6} + \dfrac{4}{9} = \dfrac{15}{18} + \dfrac{8}{18} = \dfrac{23}{18} = 1\dfrac{5}{18}$$

$\dfrac{7}{8} + \dfrac{7}{12}$ _____

16 빈칸에 두 분수의 합을 써넣으세요.

(1)

$\dfrac{5}{6}$	$\dfrac{2}{3}$

(2)

$\dfrac{5}{9}$	$\dfrac{8}{15}$

17 현서와 지안이가 말한 분수의 합을 구해 보세요.

$\dfrac{1}{8}$　　$\dfrac{13}{14}$

현서　　　　　　　　　　지안

(　　　　　　　　)

18 값이 같은 것끼리 이어 보세요.

$\dfrac{5}{6} + \dfrac{3}{4}$ ·

$\dfrac{4}{5} + \dfrac{2}{3}$ ·

· $1\dfrac{7}{12}$

· $1\dfrac{4}{15}$

· $1\dfrac{7}{15}$

19 다음이 나타내는 수를 구해 보세요.

$\dfrac{3}{7}$보다 $\dfrac{3}{4}$만큼 더 큰 수

(　　　　　　　　)

20 석주네 가족이 우유를 어제는 $\dfrac{7}{8}$ L, 오늘은 $\dfrac{9}{16}$ L 마셨습니다. 석주네 가족이 어제와 오늘 마신 우유는 모두 몇 L인가요?

 식 _____

 답 _____

개념 3 받아올림이 있는 대분수의 덧셈

예 $1\frac{2}{3}+2\frac{3}{5}$의 계산

방법 1 자연수는 자연수끼리, 분수는 분수끼리 더해서 계산하기

$$1\frac{2}{3}+2\frac{3}{5}=1\frac{10}{15}+2\frac{9}{15}$$

$$=(1+2)+\underset{\text{자연수 부분}}{\left(\underset{\text{분수 부분}}{\frac{10}{15}+\frac{9}{15}}\right)}$$

$$=3+\frac{19}{15}=3+1\frac{4}{15}$$

$$=4\frac{4}{15}\quad\underset{\text{가분수 → 대분수}}{}$$

방법 2 대분수를 가분수로 나타내어 계산하기

$$1\frac{2}{3}+2\frac{3}{5}=\frac{5}{3}+\frac{13}{5}=\frac{25}{15}+\frac{39}{15}$$

$$=\frac{64}{15}=4\frac{4}{15}$$

$$\underset{\text{가분수 → 대분수}}{}$$

 대분수를 가분수로 나타내어 계산해도 계산 결과는 대분수로 나타내야 해~.

 유형

[21~22] □ 안에 알맞은 수를 써넣으세요.

21 $1\frac{1}{3}+2\frac{5}{6}=1\frac{\square}{6}+2\frac{5}{6}$

$$=(1+2)+\left(\frac{\square}{6}+\frac{5}{6}\right)$$

$$=3+\frac{\square}{6}=3+1\frac{\square}{6}$$

$$=4\frac{\square}{6}$$

22 $2\frac{7}{8}+3\frac{1}{4}=\frac{23}{8}+\frac{\square}{4}=\frac{23}{8}+\frac{\square}{8}$

$$=\frac{\square}{8}=\boxed{}$$

23 계산해 보세요.

$$1\frac{5}{9}+3\frac{5}{6}$$

24 두 분수의 합을 구해 보세요.

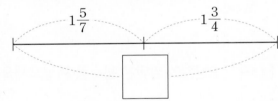
$$2\frac{4}{5}\qquad 1\frac{13}{20}$$

(　　　　　　　　　　)

25 □ 안에 알맞은 분수를 써넣으세요.

$1\frac{5}{7}$　　　　　　$1\frac{3}{4}$

26 강아지의 무게는 $2\frac{7}{10}$ kg이고 고양이는 강아지보다 $1\frac{3}{4}$ kg 더 무겁습니다. 고양이의 무게는 몇 kg인가요?

식 _____

답 _____

[1~12] 계산해 보세요.

1 $\dfrac{1}{2} + \dfrac{1}{6}$

2 $\dfrac{1}{4} + \dfrac{3}{5}$

3 $\dfrac{5}{6} + \dfrac{1}{8}$

4 $\dfrac{4}{7} + \dfrac{1}{5}$

5 $\dfrac{3}{4} + \dfrac{7}{16}$

6 $\dfrac{1}{2} + \dfrac{3}{5}$

7 $\dfrac{7}{8} + \dfrac{5}{12}$

8 $\dfrac{13}{20} + \dfrac{4}{5}$

9 $1\dfrac{2}{7} + 1\dfrac{3}{4}$

10 $2\dfrac{5}{6} + 1\dfrac{7}{10}$

11 $3\dfrac{2}{5} + 1\dfrac{6}{7}$

12 $2\dfrac{9}{11} + 3\dfrac{2}{3}$

[13~16] 빈칸에 알맞은 분수를 써넣으세요.

13
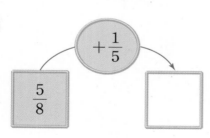

14
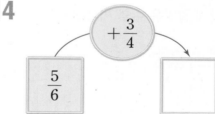

15
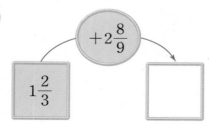

16
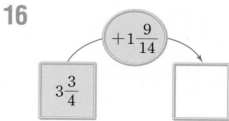

1 두 분수의 합을 구해 보세요. [1점]

$$\frac{1}{6} \qquad \frac{3}{8}$$

(　　　　　　　　)

2 두 색 테이프의 길이의 합은 몇 m인가요? [1점]

$1\frac{5}{7}$ m

$1\frac{3}{5}$ m

(　　　　　　　　)

3 다음을 두 가지 방법으로 계산해 보세요. [2점]

$$1\frac{6}{7} + 2\frac{3}{4}$$

방법**1** _____

_____

방법**2** _____

_____

4 크기를 비교하여 ○ 안에 >, =, <를 알맞게 써넣으세요. [2점]

$$\frac{4}{5} + \frac{7}{8} \bigcirc 1\frac{11}{40}$$

5 물이 $\frac{3}{4}$ L 들어 있는 물통에 물을 $\frac{1}{6}$ L 더 넣었더니 물통이 가득 찼습니다. 물통의 들이는 몇 L인가요? [2점]

식 _____

답 _____

6 가장 큰 수와 가장 작은 수의 합을 구해 보세요. [2점]

$$3\frac{7}{9} \qquad 2\frac{4}{7} \qquad 1\frac{5}{6}$$

(　　　　　　　　)

개념 **4** 진분수의 뺄셈

예 $\dfrac{3}{4} - \dfrac{1}{6}$ 의 계산

방법 **1** 두 분모의 곱을 공통분모로 하여 통분한 후 계산하기

$$\frac{3}{4} - \frac{1}{6} = \frac{3 \times 6}{4 \times 6} - \frac{1 \times 4}{6 \times 4}$$

약분하기

$$= \frac{18}{24} - \frac{4}{24} = \frac{14}{24} = \frac{7}{12}$$

방법 **2** 두 분모의 최소공배수를 공통분모로 하여 통분한 후 계산하기

$$\frac{3}{4} - \frac{1}{6} = \frac{3 \times 3}{4 \times 3} - \frac{1 \times 2}{6 \times 2}$$

$$= \frac{9}{12} - \frac{2}{12} = \frac{7}{12}$$

방법 **1** 은 공통분모를 구하기 쉬워~.

방법 **2** 는 계산 결과를 약분할 필요가 없어.

유형

1 두 분모의 곱을 공통분모로 하여 통분한 후 계산하려고 합니다. □ 안에 알맞은 수를 써넣으세요.

$$\frac{7}{9} - \frac{1}{3} = \frac{7 \times \boxed{}}{9 \times 3} - \frac{1 \times 9}{3 \times \boxed{}}$$

$$= \frac{\boxed{}}{27} - \frac{9}{27} = \frac{\boxed{}}{27} = \frac{\boxed{}}{9}$$

2 두 분모의 최소공배수를 공통분모로 하여 통분한 후 계산하려고 합니다. □ 안에 알맞은 수를 써넣으세요.

$$\frac{7}{10} - \frac{4}{15} = \frac{7 \times 3}{10 \times \boxed{}} - \frac{4 \times \boxed{}}{15 \times 2}$$

$$= \frac{21}{30} - \frac{\boxed{}}{30} = \frac{\boxed{}}{30}$$

[3~4] 계산해 보세요.

3 $\dfrac{7}{8} - \dfrac{1}{6}$

4 $\dfrac{5}{6} - \dfrac{2}{5}$

5 보기 와 같이 계산해 보세요.

보기

$$\frac{2}{3} - \frac{1}{6} = \frac{2 \times 6}{3 \times 6} - \frac{1 \times 3}{6 \times 3}$$

$$= \frac{12}{18} - \frac{3}{18} = \frac{9}{18} = \frac{1}{2}$$

$$\frac{5}{6} - \frac{2}{9} \underline{\hspace{5cm}}$$

6 빈 곳에 알맞은 분수를 써넣으세요.

(1)

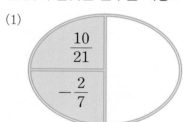

$\dfrac{10}{21}$

$-\dfrac{2}{7}$

(2)

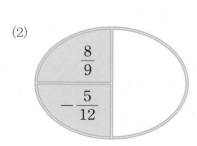

$\dfrac{8}{9}$

$-\dfrac{5}{12}$

7 $\dfrac{7}{10}-\dfrac{1}{6}$ 을 서로 다른 방법으로 계산한 것입니다. 어떤 방법으로 계산했는지 설명해 보세요.

방법 **1**
$$\dfrac{7}{10}-\dfrac{1}{6}=\dfrac{7\times6}{10\times6}-\dfrac{1\times10}{6\times10}$$
$$=\dfrac{42}{60}-\dfrac{10}{60}$$
$$=\dfrac{\overset{8}{\cancel{32}}}{\underset{15}{\cancel{60}}}=\dfrac{8}{15}$$

방법 **2**
$$\dfrac{7}{10}-\dfrac{1}{6}=\dfrac{7\times3}{10\times3}-\dfrac{1\times5}{6\times5}$$
$$=\dfrac{21}{30}-\dfrac{5}{30}$$
$$=\dfrac{\overset{8}{\cancel{16}}}{\underset{15}{\cancel{30}}}=\dfrac{8}{15}$$

8 밀가루 $\dfrac{8}{9}$ kg 중에서 $\dfrac{1}{12}$ kg으로 빵을 만들었습니다. 빵을 만들고 남은 밀가루는 몇 kg인가요?

식 _____

답 _____

9 두 색 테이프의 길이의 차는 몇 m인가요?

$\dfrac{3}{5}$ m

$\dfrac{3}{7}$ m

(　　　　　　　　　)

개념 **5**　**받아내림이 없는 대분수의 뺄셈**

예 $2\dfrac{3}{5}-1\dfrac{1}{2}$의 계산

방법 **1** 자연수는 자연수끼리, 분수는 분수끼리 빼서 계산하기

$$2\dfrac{3}{5}-1\dfrac{1}{2}=2\dfrac{6}{10}-1\dfrac{5}{10}$$
$$=\underset{\text{자연수 부분}}{(2-1)}+\underset{\text{분수 부분}}{\left(\dfrac{6}{10}-\dfrac{5}{10}\right)}$$
$$=1+\dfrac{1}{10}=1\dfrac{1}{10}$$

방법 **2** 대분수를 가분수로 나타내어 계산하기

$$2\dfrac{3}{5}-1\dfrac{1}{2}=\dfrac{13}{5}-\dfrac{3}{2}=\dfrac{26}{10}-\dfrac{15}{10}$$
$$=\underset{\text{가분수}\rightarrow\text{대분수}}{\dfrac{11}{10}=1\dfrac{1}{10}}$$

방법 **1**은 분수 부분의 계산이 쉬워~.
방법 **2**는 자연수 부분과 분수 부분을 분리해서 계산하지 않아도 되니 간편해.

유형

[10~11] $2\dfrac{2}{3}-1\dfrac{2}{9}$ 를 두 가지 방법으로 계산하려고 합니다. □ 안에 알맞은 수를 써넣으세요.

10 $2\dfrac{2}{3}-1\dfrac{2}{9}=2\dfrac{\square}{9}-1\dfrac{2}{9}$
$$=(2-1)+\left(\dfrac{\square}{9}-\dfrac{2}{9}\right)$$
$$=1+\dfrac{\square}{9}=\square\dfrac{\square}{9}$$

11 $2\dfrac{2}{3}-1\dfrac{2}{9}=\dfrac{\square}{3}-\dfrac{11}{9}=\dfrac{\square}{9}-\dfrac{11}{9}$
$$=\dfrac{\square}{9}=\square$$

[12~13] 계산해 보세요.

12 $3\frac{5}{6} - 1\frac{5}{12}$

13 $2\frac{6}{7} - 1\frac{1}{6}$

14 보기 와 같이 계산해 보세요.

> 보기
> $$1\frac{5}{8} - 1\frac{1}{5} = \frac{13}{8} - \frac{6}{5} = \frac{65}{40} - \frac{48}{40} = \frac{17}{40}$$

$2\frac{2}{3} - 1\frac{1}{4}$ _____

15 빈칸에 알맞은 분수를 써넣으세요.

$3\frac{3}{4}$

$-2\frac{1}{6}$

16 값이 같은 것끼리 이어 보세요.

$\boxed{4\frac{7}{12} - 1\frac{7}{24}}$ •

$\boxed{3\frac{5}{6} - 1\frac{3}{8}}$ •

• $2\frac{11}{24}$

• $3\frac{7}{24}$

• $3\frac{11}{24}$

17 다음이 나타내는 수를 구해 보세요.

$\boxed{6\frac{4}{7}보다\ 5\frac{1}{2}만큼\ 더\ 작은\ 수}$

( )

18 다은이는 오후에 물을 몇 L 더 마셔야 하나요?

> 물을 하루에 $2\frac{7}{10}$ L씩 마시기로 했는데 오전에 $1\frac{1}{4}$ L 마셨어~.

다은

( )

19 오늘 수학 공부를 연지는 $1\frac{5}{6}$시간 했고, 재호는 $1\frac{1}{3}$시간 했습니다. 연지는 재호보다 수학 공부를 몇 시간 더 많이 했나요?

식 _____

답 _____

개념 6 받아내림이 있는 대분수의 뺄셈

예 $3\frac{1}{2}-1\frac{2}{3}$의 계산

방법 1 자연수는 자연수끼리, 분수는 분수끼리 빼서 계산하기

분수끼리 뺄 수 없음

$$3\frac{1}{2}-1\frac{2}{3}=3\frac{3}{6}-1\frac{4}{6}=2\frac{9}{6}-1\frac{4}{6}$$

자연수 부분에서 1을 받아내림

$$=(2-1)+\left(\frac{9}{6}-\frac{4}{6}\right)$$

$$=1+\frac{5}{6}=1\frac{5}{6}$$

방법 2 대분수를 가분수로 나타내어 계산하기

$$3\frac{1}{2}-1\frac{2}{3}=\frac{7}{2}-\frac{5}{3}=\frac{21}{6}-\frac{10}{6}$$

$$=\frac{11}{6}=1\frac{5}{6}$$

 방법 2 와 같이 대분수를 가분수로 고쳐서 계산하면 받아내림을 하지 않아도 돼~.

유형

[20~21] □ 안에 알맞은 수를 써넣으세요.

20 $3\frac{1}{2}-1\frac{3}{5}=3\frac{5}{10}-1\frac{□}{10}$

$=2\frac{□}{10}-1\frac{6}{10}$

$=(2-1)+\left(\frac{□}{10}-\frac{6}{10}\right)$

$=1+\frac{□}{10}=□\frac{□}{10}$

21 $3\frac{1}{2}-1\frac{3}{5}=\frac{□}{2}-\frac{8}{5}=\frac{□}{10}-\frac{□}{10}$

$=\frac{□}{10}=□$

[22~23] 계산해 보세요.

22 $4\frac{1}{6}-2\frac{3}{5}$

23 $4\frac{2}{9}-2\frac{1}{3}$

24 두 분수의 차를 구해 보세요.

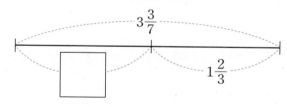

$5\frac{1}{10}$　$3\frac{3}{4}$

(　　　　　　　)

25 □ 안에 알맞은 분수를 써넣으세요.

$3\frac{3}{7}$

□　$1\frac{2}{3}$

26 정화가 빵을 만들기 위해 반죽에 밀가루를 $6\frac{2}{3}$컵 넣었다가 $2\frac{7}{8}$컵을 덜어 냈습니다. 정화가 사용한 밀가루는 몇 컵인가요?

식

답

[1~12] 계산해 보세요.

1 $\dfrac{4}{5} - \dfrac{1}{4}$

2 $\dfrac{7}{10} - \dfrac{1}{2}$

3 $\dfrac{7}{8} - \dfrac{13}{20}$

4 $\dfrac{3}{4} - \dfrac{7}{12}$

5 $3\dfrac{3}{4} - 2\dfrac{1}{3}$

6 $2\dfrac{8}{9} - 1\dfrac{1}{3}$

7 $5\dfrac{5}{18} - 1\dfrac{2}{9}$

8 $3\dfrac{5}{6} - 2\dfrac{1}{9}$

9 $3\dfrac{1}{4} - 2\dfrac{9}{20}$

10 $2\dfrac{1}{2} - 1\dfrac{4}{5}$

11 $4\dfrac{1}{6} - 3\dfrac{2}{3}$

12 $3\dfrac{3}{4} - 1\dfrac{5}{6}$

[13~16] 빈칸에 알맞은 분수를 써넣으세요.

13

| $\dfrac{5}{8}$ | $-\dfrac{1}{6}$ | |

14

| $3\dfrac{2}{5}$ | $-1\dfrac{1}{7}$ | |

15

| $5\dfrac{1}{9}$ | $-3\dfrac{5}{12}$ | |

16

| $4\dfrac{1}{10}$ | $-1\dfrac{2}{3}$ | |

1 빈칸에 알맞은 분수를 써넣으세요. [1점]

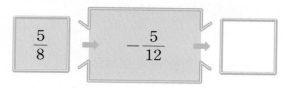

$$\frac{5}{8} \quad \longrightarrow \quad -\frac{5}{12} \quad \longrightarrow \quad \square$$

2 큰 수에서 작은 수를 빼면 얼마인가요? [1점]

$$4\frac{5}{6} \qquad 6\frac{4}{9}$$

( )

3 값이 같은 것끼리 이어 보세요. [2점]

$3\frac{4}{5} - 1\frac{2}{9}$ •

$4\frac{11}{15} - 2\frac{1}{9}$ •

• $1\frac{13}{40}$

• $2\frac{26}{45}$

• $2\frac{28}{45}$

4 영은이는 다음과 같이 잘못 계산했습니다. 처음 잘못 계산한 부분을 찾아 ○표 하고, 옳게 고쳐 계산해 보세요. [2점]

$$3\frac{3}{5} - 2\frac{1}{7} = \frac{13}{5} - \frac{15}{7} = \frac{91}{35} - \frac{75}{35} = \frac{16}{35}$$

$3\frac{3}{5} - 2\frac{1}{7}$ _____

_____

5 가장 큰 수와 가장 작은 수의 차를 구해 보세요. [2점]

$$5\frac{1}{3} \qquad 4\frac{5}{6} \qquad 3\frac{3}{4}$$

( )

6 식용유 $\frac{8}{9}$ L가 있습니다. 튀김을 만드는 데 오전에 $\frac{7}{12}$ L를 사용하고, 오후에 $\frac{1}{6}$ L를 사용하였습니다. 사용하고 남은 식용유는 몇 L인가요? [2점]

( )

① 보기 와 같이 계산하기

기본 유형

1 보기 와 같이 계산해 보세요.

> 보기
> $$2\frac{1}{2}+1\frac{2}{3}=2\frac{3}{6}+1\frac{4}{6}=3\frac{7}{6}=4\frac{1}{6}$$

$3\frac{2}{5}+3\frac{3}{4}$ _____

_____

변형 유형

2 보기 와 같이 계산해 보세요.

> 보기
> $$1\frac{5}{6}+2\frac{1}{3}=\frac{11}{6}+\frac{7}{3}=\frac{11}{6}+\frac{14}{6}$$
> $$=\frac{25}{6}=4\frac{1}{6}$$

$1\frac{1}{4}+1\frac{6}{7}$ _____

_____

변형 유형

3 보기 와 같이 계산해 보세요.

> 보기
> $$3\frac{1}{4}-1\frac{1}{2}=3\frac{1}{4}-1\frac{2}{4}$$
> $$=2\frac{5}{4}-1\frac{2}{4}=1\frac{3}{4}$$

$5\frac{1}{6}-3\frac{3}{4}$ _____

② 두 분수의 합(차) 구하기

기본 유형

4 두 분수의 합을 구해 보세요.

$\frac{7}{10}$	$\frac{8}{15}$

(   )

변형 유형

5 두 분수의 차를 구해 보세요.

$\frac{9}{11}$	$\frac{3}{4}$

(   )

변형 유형

6 대분수를 찾아 합을 구해 보세요.

$3\frac{1}{6}$	$\frac{14}{15}$	$1\frac{8}{21}$

(   )

문장제 유형

7 길이가 $\frac{7}{9}$ m인 끈과 $\frac{3}{8}$ m인 끈이 있습니다. 두 끈의 길이의 합은 몇 m인가요?

(   )

❸ 길이(거리) 구하기

 기본 유형
8 □ 안에 알맞은 분수를 써넣으세요.

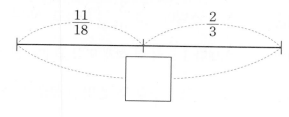

변형 유형
9 □ 안에 알맞은 분수를 써넣으세요.

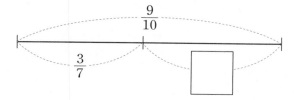

실생활 유형
10 정수네 집에서 문구점을 거쳐 학교까지 가는 거리는 몇 m인가요?

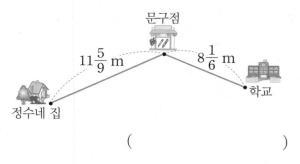

(　　　　　　　　)

❹ 덧셈과 뺄셈의 관계를 이용하여 모르는 수 구하기

 기본 유형
11 □ 안에 알맞은 분수를 써넣으세요.

$$\boxed{} + 5\frac{3}{7} = 8\frac{25}{42}$$

변형 유형
12 □ 안에 알맞은 분수를 써넣으세요.

$$\boxed{} - 6\frac{7}{12} = 1\frac{4}{9}$$

변형 유형
13 ㉠에 알맞은 수를 구해 보세요.

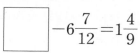

(　　　　　　　　)

문장제 유형
14 어떤 수에 $\frac{1}{8}$을 더했더니 $\frac{5}{6}$가 되었습니다. 어떤 수를 구해 보세요.

(　　　　　　　　)

독해력 유형 1 물건의 수(길이) 구하기

미술 시간에 색종이를 지연이는 $8\frac{4}{5}$장 사용했고, 은혁이는 지연이보다 $1\frac{2}{15}$장 더 적게 사용했습니다. 수정이는 은혁이보다 $1\frac{1}{3}$장 더 많이 사용했을 때 수정이가 사용한 색종이는 몇 장인지 구해 보세요.

What? 구하려는 것을 찾아 밑줄을 그어 보세요.

How?
❶ 은혁이가 사용한 색종이는 몇 장인지 뺄셈을 이용하여 구하기
❷ 수정이가 사용한 색종이는 몇 장인지 덧셈을 이용하여 구하기

Solve
❶ 은혁이가 사용한 색종이는 몇 장인가요?
( )

❷ 수정이가 사용한 색종이는 몇 장인가요?
( )

은혁이가 사용한 색종이의 수를 구하려면?

지연이가 사용한 색종이의 수에서 $1\frac{2}{15}$를 빼야 해~.

쌍둥이 유형 1-1

물을 소영이는 $3\frac{3}{20}$컵 마셨고, 정수는 소영이보다 $1\frac{2}{5}$컵 더 적게 마셨습니다. 진철이가 정수보다 $1\frac{1}{4}$컵 더 많이 마셨을 때 진철이가 마신 물은 몇 컵인지 구해 보세요. (단, 세 사람이 사용한 컵은 모두 같습니다.)

❶

❷

답 _____

쌍둥이 유형 1-2

노란색 끈의 길이는 $5\frac{3}{8}$ m이고, 빨간색 끈은 노란색 끈보다 $3\frac{1}{20}$ m 더 짧습니다. 파란색 끈은 빨간색 끈보다 $1\frac{4}{5}$ m 더 길다면 파란색 끈은 몇 m인지 구해 보세요.

❶

❷

답 _____

독해력 유형 2 얼마나 가까워졌는지 구하기

가 마을에서 나 마을을 거쳐 다 마을까지 가는 길이 너무 멀어서 가 마을에서 다 마을까지 바로 갈 수 있는 길을 새로 만들었습니다. 몇 km가 가까워졌는지 구해 보세요.

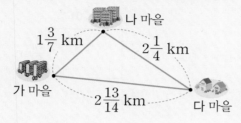

What? 구하려는 것을 찾아 밑줄을 그어 보세요.

How?
❶ 가 마을에서 나 마을을 거쳐 다 마을까지 가는 거리 구하기

❷ 위 ❶에서 구한 거리와 가 마을에서 다 마을까지 바로 가는 거리의 차 구하기

Solve
❶ 가 마을에서 나 마을을 거쳐 다 마을까지 가는 거리는 몇 km인가요?

(   )

❷ 위 ❶에서 구한 거리와 가 마을에서 다 마을까지 바로 가는 거리의 차를 구하여 몇 km가 가까워졌는지 구해 보세요.

(   )

구하려는 것을 찾아 밑줄을 그은 후 세운 계획에 따라 문제를 풀어 봐~.

쌍둥이 유형 2-1

학교에서 문구점을 거쳐 주민자치센터까지 가는 길이 너무 멀어서 학교에서 주민자치센터까지 바로 갈 수 있는 길을 새로 만들었습니다. 몇 km가 가까워졌는지 구해 보세요.

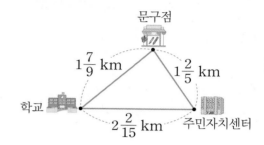

❶

❷

답 _____

쌍둥이 유형 2-2

윤서는 집에서 학교를 거쳐 도서관까지 걸어 갔습니다. 동생은 집에서 도서관까지 바로 가는 길로 걸어 갔다면 동생은 윤서보다 몇 km 덜 걸어갔나요?

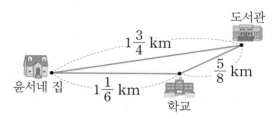

❶

❷

답 _____

플러스 유형 ❶ ~보다 ~만큼 더 큰 수(작은 수) 구하기

1-1 다음이 나타내는 수를 구해 보세요.

$$\frac{7}{10}\text{보다}\ \frac{9}{20}\text{만큼 더 큰 수}$$

( )

1-2 다음이 나타내는 수를 구해 보세요.

$$1\frac{1}{6}\text{보다}\ 1\frac{7}{8}\text{만큼 더 큰 수}$$

( )

1-3 다음이 나타내는 수를 구해 보세요.

$$\frac{11}{12}\text{보다}\ \frac{2}{3}\text{만큼 더 작은 수}$$

( )

1-4 다음이 나타내는 수를 구해 보세요.

$$2\frac{7}{9}\text{보다}\ 1\frac{2}{7}\text{만큼 더 작은 수}$$

( )

플러스 유형 ❷ 길이의 차 구하기

2-1 직사각형의 가로는 세로보다 몇 m 더 긴가요?

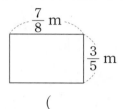

( )

2-2 직사각형의 가로는 세로보다 몇 m 더 긴가요?

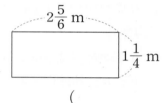

( )

2-3 ㉮ 색 테이프는 ㉯ 색 테이프보다 몇 m 더 짧은가요?

( )

2-4 ㉮ 막대는 ㉯ 막대보다 몇 m 더 짧은가요?

( )

플러스 유형 처방전

- ■보다 ▲만큼 더 큰 수는 ■＋▲,
- ■보다 ●만큼 더 작은 수는 ■－●로 계산해용~.

플러스 유형 ③ □ 안에 들어갈 수 있는 가장 큰(작은) 자연수 구하기

3-1 □ 안에 들어갈 수 있는 가장 큰 자연수를 구해 보세요.

$$2\frac{1}{7}+3\frac{7}{8}>\square$$

(　　　　　　)

3-2 □ 안에 들어갈 수 있는 가장 큰 자연수를 구해 보세요.

$$10\frac{3}{4}-5\frac{2}{9}>\square$$

(　　　　　　)

3-3 □ 안에 들어갈 수 있는 가장 작은 자연수를 구해 보세요.

$$3\frac{7}{15}+6\frac{4}{5}<\square$$

(　　　　　　)

3-4 □ 안에 들어갈 수 있는 가장 작은 자연수를 구해 보세요.

$$6\frac{1}{6}-1\frac{3}{4}<\square$$

(　　　　　　)

플러스 유형 ④ 계산 결과가 가장 크게 되는 식 만들기

4-1 세 분수 중 두 분수를 골라 합이 가장 큰 식을 완성하고, 계산해 보세요.

$$6\frac{2}{5} \quad 1\frac{1}{7} \quad 3\frac{5}{6}$$

$$\square + \square$$

(　　　　　　)

서술형
4-2 합이 가장 크게 되도록 두 분수를 골라 합을 구하려고 합니다. 풀이 과정을 쓰고 답을 구해 보세요.

$$1\frac{1}{8} \quad 3\frac{5}{9} \quad 2\frac{7}{15}$$

풀이

답 _____

사고력 유형
4-3 세 분수 중 두 분수를 골라 차가 가장 큰 식을 완성하고, 계산해 보세요.

$$1\frac{1}{4} \quad 6\frac{3}{8} \quad 3\frac{9}{20}$$

$$\square - \square$$

(　　　　　　)

5
단원

분수의 덧셈과 뺄셈

133

플러스 유형 **5** 바르게 계산한 값 구하기

5-1 어떤 수에서 $\frac{1}{5}$을 빼야 할 것을 잘못하여 더했더니 $\frac{11}{20}$이 되었습니다. 바르게 계산하면 얼마인가요?

( )

서술형

5-2 어떤 수에서 $1\frac{1}{8}$을 빼야 할 것을 잘못하여 더했더니 $2\frac{7}{12}$이 되었습니다. 바르게 계산하면 얼마인지 풀이 과정을 쓰고 답을 구해 보세요.

풀이▶

답 _____

5-3 어떤 수에 $\frac{1}{12}$을 더해야 할 것을 잘못하여 뺐더니 $\frac{13}{24}$이 되었습니다. 바르게 계산하면 얼마인가요?

( )

플러스 유형 **6** 이어 붙인 색 테이프의 전체 길이 구하기

사고력 유형

6-1 그림과 같이 길이가 $\frac{7}{9}$ m인 색 테이프 2장을 $\frac{5}{21}$ m가 겹치게 이어 붙였습니다. 이어 붙인 색 테이프의 전체 길이는 몇 m인가요?

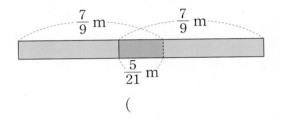

( )

서술형

6-2 그림과 같이 길이가 $2\frac{5}{8}$ m인 색 테이프 2장을 $1\frac{7}{12}$ m가 겹치게 이어 붙였습니다. 이어 붙인 색 테이프의 전체 길이는 몇 m인지 풀이 과정을 쓰고 답을 구해 보세요.

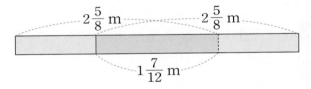

풀이▶

답 _____

플러스 유형 7   전체의 얼마인지 분수로 나타내기

독해력 유형

7-1 유정이네 텃밭에 꽃을 심었습니다. 튤립을 텃밭 전체의 $\frac{1}{5}$에 심은 후 봉숭아를 텃밭 전체의 $\frac{1}{4}$에 심었습니다. 튤립과 봉숭아를 심고 남은 텃밭은 전체의 얼마인지 분수로 나타내어 보세요.

단계 **1** 튤립을 심고 남은 부분은 텃밭 전체의 몇 분의 몇인가요?

(   )

단계 **2** 봉숭아를 심고 남은 부분은 텃밭 전체의 몇 분의 몇인가요?

(   )

단계 **3** 튤립과 봉숭아를 심고 남은 텃밭은 전체의 몇 분의 몇인가요?

(   )

전체를 1이라고 생각해~.

7-2 지석이는 벽면에 모두 페인트칠을 하려고 합니다. 오전에 전체의 $\frac{1}{6}$을 칠하고 오후에 전체의 $\frac{3}{5}$을 칠하였습니다. 앞으로 더 칠해야 할 벽면은 전체의 얼마인지 분수로 나타내어 보세요.

(   )

플러스 유형 8   수 카드로 만든 두 분수의 합 구하기

독해력 유형

8-1 서호와 은지는 각자 가지고 있는 수 카드를 한 번씩만 사용하여 가장 작은 대분수를 만들려고 합니다. 두 사람이 만든 대분수의 합을 구해 보세요.

단계 **1** 서호가 가지고 있는 수 카드를 한 번씩만 사용하여 만들 수 있는 가장 작은 대분수를 써 보세요.

(   )

단계 **2** 은지가 가지고 있는 수 카드를 한 번씩만 사용하여 만들 수 있는 가장 작은 대분수를 써 보세요.

(   )

단계 **3** 두 사람이 만든 대분수의 합은 얼마인가요?

(   )

8-2 인주와 형석이는 각자 가지고 있는 수 카드를 한 번씩만 사용하여 가장 작은 대분수를 만들려고 합니다. 두 사람이 만든 대분수의 합은 얼마인가요?

(   )

5 단원

분수의 덧셈과 뺄셈

135

1 □ 안에 알맞은 수를 써넣으세요.

$$\frac{1}{3} + \frac{3}{8} = \frac{1 \times \square}{3 \times 8} + \frac{3 \times \square}{8 \times 3}$$

$$= \frac{\square}{24} + \frac{\square}{24} = \frac{\square}{24}$$

2 계산해 보세요.

$$\frac{8}{9} - \frac{5}{6}$$

3 빈칸에 알맞은 분수를 써넣으세요.

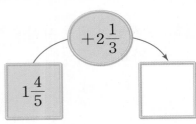

4 두 분수의 차를 구해 보세요.

$$2\frac{7}{12} \qquad 1\frac{3}{4}$$

( )

5 보기 와 같이 계산해 보세요.

보기

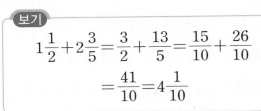

$$1\frac{1}{2} + 2\frac{3}{5} = \frac{3}{2} + \frac{13}{5} = \frac{15}{10} + \frac{26}{10}$$

$$= \frac{41}{10} = 4\frac{1}{10}$$

$$1\frac{3}{4} + 3\frac{1}{3} \underline{\qquad\qquad\qquad}$$

_____

6 다음이 나타내는 수를 구해 보세요.

$$2\frac{5}{6} 보다 1\frac{3}{8} 만큼 더 작은 수$$

( )

7 □ 안에 알맞은 분수를 써넣으세요.

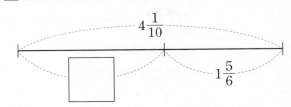

8 예은이는 물이 $\frac{2}{7}$ L 들어 있는 양동이에 물 $\frac{3}{4}$ L를 더 부었습니다. 양동이에 들어 있는 물은 모두 몇 L인가요?

식

답

9 크기를 비교하여 ○ 안에 >, =, <를 알맞게 써넣으세요.

$$1\frac{5}{9}+2\frac{4}{5} \bigcirc 4$$

10 계산이 처음으로 <u>잘못된</u> 부분을 찾아 ○표 하고, 옳게 고쳐 계산해 보세요.

$$2\frac{1}{4}-1\frac{6}{7}=2\frac{1}{28}-1\frac{24}{28}$$
$$=1\frac{29}{28}-1\frac{24}{28}=\frac{5}{28}$$

$$2\frac{1}{4}-1\frac{6}{7}\underline{\hspace{4cm}}$$

_____

11 두 사람이 가지고 있는 두 막대의 길이의 차는 몇 m인가요?

난 길이가 $\frac{11}{20}$ m인 막대를 가지고 있어.

서아

내가 가지고 있는 막대의 길이는 $\frac{5}{8}$ m야.

우진

(　　　　　　　　)

12 계산 결과가 1보다 큰 것의 기호를 써 보세요.

㉠ $\frac{3}{8}+\frac{1}{4}$ 　　㉡ $\frac{7}{12}+\frac{5}{8}$

(　　　　　　　　)

13 유재네 집에서 마트를 거쳐 병원까지 가는 거리는 몇 km인가요?

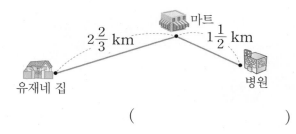

마트

$2\frac{2}{3}$ km 　　 $1\frac{1}{2}$ km

유재네 집 　　　　　　　 병원

(　　　　　　　　)

14 가장 큰 수와 가장 작은 수의 차를 구해 보세요.

$$3\frac{1}{8} \qquad 4\frac{4}{5} \qquad 1\frac{9}{20}$$

(　　　　　　　　)

15 콩이 $10\frac{1}{9}$ kg 있습니다. 그중에서 $5\frac{3}{8}$ kg을 콩국수를 만드는 데 사용했습니다. 남은 콩은 몇 kg인가요?

식 _____

답 _____

16 ㉠에 알맞은 수를 구해 보세요.

$$㉠-2\frac{1}{10}=6\frac{5}{6}$$

(　　　　　　　　)

서술형 ≫ 133쪽 4-2 유사 문제

17 합이 가장 크게 되도록 두 분수를 골라 합을 구하려고 합니다. 풀이 과정을 쓰고 답을 구해 보세요.

$$5\frac{7}{9} \qquad 2\frac{7}{12} \qquad 3\frac{1}{4}$$

풀이

답 _____

서술형 ≫ 134쪽 5-2 유사 문제

18 어떤 수에서 $1\frac{3}{8}$을 빼야 할 것을 잘못하여 더했더니 $2\frac{15}{16}$가 되었습니다. 바르게 계산하면 얼마인지 풀이 과정을 쓰고 답을 구해 보세요.

풀이

답 _____

서술형 ≫ 134쪽 6-2 유사 문제

19 그림과 같이 길이가 $2\frac{5}{6}$ m인 색 테이프 2장을 $1\frac{5}{8}$ m가 겹치게 이어 붙였습니다. 이어 붙인 색 테이프의 전체 길이는 몇 m인지 풀이 과정을 쓰고 답을 구해 보세요.

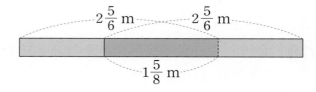

풀이

답 _____

독해력 유형 서술형 ≫ 135쪽 8-1 유사 문제

20 정우와 영지가 각자 가지고 있는 수 카드를 한 번씩만 사용하여 가장 작은 대분수를 만들려고 합니다. 두 사람이 만든 대분수의 합을 구하는 풀이 과정을 쓰고 답을 구해 보세요.

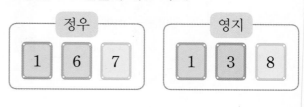

풀이

답 _____

크기가 같은 분수 알아보기

1 $\frac{9}{12}$와 크기가 같은 분수를 모두 찾아 써 보세요.

$$\frac{1}{4} \qquad \frac{3}{4} \qquad \frac{2}{3} \qquad \frac{18}{24}$$

(   )

분수를 간단하게 나타내기

2 기약분수로 나타내어 보세요.

(1) $\frac{6}{10}$

(2) $\frac{16}{36}$

(   )   (   )

분수의 크기 비교하기

3 산책을 하는 데 진영이는 $\frac{18}{25}$ km, 준호는 $\frac{23}{40}$ km를 걸었습니다. 더 짧은 거리를 걸은 사람은 누구인가요?

(   )

분수와 소수의 크기 비교하기

4 1부터 9까지의 수 중에서 □ 안에 들어갈 수 있는 자연수를 모두 구해 보세요.

$$0.7 > \frac{\square}{5}$$

(   )

소수를 분수로 나타내고 두 분수를 통분하여 크기를 비교해 봐~.

창의 **1**   여러 가지 크기의 분수 막대를 사용하여 $\frac{3}{4}+\frac{1}{3}$ 을 계산해 보려고 합니다. 물음에 답하세요.

❶ 위의 그림을 보고 길이가 같은 분수 막대를 모두 찾아 그려 보세요.

(1) $\frac{3}{4}$

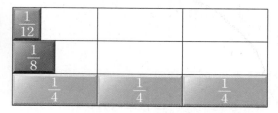

(2) $\frac{1}{3}$

❷ $\frac{3}{4}$ 과 $\frac{1}{3}$ 을 합하면 $\frac{1}{12}$ 막대는 몇 개가 되나요?

(   )

❸ $\frac{3}{4}$ 과 $\frac{1}{3}$ 을 합하여 1 막대와 $\frac{1}{12}$ 막대로 그려 보세요.

❹ $\frac{3}{4}+\frac{1}{3}$ 은 얼마인가요?

(   )

창의 2 모양과 크기가 같은 빈대떡 3장을 4명이 똑같이 나누어 먹으려고 합니다. $\frac{3}{4}$을 서로 다른 단위분수의 합으로 나타내어 보세요.

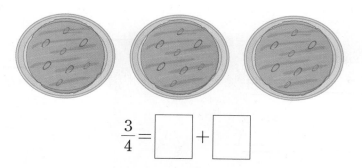

$$\frac{3}{4} = \boxed{} + \boxed{}$$

빈대떡 3장을 4명이 똑같이 나누어 먹으려면 한 사람이 먹는 양은 $3 \div 4 = \frac{3}{4}$이네. 근데 3장을 4조각으로 똑같이 어떻게 나누지?

일단 빈대떡 2장을 각각 절반으로 나누어 4명이 한 조각씩 먹고, 나머지 빈대떡 한 장을 똑같이 나누어 보자~

융합 3 다음은 음표의 박자를 분수로 나타낸 표입니다. 오른쪽 악보에서 ☐ 안의 음표의 박자의 합을 구해 보세요.

음표	♪	♩	♪.	♩	♩.
박자	$\frac{1}{4}$	$\frac{1}{2}$	$\frac{3}{4}$	1	$1\frac{1}{2}$

(   )

세 수의 합은 어떻게 구하지?

앞에서부터 두 수씩 차례로 계산해~

6 다각형의 둘레와 넓이

개념 1 정다각형의 둘레

예) 정삼각형의 둘레

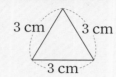

3 cm 3 cm
3 cm

$$3+3+3$$
$$=3 \times 3$$
$$=9 \text{(cm)}$$

(정다각형의 둘레)
=(한 변의 길이)×(변의 수)

정다각형은 모든 변의 길이가 같아.

1 정육각형의 둘레를 두 가지 방법으로 구하려고 합니다. □ 안에 알맞은 수를 써넣으세요.

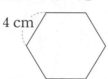
4 cm

(1) (정육각형의 둘레)
$$=4+4+4+\square+\square+\square$$
$$=\square \text{ (cm)}$$

(2) (정육각형의 둘레)$=4 \times \square$
$$=\square \text{ (cm)}$$

2 정다각형의 둘레는 몇 cm인지 구해 보세요.

(1)
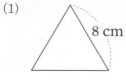
8 cm

(   )

(2)
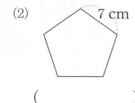
7 cm

(   )

3 정팔각형의 둘레는 몇 cm인가요?

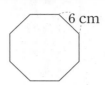
6 cm

식 _____

답 _____

4 레슬링 경기장은 한 변의 길이가 12 m인 정사각형 모양입니다. 레슬링 경기장의 둘레는 몇 m인가요?

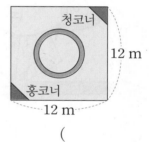
청코너
홍코너
12 m
12 m

(   )

5 정오각형의 둘레가 45 cm일 때 □ 안에 알맞은 수를 써넣으세요.

□ cm

6 한 변의 길이가 9 cm인 정구각형의 둘레는 몇 cm인가요?

(   )

개념 2 사각형의 둘레

1. 직사각형의 둘레

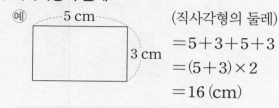

(직사각형의 둘레)
$=5+3+5+3$
$=(5+3)\times2$
$=16\,(cm)$

(직사각형의 둘레)$=\{($가로$)+($세로$)\}\times2$

2. 평행사변형의 둘레

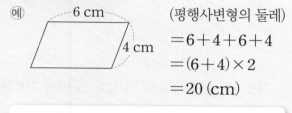

(평행사변형의 둘레)
$=6+4+6+4$
$=(6+4)\times2$
$=20\,(cm)$

(평행사변형의 둘레)
$=\{($한 변의 길이$)+($다른 한 변의 길이$)\}\times2$

3. 마름모의 둘레

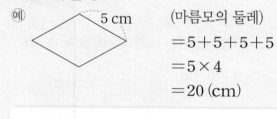

(마름모의 둘레)
$=5+5+5+5$
$=5\times4$
$=20\,(cm)$

(마름모의 둘레)$=($한 변의 길이$)\times4$

유형

7 직사각형의 둘레를 구하려고 합니다. □ 안에 알맞은 수를 써넣으세요.

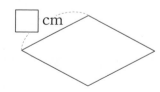

(직사각형의 둘레)$=(10+\boxed{})\times\boxed{}$

$=\boxed{}\,(cm)$

8 평행사변형의 둘레를 구하려고 합니다. □ 안에 알맞은 수를 써넣으세요.

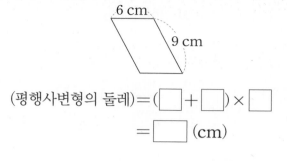

(평행사변형의 둘레)$=(\boxed{}+\boxed{})\times\boxed{}$

$=\boxed{}\,(cm)$

9 마름모의 둘레는 몇 cm인가요?

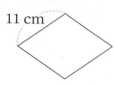

식 _____

답 _____

10 마름모의 둘레가 36 cm일 때 □ 안에 알맞은 수를 써넣으세요.

11 가로가 12 cm, 세로가 13 cm인 직사각형의 둘레는 몇 cm인가요?

( )

6
단원

다각형의 둘레와 넓이

145

개념 3 1 cm² 알아보기

1 cm² : 한 변의 길이가 1 cm인 정사각형의 넓이

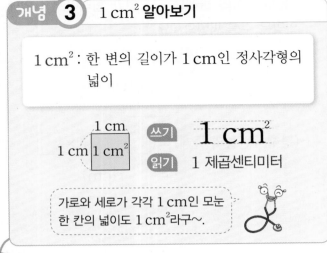

쓰기 1 cm²

읽기 1 제곱센티미터

가로와 세로가 각각 1 cm인 모눈 한 칸의 넓이도 1 cm²라구~.

유형

12 주어진 넓이를 쓰고 읽어 보세요.

2 cm²

쓰기 _____

읽기 (_____)

[13~14] 그림을 보고 도형의 넓이는 몇 cm²인지 알아보려고 합니다. 물음에 답하세요.

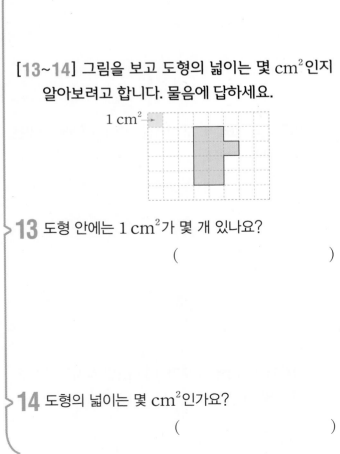

13 도형 안에는 1 cm²가 몇 개 있나요?

( )

14 도형의 넓이는 몇 cm²인가요?

( )

[15~16] 그림을 보고 더 넓은 도형을 알아보려고 합니다. 물음에 답하세요.

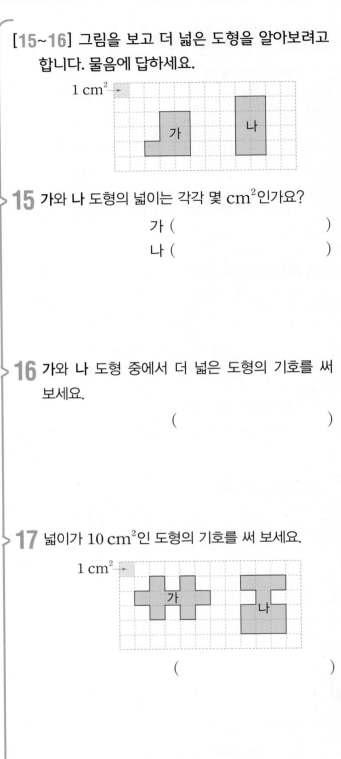

15 가와 나 도형의 넓이는 각각 몇 cm²인가요?

가 ( )

나 ( )

16 가와 나 도형 중에서 더 넓은 도형의 기호를 써 보세요.

( )

17 넓이가 10 cm²인 도형의 기호를 써 보세요.

( )

18 넓이가 8 cm²이고 모양이 서로 다른 도형을 2개 그려 보세요.

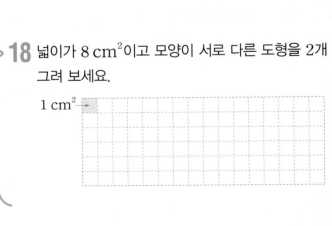

개념 ④ 직사각형의 넓이

1. 직사각형의 넓이

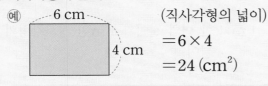

예 ┌─ 6 cm ─┐

(직사각형의 넓이)
$= 6 \times 4$
$= 24 \, (\text{cm}^2)$

(직사각형의 넓이) = (가로) × (세로)

2. 정사각형의 넓이

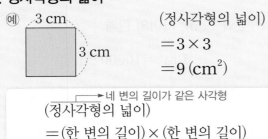

예 3 cm

(정사각형의 넓이)
$= 3 \times 3$
$= 9 \, (\text{cm}^2)$

→ 네 변의 길이가 같은 사각형
(정사각형의 넓이)
= (한 변의 길이) × (한 변의 길이)

유형

19 직사각형의 넓이를 구하려고 합니다. □ 안에 알맞은 수를 써넣으세요.

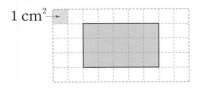

$1 \, \text{cm}^2$

(1) 1cm² 가 직사각형의 가로에 □개, 세로에 □개 있습니다.

(2) 직사각형의 넓이는
□ × □ = □ (cm^2)입니다.

20 정사각형의 넓이는 몇 cm^2인지 □ 안에 알맞은 수를 써넣으세요.

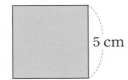

5 cm

(정사각형의 넓이) $= 5 \times \square = \square \, (\text{cm}^2)$

[21~22] 직사각형을 보고 물음에 답하세요.

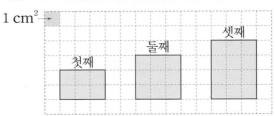

$1 \, \text{cm}^2 \rightarrow$

셋째
둘째
첫째

21 각 직사각형의 넓이는 얼마인지 표를 완성해 보세요.

직사각형	첫째	둘째	셋째
가로(cm)	3	3	3
세로(cm)	2		
넓이(cm²)	6		

22 □ 안에 알맞은 수를 써넣으세요.

직사각형의 가로가 $3 \, \text{cm}$로 같고 세로가 $1 \, \text{cm}$씩 늘어나면 직사각형의 넓이는 □ cm^2씩 늘어납니다.

23 직사각형의 넓이는 몇 cm^2인가요?

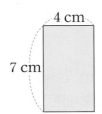

4 cm

7 cm

식 _____

답 _____

6
단원

다각형의 둘레와 넓이

147

24 한 변의 길이가 4 cm인 정사각형을 모눈종이에 그리고 그린 정사각형의 넓이는 몇 cm²인지 구해 보세요.

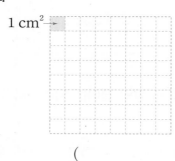

(   )

25 직사각형의 넓이는 몇 cm²인가요?

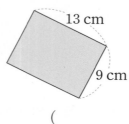

13 cm

9 cm

(   )

26 정사각형의 넓이는 몇 cm²인가요?

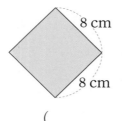

8 cm

8 cm

(   )

27 넓이가 72 cm²인 직사각형입니다. □ 안에 알맞은 수를 써넣으세요.

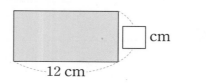

□ cm

12 cm

개념 5   1 cm²보다 더 큰 넓이의 단위

1. 1 m² 알아보기

> 1 m² : 한 변의 길이가 1 m인 정사각형의 넓이

1 m
1 m
1 m²

쓰기 $1 \, m^2$

읽기 1 제곱미터

2. 1 m²와 1 cm² 사이의 관계

> $1 \, m^2 = 10000 \, cm^2$

→ 1 m²에는 1 cm²가 한 줄에 100개씩 100줄이 들어갑니다.

3. 1 km² 알아보기

> 1 km² : 한 변의 길이가 1 km인 정사각형의 넓이

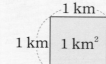

1 km
1 km
1 km²

쓰기 $1 \, km^2$

읽기 1 제곱킬로미터

4. 1 km²와 1 m² 사이의 관계

> $1 \, km^2 = 1000000 \, m^2$

→ 1 km²에는 1 m²가 한 줄에 1000개씩 1000줄이 들어갑니다.

유형

28 주어진 넓이를 읽어 보세요.

(1)   2 m²

(   )

(2)   8 km²

(   )

29 □ 안에 알맞은 수를 써넣으세요.

(1) $3 \text{ m}^2 = $ ▢ cm^2

(2) $70000 \text{ cm}^2 = $ ▢ m^2

(3) $5 \text{ km}^2 = $ ▢ m^2

(4) $9000000 \text{ m}^2 = $ ▢ km^2

30 관계있는 것끼리 이어 보세요.

40 m^2 •

4 m^2 •

4 km^2 •

• 40000 cm^2

• 4000000 m^2

• 400000 cm^2

31 [보기]에서 알맞은 단위를 골라 □ 안에 써넣으세요.

[보기]
$$\text{m}^2 \qquad \text{cm}^2 \qquad \text{km}^2$$

(1) 우리 집의 넓이는 80 ▢ 입니다.

(2) 제주도의 넓이는 1849 ▢ 입니다.

32 정사각형의 넓이는 몇 m^2인가요?

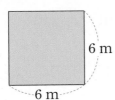

6 m

6 m

식 _____

답 _____

33 도형 안에 1 m^2가 몇 번 들어가나요?

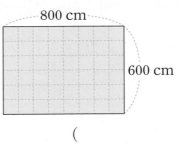

800 cm

600 cm

( )

34 정사각형의 넓이를 구하여 주어진 단위로 나타내어 보세요.

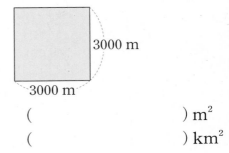

3000 m

3000 m

( ) m^2

( ) km^2

35 직사각형의 넓이는 몇 m^2인가요?

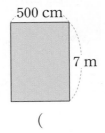

500 cm

7 m

( )

36 두 넓이를 비교하여 ○ 안에 >, =, <를 알맞게 써넣으세요.

(1) 40 m^2 ○ 3000000 cm^2

(2) 9000000 m^2 ○ 80 km^2

[1~3] 정다각형의 둘레는 몇 cm인지 구해 보세요.

1
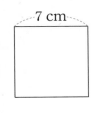
7 cm

( )

2
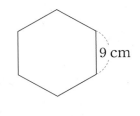
9 cm

( )

3
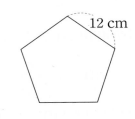
12 cm

( )

[4~6] 직사각형, 평행사변형, 마름모의 둘레는 몇 cm인지 구해 보세요.

4
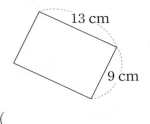
13 cm
9 cm

( )

5
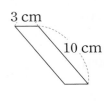
3 cm
10 cm

( )

6

6 cm
6 cm

( )

[7~9] 직사각형의 넓이는 몇 cm^2인지 구해 보세요.

7
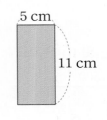
5 cm
11 cm

( )

8
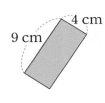
4 cm
9 cm

( )

9
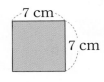
7 cm
7 cm

( )

[10~15] ☐ 안에 알맞은 수를 써넣으세요.

10 $8 \, m^2 = $ ☐ cm^2

11 $60000 \, cm^2 = $ ☐ m^2

12 $900000 \, cm^2 = $ ☐ m^2

13 $4 \, km^2 = $ ☐ m^2

14 $7000000 \, m^2 = $ ☐ km^2

15 $500000 \, m^2 = $ ☐ km^2

1 단위를 바르게 사용한 사람의 이름을 써 보세요.
[1점]

축구 경기장의 넓이는 8250 m²야.
하윤

내 방의 넓이는 12 cm²이지.
시우

(   )

2 가로가 14 cm, 세로가 6 cm인 직사각형의 넓이는 몇 cm²인가요? [1점]

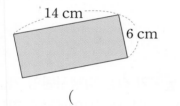
14 cm
6 cm

(   )

3 정사각형의 둘레와 넓이를 각각 구해 보세요. [1점]

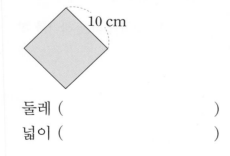
10 cm

둘레 (   )
넓이 (   )

4 정팔각형과 직사각형 중 둘레가 더 긴 쪽에 ○표 하세요. [1점]

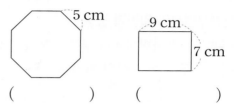
5 cm
9 cm
7 cm

(   )   (   )

5 직사각형의 넓이는 몇 m²인가요? [2점]

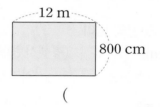
12 m
800 cm

(   )

6 직사각형의 넓이는 몇 km²인가요? [2점]

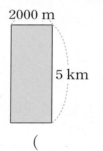
2000 m
5 km

(   )

7 도형의 넓이를 1 cm²씩 늘리며 규칙에 따라 그리려고 합니다. 빈칸에 알맞은 도형을 그려 보세요.
[2점]

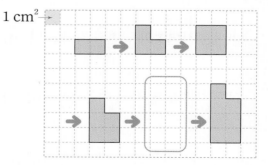
1 cm²

개념 **6** 평행사변형의 넓이

1. 평행사변형의 밑변과 높이
- 밑변: 평행사변형에서 평행한 두 변
- 높이: 두 밑변 사이의 거리

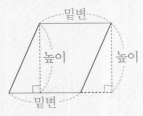 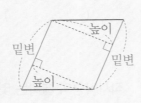

2. 평행사변형의 넓이

(평행사변형의 넓이)
= (직사각형의 넓이)
= (가로) × (세로)
= (밑변의 길이) × (높이)

(예)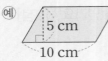

(평행사변형의 넓이)
$= 10 \times 5 = 50 \ (\text{cm}^2)$

유형

1 평행사변형의 넓이를 구하려고 합니다. 물음에 답하세요.

(1) 평행사변형의 밑변에 ○표, 높이에 ×표 하세요.

(2) 평행사변형의 밑변의 길이는 몇 cm인가요?
( )

(3) 평행사변형의 높이는 몇 cm인가요?
( )

(4) 평행사변형의 넓이는 몇 cm²인가요?
( )

[2~3] 평행사변형의 넓이는 몇 cm²인지 구해 보세요.

2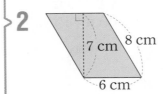
( )

3
3 cm

5 cm

( )

[4~5] 높이가 같은 평행사변형 가, 나, 다 중 넓이가 다른 하나를 찾아보려고 합니다. 물음에 답하세요.

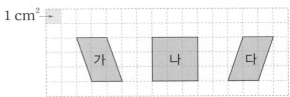

4 밑변의 길이가 <u>다른</u> 하나를 찾아 기호를 써 보세요.
( )

5 평행사변형의 넓이가 <u>다른</u> 하나를 찾아 기호를 써 보세요.
( )

[6~7] 평행사변형의 높이에 따른 넓이의 변화를 알아보려고 합니다. 물음에 답하세요.

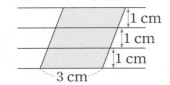

6 각 평행사변형의 넓이가 얼마인지 표를 완성해 보세요.

밑변의 길이(cm)	3	3	3
높이(cm)	1	2	
넓이(cm^2)	3		

7 □ 안에 알맞은 수를 써넣으세요.

평행사변형의 밑변의 길이가 3 cm로 같고 높이가 1 cm씩 늘어나면 넓이는 □ cm^2 씩 늘어납니다.

8 평행사변형의 넓이가 72 cm^2일 때 □ 안에 알맞은 수를 써넣으세요.

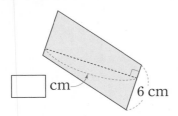

9 밑변의 길이가 10 m이고 높이가 9 m인 평행사변형의 넓이는 몇 m^2인가요?

식 _____

답 _____

개념 **7**　　삼각형의 넓이

1. 삼각형의 밑변과 높이
- 밑변: 삼각형의 어느 한 변
- 높이: 밑변과 마주 보는 꼭짓점에서 밑변에 수직으로 그은 선분의 길이

2. 삼각형의 넓이

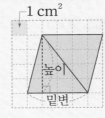

(삼각형의 넓이)
= (평행사변형의 넓이) ÷ 2
= (밑변의 길이) × (높이) ÷ 2

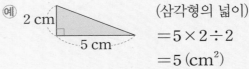

(삼각형의 넓이)
= 5 × 2 ÷ 2
= 5 (cm^2)

유형

10 삼각형의 넓이를 구하려고 합니다. 물음에 답하세요.

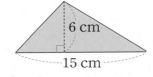

(1) 삼각형의 밑변에 ○표, 높이에 ×표 하세요.

(2) 삼각형의 밑변의 길이는 몇 cm인가요?

(　　　　　)

(3) 삼각형의 높이는 몇 cm인가요?

(　　　　　)

(4) 삼각형의 넓이는 몇 cm^2인가요?

(　　　　　)

11 삼각형의 밑변의 길이가 10 cm일 때 높이는 몇 cm인가요?

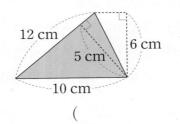

(   )

12 밑변의 길이가 4 cm일 때 삼각형의 높이를 나타내고 자로 재어 삼각형의 넓이는 몇 cm²인지 구해 보세요.

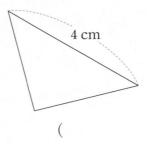

(   )

[13~14] 삼각형의 넓이는 몇 cm²인지 구해 보세요.

13

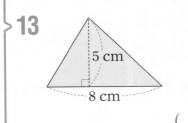

(   )

14

11 cm

6 cm

(   )

[15~16] 높이가 같은 삼각형 가, 나, 다 중 넓이가 다른 하나를 찾아보려고 합니다. 물음에 답하세요.

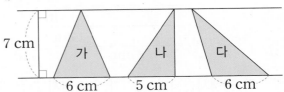

15 밑변의 길이가 다른 하나를 찾아 기호를 써 보세요.

(   )

16 삼각형의 넓이가 다른 하나를 찾아 기호를 써 보세요.

(   )

17 밑변의 길이가 13 m, 높이가 8 m인 삼각형의 넓이는 몇 m²인가요?

식 _____

답 _____

18 삼각형의 넓이가 91 cm²일 때 □ 안에 알맞은 수를 써넣으세요.

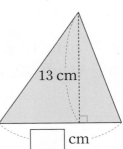

개념 8 마름모의 넓이

• 마름모의 넓이

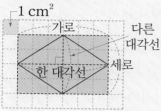

마름모의 넓이는 직사각형의 넓이를 반으로 나눈 것과 같아.

(마름모의 넓이)
= (직사각형의 넓이) ÷ 2
= (가로) × (세로) ÷ 2
= (한 대각선의 길이) × (다른 대각선의 길이) ÷ 2

㉾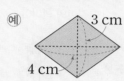
3 cm
4 cm

(마름모의 넓이)
= 4 × 3 ÷ 2
= 6 (cm²)

 유형

[19~21] 직사각형 ㅁㅂㅅㅇ의 넓이를 이용하여 마름모 ㄱㄴㄷㄹ의 넓이를 구하려고 합니다. 물음에 답하세요.

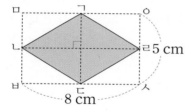
5 cm
8 cm

19 □ 안에 알맞은 수를 써넣으세요.

마름모 ㄱㄴㄷㄹ의 넓이는 직사각형 ㅁㅂㅅㅇ의 넓이를 □ (으)로 나누어 구합니다.

20 직사각형 ㅁㅂㅅㅇ의 넓이는 몇 cm²인가요?
(　　　　　)

21 마름모 ㄱㄴㄷㄹ의 넓이는 몇 cm²인가요?
(　　　　　)

22 마름모를 반으로 잘라 이어 붙여서 평행사변형을 만들었습니다. 평행사변형의 넓이를 이용하여 마름모의 넓이를 구하려고 합니다. □ 안에 알맞은 수를 써넣으세요.

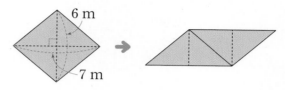
6 m
7 m

(마름모의 넓이) = (평행사변형의 넓이)
= 7 × □ = □ (m²)

23 마름모의 대각선을 모두 표시하고 자로 재어 마름모의 넓이는 몇 cm²인지 구해 보세요.

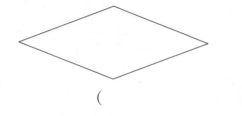

(　　　　　)

[24~25] 마름모의 넓이는 몇 m²인지 구해 보세요.

24
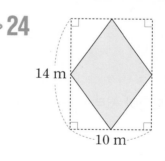
14 m
10 m

(　　　　　)

25
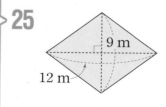
9 m
12 m

(　　　　　)

26 마름모의 넓이가 56 cm²일 때 □ 안에 알맞은 수를 써넣으세요.

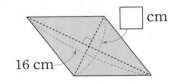

27 마름모의 넓이가 68 m²일 때 선분 ㄴㄷ의 길이는 몇 m인가요?

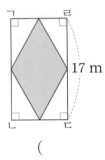

17 m

( )

28 넓이가 16 cm²이고 모양이 서로 다른 마름모를 2개 그려 보세요.

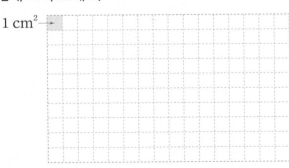

1 cm²

개념 9 사다리꼴의 넓이

1. 사다리꼴의 밑변, 윗변, 아랫변, 높이

• 밑변: 사다리꼴에서 평행한 두 변

┌ 윗변: 한 밑변
└ 아랫변: 다른 밑변

• 높이: 두 밑변 사이의 거리

윗변
높이
아랫변

2. 사다리꼴의 넓이

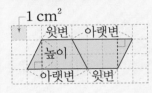

1 cm²
윗변 아랫변
높이
아랫변 윗변

> 평행사변형의 밑변의 길이는 윗변과 아랫변의 길이의 합이야.

(사다리꼴의 넓이)
= (평행사변형의 넓이) ÷ 2
= (밑변의 길이) × (높이) ÷ 2
= {(윗변의 길이) + (아랫변의 길이)} × (높이) ÷ 2

예

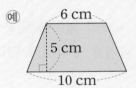

6 cm
5 cm
10 cm

(사다리꼴의 넓이) = (6 + 10) × 5 ÷ 2
= 40 (cm²)

유형

29 사다리꼴 ㄱㄴㄷㄹ의 넓이를 구하려고 합니다. □ 안에 알맞은 수를 써넣으세요.

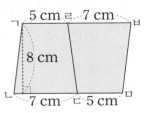

5 cm ㄹ 7 cm ㅂ
8 cm
7 cm 5 cm

(사다리꼴 ㄱㄴㄷㄹ의 넓이)
= (평행사변형 ㄱㄴㅁㅂ의 넓이) ÷ □
= (5 + □) × □ ÷ □
= □ (cm²)

30 사다리꼴 ㄱㄴㄷㄹ의 넓이를 삼각형으로 나누어 구하려고 합니다. □ 안에 알맞은 수를 써넣으세요.

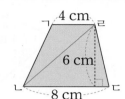

(삼각형 ㄱㄴㄹ의 넓이)= □ cm²

(삼각형 ㄹㄴㄷ의 넓이)= □ cm²

➡ (사다리꼴 ㄱㄴㄷㄹ의 넓이)= □ cm²

31 사다리꼴을 평행사변형과 삼각형으로 나누어 넓이를 구하려고 합니다. 물음에 답하세요.

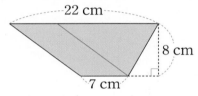

(1) 평행사변형과 삼각형의 넓이는 각각 몇 cm²인가요?

평행사변형 (　　　　　)

삼각형 (　　　　　)

(2) 사다리꼴의 넓이는 몇 cm²인가요?

(　　　　　)

[32~33] 사다리꼴의 넓이는 몇 m²인지 구해 보세요.

32

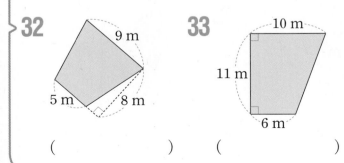

(　　　　)

33

(　　　　)

34 윗변의 길이, 아랫변의 길이, 높이를 자로 재어 표를 완성하고 사다리꼴의 넓이는 몇 cm²인지 구해 보세요.

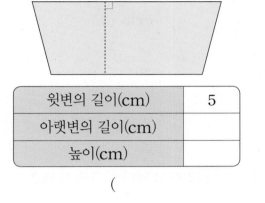

윗변의 길이(cm)	5
아랫변의 길이(cm)	
높이(cm)	

(　　　　　　　　)

35 사다리꼴의 □ 안에 알맞은 수를 써넣으세요.

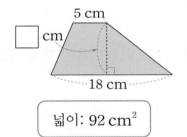

넓이: 92 cm²

36 유미네 땅콩밭은 사다리꼴 모양입니다. 유미네 땅콩밭의 넓이는 몇 m²인가요?

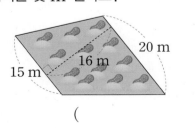

(　　　　　　　)

[1~3] 평행사변형의 넓이를 구해 보세요.

1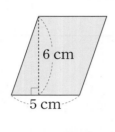

( )

2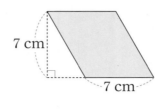

( )

3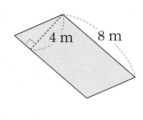

( )

[4~6] 삼각형의 넓이를 구해 보세요.

4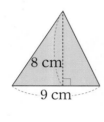

( )

5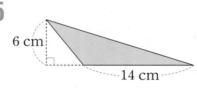

( )

6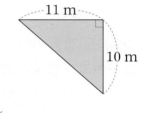

( )

[7~9] 마름모의 넓이를 구해 보세요.

7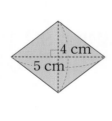

( )

8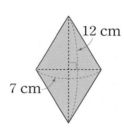

( )

9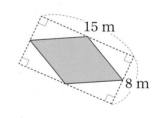

( )

[10~12] 사다리꼴의 넓이를 구해 보세요.

10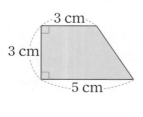

( )

11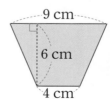

( )

12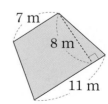

( )

1 삼각형의 넓이는 몇 m²인가요? [1점]

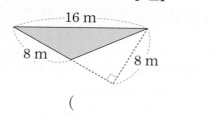

(   )

2 밑변의 길이가 20 m이고 높이가 30 m인 평행사변형 모양의 땅이 있습니다. 이 땅의 넓이는 몇 m²인가요? [1점]

식 _____

답 _____

3 마름모의 두 대각선의 길이는 몇 cm인지 각각 쓰고, 마름모의 넓이는 몇 cm²인지 구해 보세요. [2점]

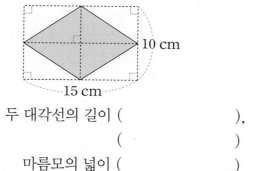

두 대각선의 길이 (   ),

(   )

마름모의 넓이 (   )

4 사다리꼴의 넓이는 몇 cm²인가요? [2점]

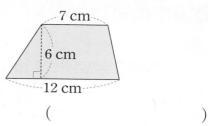

(   )

5 넓이가 10 cm²인 삼각형을 서로 다른 모양으로 2개 그려 보세요. [2점]

1 cm²

6 마름모 **가**와 사다리꼴 **나** 중에서 넓이가 더 넓은 것의 기호를 써 보세요. [2점]

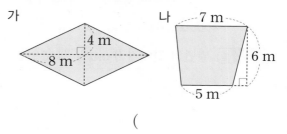

(   )

❶ 평행사변형의 넓이 구하기

1 평행사변형의 넓이는 몇 m²인지 구해 보세요.

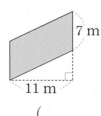

7 m

11 m

(   )

2 평행사변형의 넓이를 구하는데 필요한 길이에 모두 ○표 하고 넓이는 몇 cm²인지 구해 보세요.

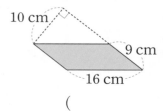

10 cm

9 cm

16 cm

(   )

3 평행사변형의 넓이를 두 가지 방법으로 구해 보세요.

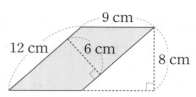

9 cm

12 cm   6 cm

8 cm

방법 **1** 밑변의 길이가 9 cm일 때 높이는

_____

_____

방법 **2** 밑변의 길이가 12 cm일 때 높이는

_____

❷ 넓이를 알 때 직사각형의 한 변의 길이 구하기

4 직사각형의 넓이가 112 cm²일 때 가로는 몇 cm인지 구해 보세요.

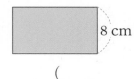

8 cm

(   )

5 직사각형의 넓이가 153 m²일 때 세로는 몇 m인지 구해 보세요.

9 m

(   )

6 직사각형의 □ 안에 알맞은 수를 구해 보세요.

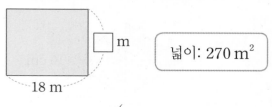

□ m

넓이: 270 m²

18 m

(   )

7 세로가 36 cm이고 넓이가 180 cm²인 직사각형 모양의 색종이가 있습니다. 이 색종이의 가로는 몇 cm인가요?

(   )

❸ **넓이를 알 때 정사각형의 한 변의 길이 구하기**

기본 유형
8 넓이가 144 cm²인 정사각형입니다. □ 안에 알맞은 수를 써넣으세요.

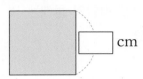

변형 유형
9 정사각형의 □ 안에 알맞은 수를 구해 보세요.

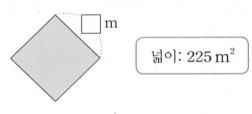

넓이: 225 m²

(　　　　　　　)

변형 유형
10 넓이가 36 cm²인 정사각형을 그려 보세요.

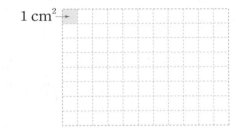

1 cm² →

문장제 유형
11 넓이가 81 m²인 정사각형의 한 변의 길이를 구하려고 합니다. 물음에 답하세요.

(1) 한 변의 길이를 □m라 하여 정사각형의 넓이를 구하는 식을 써 보세요.

식 _____

(2) 정사각형의 한 변의 길이는 몇 m인가요?

(　　　　　　　)

❹ **둘레를 알 때 정다각형의 한 변의 길이 구하기**

기본 유형
12 정팔각형의 둘레가 72 cm일 때 □ 안에 알맞은 수를 써넣으세요.

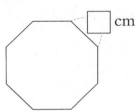

cm

변형 유형
13 정오각형의 둘레가 80 m일 때 한 변의 길이는 몇 m인가요?

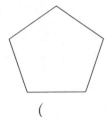

(　　　　　　　)

변형 유형
14 둘레가 20 cm인 정사각형을 그려 보세요.

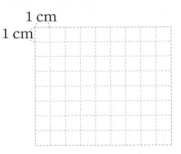

1 cm
1 cm

문장제 유형
15 길이가 48 m인 철사를 모두 사용하여 정육각형을 만들려고 합니다. 정육각형의 한 변의 길이를 몇 m로 해야 하나요?

(　　　　　　　)

독해력 유형 **1** 한 변이 같은 정다각형의 둘레 구하기

정삼각형과 정육각형의 한 변의 길이가 같을 때 정육각형의 둘레는 몇 cm인지 구해 보세요.

둘레: 12 cm

What? 구하려는 것을 찾아 밑줄을 그어 보세요.

How? ❶ 정삼각형의 한 변의 길이 구하기
❷ 정육각형의 한 변의 길이 구하기
❸ 정육각형의 둘레 구하기

Solve ❶ 정삼각형의 한 변의 길이는 몇 cm인가요?

(   )

❷ 정육각형의 한 변의 길이는 몇 cm인가요?

(   )

❸ 정육각형의 둘레는 몇 cm인가요?

(   )

쌍둥이 유형 **1-1**

정삼각형과 정오각형의 한 변의 길이가 같을 때 정오각형의 둘레는 몇 cm인지 구해 보세요.

 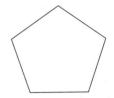

둘레: 15 cm

❶

❷

❸

답 _____

쌍둥이 유형 **1-2**

정오각형과 정칠각형의 한 변의 길이가 같을 때 정칠각형의 둘레는 몇 m인지 구해 보세요.

둘레: 35 m

❶

❷

❸

답 _____

구하려는 것을 찾아 밑줄을 그은 후 세운 계획에 따라 문제를 풀어 봐~.

독해력 유형 **2** **원 안의 가장 큰 마름모의 넓이 구하기**

원 안에 그릴 수 있는 가장 큰 마름모의 넓이는 몇 cm^2인지 구해 보세요.

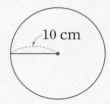
10 cm

What? 구하려는 것을 찾아 밑줄을 그어 보세요.

How? ❶ 원 안에 그릴 수 있는 가장 큰 마름모 그려 보기

❷ ❶에서 그린 마름모의 두 대각선의 길이 각각 구하기

❸ 원 안에 그릴 수 있는 가장 큰 마름모의 넓이 구하기

Solve ❶ 원 안에 그릴 수 있는 가장 큰 마름모를 그려 보세요.

❷ ❶에서 그린 마름모의 두 대각선의 길이는 각각 몇 cm인가요?

(　　　　　　), (　　　　　　)

❸ 원 안에 그릴 수 있는 가장 큰 마름모의 넓이는 몇 cm^2인가요?

(　　　　　　)

 구하려는 것을 찾아 밑줄을 그은 후 세운 계획에 따라 문제를 풀어 봐~.

쌍둥이 유형 **2-1**

원 안에 그릴 수 있는 가장 큰 마름모의 넓이는 몇 cm^2인지 구해 보세요.

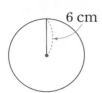
6 cm

❶

❷

❸

답 _____

쌍둥이 유형 **2-2**

반지름이 11 m인 원 안에 그릴 수 있는 가장 큰 마름모의 넓이는 몇 m^2인지 구해 보세요.

❶

❷

❸

답 _____

6 단원

다각형의 둘레와 넓이

163

플러스 유형 **①** 넓이 단위의 관계 알아보기

1-1 □ 안에 알맞은 수를 써넣으세요.

$$80000 \text{ cm}^2 = \boxed{} \text{ m}^2$$

1-2 □ 안에 알맞은 수를 써넣으세요.

$$\boxed{} \text{ km}^2 = 25000000 \text{ m}^2$$

1-3 두 넓이를 비교하여 ○ 안에 >, =, <를 알맞게 써넣으세요.

$$7 \text{ m}^2 \bigcirc 8000 \text{ cm}^2$$

1-4 두 넓이를 비교하여 ○ 안에 >, =, <를 알맞게 써넣으세요.

$$8000000 \text{ m}^2 \bigcirc 70 \text{ km}^2$$

플러스 유형 **②** 넓이가 다른 도형 찾기

2-1 넓이가 <u>다른</u> 하나를 찾아 기호를 써 보세요.

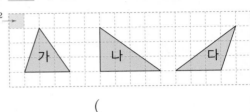

( )

2-2 넓이가 <u>다른</u> 하나를 찾아 기호를 써 보세요.

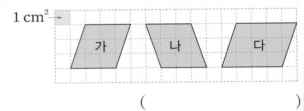

( )

2-3 넓이가 <u>다른</u> 하나를 찾아 기호를 써 보세요.

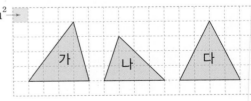

( )

플러스 유형 **처방전**

- $1 \text{ m}^2 = 10000 \text{ cm}^2$ 이고
  $1 \text{ km}^2 = 1000000 \text{ m}^2$
- 두 넓이를 비교할 때는 하나의 단위로 통일해서 비교하세용~.

플러스 유형 ❸ 직사각형의 둘레를 알 때 한 변의 길이 구하기

3-1 직사각형입니다. □ 안에 알맞은 수를 구해 보세요.

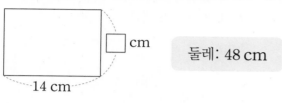

둘레: 48 cm

(　　　　　　　　　)

3-2 직사각형입니다. □ 안에 알맞은 수를 구해 보세요.

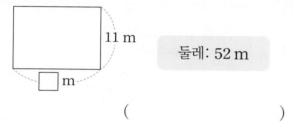

둘레: 52 m

(　　　　　　　　　)

3-3 가로가 25 cm이고 둘레가 90 cm인 직사각형의 세로는 몇 cm인가요?

(　　　　　　　　　)

플러스 유형 ❹ 마름모의 넓이를 알 때 대각선의 길이 구하기

4-1 마름모의 한 대각선의 길이가 20 m일 때 다른 대각선의 길이는 몇 m인가요?

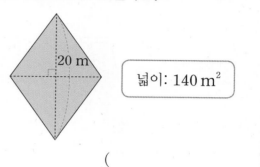

넓이: 140 m^2

(　　　　　　　　　)

4-2 마름모의 한 대각선의 길이가 15 cm일 때 다른 대각선의 길이는 몇 cm인가요?

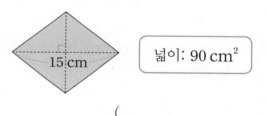

넓이: 90 cm^2

(　　　　　　　　　)

4-3 넓이가 72 cm^{2}인 마름모 모양의 메모지가 있습니다. 한 대각선의 길이가 16 cm일 때 이 메모지의 다른 대각선의 길이는 몇 cm인가요?

(　　　　　　　　　)

6 단원

다각형의 둘레와 넓이

165

플러스 유형 처방전

(직사각형의 둘레)＝{(가로)＋(세로)}×2임을 이용하여 가로 또는 세로의 길이를 구해 보세용~.

플러스 유형 처방전

(마름모의 넓이)
＝(한 대각선의 길이)×(다른 대각선의 길이)÷2 임을 이용하여 모르는 대각선의 길이를 구해 보세용~.

플러스 유형 **5** 사다리꼴의 넓이를 알 때 모르는 길이 구하기

플러스 유형 **6** 넓이가 같은 도형 그리기

5-1 사다리꼴의 넓이가 35 cm²일 때 □ 안에 알맞은 수를 써넣으세요.

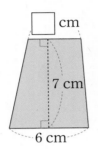

6-1 주어진 마름모와 넓이가 같고 모양이 다른 마름모를 1개 그려 보세요.

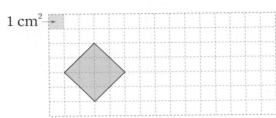

1 cm²

사고력 유형

6-2 주어진 사다리꼴과 넓이가 같고 모양이 다른 사다리꼴을 1개 그려 보세요.

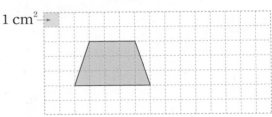

1 cm²

5-2 사다리꼴의 넓이가 76 cm²일 때 □ 안에 알맞은 수를 써넣으세요.

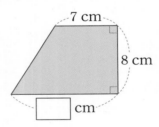

6-3 넓이가 6 cm²이고 모양이 서로 다른 도형을 3개 그려 보세요.

1 cm²

플러스 유형 **처방전**

(사다리꼴의 넓이)
= {(윗변의 길이)+(아랫변의 길이)}×(높이)÷2
임을 이용하여 윗변 또는 아랫변의 길이를 구해
보세용~.

플러스 유형 ❼   직사각형의 넓이를 알 때 둘레 구하기

플러스 유형 ❽   평행사변형의 넓이를 이용하여 모르는 길이 구하기

7-1 직사각형의 넓이가 60 cm²일 때 둘레는 몇 cm 인가요?

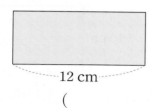
12 cm

(   )

사고력 유형

8-1 평행사변형입니다. □ 안에 알맞은 수를 써넣으세요.

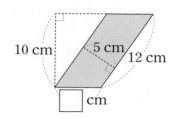
10 cm   5 cm 12 cm
☐ cm

서술형

7-2 직사각형의 넓이가 112 cm²일 때 둘레는 몇 cm 인지 풀이 과정을 쓰고 답을 구해 보세요.

8 cm

풀이 ▶

답 _____

서술형

8-2 평행사변형입니다. □ 안에 알맞은 수를 구하는 풀이 과정을 쓰고 답을 구해 보세요.

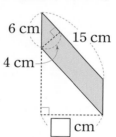
6 cm   15 cm
4 cm
☐ cm

풀이 ▶

답 _____

7-3 정사각형의 넓이가 36 m²일 때 둘레는 몇 m인 가요?

(   )

플러스 유형 **처방전**

먼저 직사각형의 넓이를 이용하여 가로 또는 세로의 길이를 구한 후 둘레를 구해 보세용~.

플러스 유형 **9** 삼각형의 넓이를 이용하여 모르는 길이 구하기

플러스 유형 **10** 직각으로 이루어진 도형의 둘레 구하기

9-1 □ 안에 알맞은 수를 써넣으세요.

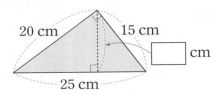

독해력 유형

10-1 도형의 둘레는 몇 cm인지 구해 보세요.

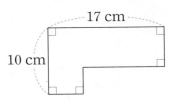

단계 **1** 위 도형의 변을 이동하여 직사각형을 만드는 선을 그어 보세요.

단계 **2** 도형의 둘레는 몇 cm인가요?

(   )

서술형

9-2 □ 안에 알맞은 수를 구하려고 합니다. 풀이 과정을 쓰고 답을 구해 보세요.

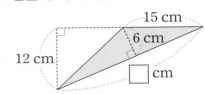

풀이

답 _____

10-2 도형의 둘레는 몇 m인지 구해 보세요.

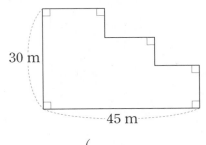

(   )

사고력 유형

9-3 삼각형 ㄱㄴㄷ에서 선분 ㄴㄹ의 길이는 몇 m인지 구해 보세요.

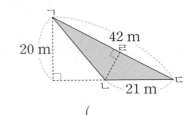

(   )

플러스 유형 **처방전**

직각으로 이루어진 도형의 둘레를 구할 때는 변의 위치를 옮겨서 직사각형 모양으로 만들어서 구해용~.

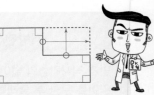

플러스 유형 ⑪ 　여러 가지 다각형의 넓이 구하기

독해력 유형
11-1 도형의 넓이는 몇 cm²인지 구해 보세요.

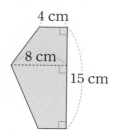

단계 **1** 위 도형을 삼각형 1개와 직사각형 1개가 되도록 선을 그어 보세요.

단계 **2** 삼각형과 직사각형의 넓이를 각각 구해 보세요.

　　　삼각형 (　　　　　)
　　　직사각형 (　　　　　)

단계 **3** 도형의 넓이는 몇 cm²인가요?

(　　　　　)

11-2 도형의 넓이는 몇 m²인지 구해 보세요.

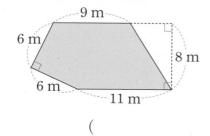

(　　　　　)

플러스 유형 처방전

주어진 도형을 직사각형, 평행사변형, 삼각형, 마름모, 사다리꼴로 나누어 넓이를 구한 후 합을 구해용~.

플러스 유형 ⑫ 　사다리꼴의 높이를 구하여 넓이 구하기

독해력 유형
12-1 사다리꼴 ㄱㄴㄷㄹ의 넓이는 몇 cm²인지 구해 보세요.

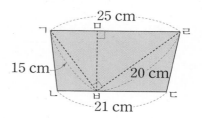

단계 **1** 삼각형 ㄱㅂㄹ의 넓이는 몇 cm²인가요?

(　　　　　)

단계 **2** 선분 ㅁㅂ의 길이는 몇 cm인가요?

(　　　　　)

단계 **3** 사다리꼴 ㄱㄴㄷㄹ의 넓이는 몇 cm²인가요?

(　　　　　)

12-2 사다리꼴 ㄱㄴㄷㄹ의 넓이는 몇 m²인지 구해 보세요.

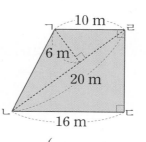

(　　　　　)

1 삼각형 ㄱㄴㄷ에서 선분 ㄴㄹ이 높이일 때 밑변을 나타내는 선분을 써 보세요.

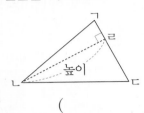

(   )

2 직사각형의 넓이를 구하려고 합니다. □ 안에 알맞은 수를 써넣으세요.

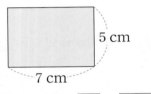

(직사각형의 넓이)＝7×□＝□ (cm²)

3 □ 안에 알맞은 수를 써넣으세요.

(1) $5 \text{ m}^2 = \boxed{} \text{ cm}^2$

(2) $0.9 \text{ km}^2 = \boxed{} \text{ m}^2$

4 정팔각형의 둘레는 몇 cm인가요?

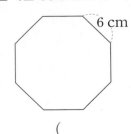

(   )

5 평행사변형의 넓이는 몇 cm²인가요?

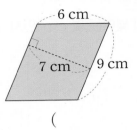

(   )

6 마름모의 넓이는 몇 m²인가요?

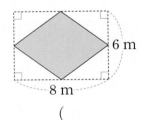

(   )

7 넓이가 가장 넓은 도형을 찾아 기호를 써 보세요.

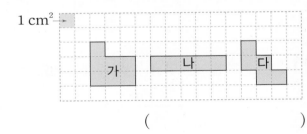

(   )

8 밑변의 길이가 10 cm, 높이가 7 cm인 삼각형의 넓이는 몇 cm²인가요?

식 _____

답 _____

9 평행사변형의 둘레는 몇 cm인가요?

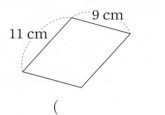

(　　　　　　)

10 사다리꼴의 넓이는 몇 cm²인가요?

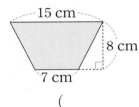

(　　　　　　)

11 넓이가 <u>다른</u> 하나를 찾아 기호를 써 보세요.

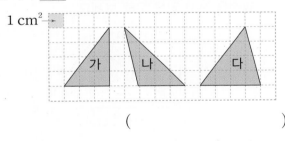

(　　　　　　)

12 넓이가 가장 넓은 것부터 차례로 기호를 써 보세요.

> ㉠ 90000 cm²
> ㉡ 8 m²
> ㉢ 200000 cm²

(　　　　　　)

13 한 변의 길이가 7 cm인 정십이각형의 둘레는 몇 cm인가요?

식 _____

답 _____

14 다음과 같은 직사각형 모양의 텃밭이 있습니다. 텃밭의 넓이는 몇 m²인가요?

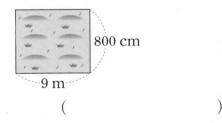

(　　　　　　)

15 정육각형의 둘레가 84 cm일 때 한 변의 길이는 몇 cm인가요?

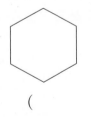

(　　　　　　)

16 마름모의 한 대각선의 길이가 10 cm일 때 다른 대각선의 길이는 몇 cm인가요?

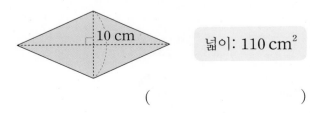

넓이: 110 cm²

(　　　　　　)

서술형 » 167쪽 7-2 유사 문제

17 직사각형의 넓이가 132 m²일 때 둘레는 몇 m 인지 풀이 과정을 쓰고 답을 구해 보세요.

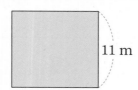

11 m

풀이

답

서술형 » 167쪽 8-2 유사 문제

18 평행사변형입니다. □ 안에 알맞은 수를 구하는 풀이 과정을 쓰고 답을 구해 보세요.

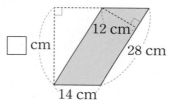

□ cm 12 cm 28 cm 14 cm

풀이

답

서술형 » 168쪽 9-2 유사 문제

19 □ 안에 알맞은 수를 구하려고 합니다. 풀이 과정을 쓰고 답을 구해 보세요.

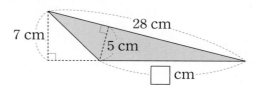

7 cm 28 cm 5 cm □ cm

풀이

답

독해력 유형 서술형 » 169쪽 12-1 유사 문제

20 사다리꼴 ㄱㄴㄷㄹ의 넓이는 몇 cm²인지 풀이 과정을 쓰고 답을 구해 보세요.

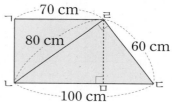

70 cm 80 cm 60 cm 100 cm

풀이

답

진분수의 덧셈

1 두 분모의 곱을 공통분모로 하여 통분한 후 계산해 보세요.

$$\frac{2}{5}+\frac{7}{10}$$ _____

대분수의 덧셈

2 크기를 비교하여 ○ 안에 >, =, <를 알맞게 써넣으세요.

$$3\frac{1}{6}+1\frac{3}{8} \quad \bigcirc \quad 5$$

진분수의 뺄셈

3 은정이가 가지고 있는 계산기의 무게는 $\frac{6}{35}$ kg이고, 마우스의 무게는 $\frac{1}{7}$ kg입니다. 계산기는 마우스보다 몇 kg 더 무거운가요?

식 _____

답 _____

대분수의 뺄셈

4 삼각형의 세 변 중 가장 긴 변과 가장 짧은 변의 길이의 차는 몇 cm인 가요?

대분수의 뺄셈을 계산할 때
받아내림에 주의하여
계산해야 해!

$2\frac{9}{10}$ cm $3\frac{5}{8}$ cm

$4\frac{1}{4}$ cm

(_____)

반복 실행하여 나오는 값을 구해 보자!

코딩 1 다음은 정사각형을 그리기 위한 코드입니다. 코드의 내용에 따라 그린 정사각형의 넓이는 몇 cm^2인지 구해 보세요.

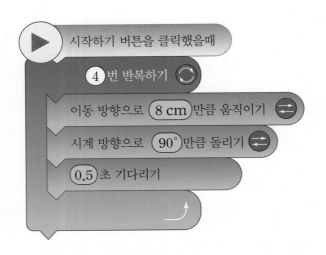

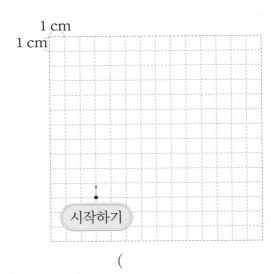

(   )

코딩 2 다음 순서도는 정육각형의 한 변의 길이를 입력하여 둘레가 50 cm가 넘는 경우를 알아보려고 만들었습니다. 시작에 7 cm를 넣었을 때 처음 출력되어 나오는 값은 몇 cm인지 구해 보세요.

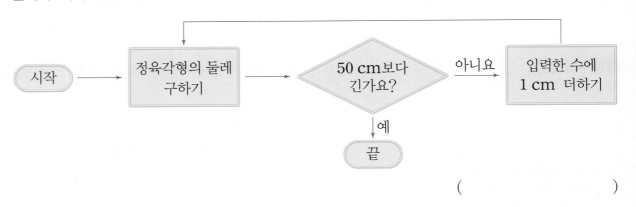

(   )

정육각형의 둘레가 50 cm가 넘을 때까지 계속 반복해야 해~.

서로 다른 그림을 찾아보자!

창의 3

친구들과 신나게 집에 가는 길~~
주변에 있는 물건들의 둘레와 넓이를 구할 수 있어~.
횡단보도에는 직사각형이, 보도블록에는 사다리꼴이,
벽에는 평행사변형, 마름모, 삼각형이 보이네!
그림 ❶과 ❷에서 서로 다른 그림 5가지를 찾아 써 보자.

① _____

② _____

③ _____

④ _____

⑤ _____

단원
평가

점선대로 잘라서 파이널 테스트지로 활용하세요.

1 가장 먼저 계산해야 하는 부분에 ○표 하세요.

$$35-(5+2)$$

2 □ 안에 알맞은 수를 써넣으세요.

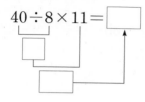

$$40 \div 8 \times 11 = \boxed{}$$

3 □ 안에 알맞은 수를 써넣으세요.

$$45+10 \div 5-17 = 45+\boxed{}-17$$
$$= \boxed{}-17$$
$$= \boxed{}$$

4 계산 순서에 맞게 기호를 써 보세요.

$$132-80 \div (5 \times 4)+11$$
$$\uparrow \qquad \uparrow \qquad \uparrow \qquad \uparrow$$
$$㉠ \qquad ㉡ \qquad ㉢ \qquad ㉣$$

(   )

5 바르게 계산한 것에 ○표 하세요.

$84-29+36=91$	( )
$84-29+36=19$	( )

6 보기와 같이 계산 순서를 나타내고, 계산해 보세요.

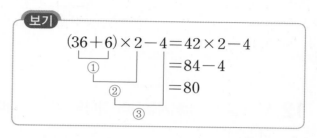

보기

$$(36+6) \times 2-4 = 42 \times 2-4$$
$$= 84-4$$
$$= 80$$

①②③

$$20+(13-8) \times 3$$

⏰ 계산해 보세요. (7~8)

7 $120 \div (12 \times 5)$

8 $45+93-8 \times 9$

9 두 식을 각각 계산하고 계산 결과가 같으면 ○표, 다르면 ×표 하세요.

- $93-18+47 = \boxed{}$
- $93-(18+47) = \boxed{}$

(   )

10 계산해 보세요.

$$49 \div 7+3 \times 15-12$$

(   )

11 □ 안에 알맞은 수를 써넣으세요.

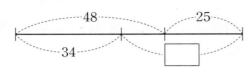

12 두 식을 ( )를 사용하여 하나의 식으로 나타내어 보세요.

> • 4×13＝52
> • 29－16＝13

 _____

13 사탕이 한 봉지에 18개씩 5봉지가 있습니다. 이 사탕을 10명에게 남김없이 똑같이 나누어 준다면 한 명에게 줄 수 있는 사탕은 몇 개인지 하나의 식으로 나타내어 구해 보세요.

식 _____

답 _____

14 계산 결과를 비교하여 ○ 안에 ＞, ＝, ＜를 알맞게 써넣으세요.

$$45-18+54÷9 \quad ◯ \quad 45-(18+54)÷9$$

15 계산 결과의 차를 구해 보세요.

> • 26×14÷4
> • (125－41)÷6＋33

( )

16 경호의 나이는 12살이고, 경호 동생의 나이는 10살입니다. 아버지의 나이는 경호와 동생의 나이의 합의 2배일 때 경호 아버지의 나이는 몇 살인가요?

( )

17 □ 안에 알맞은 수를 구해 보세요.

> $$60-(7+□)-22=27$$

( )

18 온도를 나타내는 단위에는 섭씨(℃)와 화씨(℉)가 있습니다. 현재 기온이 화씨 77도일 때 섭씨로 나타내면 몇 도(℃)인지 하나의 식으로 나타내어 구해 보세요.

> 화씨온도에서 32를 뺀 수에 5를 곱하고 9로 나누면 섭씨온도가 됩니다.

 _____

답 _____ ℃

19 다음 식이 성립하도록 ( )로 묶어 보세요.

$$82 - 32 + 16 ÷ 4 = 70$$

20 수 카드 2 , 4 , 6 을 한 번씩 사용하여 다음과 같은 식을 만들려고 합니다. 계산 결과가 가장 클 때의 값을 구해 보세요.

> $$96÷(□×□)+□$$

( )

1 나눗셈식을 보고 15의 약수를 모두 써 보세요.

$$15 \div 1 = 15 \qquad 15 \div 3 = 5$$
$$15 \div 5 = 3 \qquad 15 \div 15 = 1$$

➡ 15의 약수: ☐ , ☐ , ☐ , ☐

2 식을 보고 ☐ 안에 '약수' 또는 '배수'를 알맞게 써 넣으세요.

$$3 \times 7 = 21$$

(1) 21은 3과 7의 ☐ 입니다.

(2) 3과 7은 21의 ☐ 입니다.

3 8의 배수를 작은 수부터 차례로 3개 써 보세요.

(   )

⏰ 18과 45의 공약수와 최대공약수를 구하려고 합니다. 물음에 답하세요. **(4~5)**

4 18과 45의 약수를 각각 모두 써 보세요.

・18의 약수: 1, 2, 3, ☐ , ☐ , 18

・45의 약수: 1, 3, ☐ , ☐ , ☐ , 45

5 18과 45의 공약수를 모두 쓰고, 최대공약수를 구해 보세요.

공약수 (   )

최대공약수 (   )

6 두 수의 최대공약수를 구해 보세요.

) 20   50

최대공약수 (   )

7 2와 3의 공배수를 작은 수부터 차례로 3개 쓰고, 최소공배수를 구해 보세요.

공배수 (   )

최소공배수 (   )

8 63을 두 수의 곱으로 나타낸 것을 보고 약수와 배수의 관계를 써 보세요.

$$1 \times 63 = 63 \qquad 3 \times 21 = 63 \qquad 7 \times 9 = 63$$

63은 ＿＿＿＿＿＿＿＿＿＿의 배수이고,

＿＿＿＿＿＿＿＿＿＿은/는 63의 약수입니다.

9 두 수가 약수와 배수의 관계인 것에 ○표 하세요.

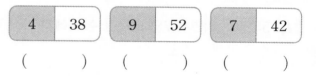

| 4 | 38 | | 9 | 52 | | 7 | 42 |

(   )   (   )   (   )

10 귤을 남김없이 똑같이 나누어 먹으려고 합니다. 나누어 먹을 수 있는 사람 수가 <u>아닌</u> 것은 어느 것인가요?················( )

① 2명   ② 3명   ③ 4명

④ 5명   ⑤ 6명

11 곱셈식을 보고 70과 28의 최소공배수를 구해 보세요.

$$70 = 2 \times 5 \times 7 \qquad 28 = 2 \times 2 \times 7$$

(   )

12 잘못 설명한 사람은 누구인지 이름을 써 보세요.

민지: 1은 모든 수의 배수야.
영호: 어떤 수의 약수 중 가장 큰 수는 자기 자신이야.
태민: 어떤 수의 배수 중 가장 작은 수는 자기 자신이야.

(   )

13 어떤 두 수의 최대공약수가 39일 때 이 두 수의 공약수를 모두 써 보세요.

(   )

14 5의 배수이면서 7의 배수인 수 중에서 가장 작은 수를 구해 보세요.

(   )

15 버스 터미널에서 여수행 버스는 오전 7시부터 9분 간격으로 출발합니다. 오전 7시부터 오전 8시까지 버스는 모두 몇 번 출발하나요?

(   )

16 약수의 수가 가장 많은 수를 찾아 써 보세요.

| 16 | 24 | 91 |

(   )

17 보기 에서 설명하는 수를 구해 보세요.

보기
• 7보다 크고 13보다 작은 수입니다.
• 6의 배수이면서 36의 약수입니다.

(   )

18 두 화분에 물을 주려고 합니다. 가 화분은 3일마다, 나 화분은 4일마다 물을 줍니다. 5월 1일에 두 화분에 동시에 물을 주었다면 다음번에 동시에 물을 주는 날은 몇 월 며칠인가요?

(   )

19 지우개 72개와 자 48개가 있습니다. 지우개와 자를 최대한 많은 친구에게 남김없이 똑같이 나누어 주려고 합니다. 한 명이 받을 수 있는 지우개와 자는 각각 몇 개씩인지 구해 보세요.

지우개 (   )
자 (   )

20 어떤 수를 6으로 나누면 나누어떨어지고, 9로 나누어도 나누어떨어집니다. 어떤 수가 될 수 있는 수 중에서 가장 큰 두 자리 수를 구해 보세요.

(   )

2 단원

약수와 배수

4

⏰ 도형의 배열을 보고 물음에 답하세요. (1~3)

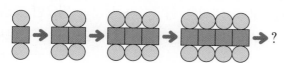

1 □ 안에 알맞은 수를 써넣으세요.

> 사각형의 수가 1개씩 늘어날 때 원의 수는
> □개씩 늘어납니다.

2 위의 모양 다음에 이어질 모양에 ○표 하세요.

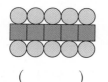 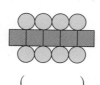

( ) ( )

3 사각형의 수와 원의 수 사이의 대응 관계를 찾아
□ 안에 알맞은 수를 써넣으세요.

> 원의 수는 사각형의 수의 □배입니다.

⏰ 자동차의 수와 자동차 바퀴의 수
사이의 대응 관계를 알아보려고
합니다. 물음에 답하세요. (4~5)

4 자동차의 수와 자동차 바퀴의 수 사이의 대응 관
계를 이용해 표를 완성해 보세요.

자동차의 수(대)	1	2	3	4	……
자동차 바퀴의 수(개)	4				……

5 자동차의 수를 ☆, 자동차 바퀴의 수를 ♡라고 할
때, 두 양 사이의 대응 관계를 바르게 나타낸 식에
○표 하세요.

> ☆＋4＝♡   ☆×4＝♡

( )   ( )

⏰ 진우의 나이는 12살이고 형의 나이는 15살입
니다. 물음에 답하세요. (6~7)

6 진우의 나이와 형의 나이 사이의 대응 관계를 이용
해 표를 완성해 보세요.

진우의 나이(살)	12	13	14	15	……
형의 나이(살)	15				……

7 진우의 나이를 ○, 형의 나이를 △라고 할 때, 두
양 사이의 대응 관계를 식으로 나타내어 보세요.

> ○＋□＝△ 또는 △－□＝○

⏰ 바둑돌의 배열을 보고 물음에 답하세요.

(8~10)

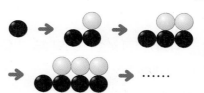

8 검은 바둑돌의 수와 흰 바둑돌의 수 사이의 대응
관계를 이용해 표를 완성해 보세요.

검은 바둑돌 수(개)	1	2	3	4	……
흰 바둑돌 수(개)					……

9 검은 바둑돌의 수를 ○, 흰 바둑돌의 수를 □라고
할 때, 두 양 사이의 대응 관계를 식으로 나타내어
보세요.

식

10 흰 바둑돌이 9개일 때 필요한 검은 바둑돌은 몇
개인가요?

( )

⏰ 색 테이프를 여러 조각으로 자르려고 합니다. 물음에 답하세요. (11 ~ 12)

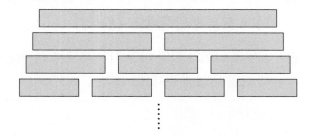

11 자른 횟수를 ☆, 조각의 수를 △라고 할 때 표를 완성하고, 자른 횟수와 조각의 수 사이의 대응 관계를 식으로 나타내어 보세요.

자른 횟수(번)	1	2	3	4	⋯⋯
조각의 수(조각)					⋯⋯

➡ ( ) = △

12 색 테이프를 6번 자르면 몇 조각이 되나요?

( )

13 대응 관계가 □ × 3 = ○인 두 양을 주변에서 찾아 써 보세요.

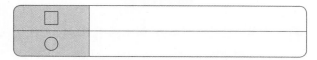

⏰ 접시 한 개에 쿠키를 5개씩 담았습니다. 물음에 답하세요. (14 ~ 15)

14 접시의 수를 ○, 쿠키의 수를 ▽라고 할 때, 두 양 사이의 대응 관계를 식으로 나타내어 보세요.

식

15 그림에서 접시마다 쿠키를 1개씩 더 놓았습니다. 접시의 수를 ○, 쿠키의 수를 ▽라고 할 때, 두 양 사이의 대응 관계를 식으로 나타내어 보세요.

식

⏰ 만화 영화를 1초 동안 상영하려면 그림이 20장 필요합니다. 물음에 답하세요. (16 ~ 17)

16 만화 영화를 상영하는 시간과 필요한 그림의 수 사이의 대응 관계를 이용해 표를 완성해 보세요.

시간(초)	1	2	3	4	⋯⋯
그림의 수(장)					⋯⋯

17 만화 영화를 5분 상영하려면 그림이 몇 장 필요할까요?

( )

⏰ 지효가 말한 수와 연아가 답한 수입니다. 물음에 답하세요. (18 ~ 19)

지효가 말한 수	5	3	9	7	11
연아가 답한 수	45	27	81	63	㉠

18 지효가 말한 수를 ☆, 연아가 답한 수를 △라고 할 때, 두 양 사이의 대응 관계를 식으로 나타내고 ㉠에 알맞은 수를 구하세요.

식

㉠ ( )

19 연아가 답한 수가 117이라면 지효가 말한 수는 얼마인가요?

( )

20 누름 못을 이용하여 그림을 붙이고 있습니다. 그림을 10장 붙이려면 누름 못은 몇 개 필요한가요?

( )

1 그림을 보고 □ 안에 알맞은 수를 써넣으세요.

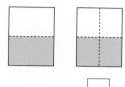

$$\frac{1}{2} = \frac{\square}{4}$$

2 분수를 소수로 나타내려고 합니다. □ 안에 알맞은 수를 써넣으세요.

$$\frac{4}{5} = \frac{4 \times \square}{5 \times 2} = \frac{\square}{\square} = \square$$

3 보기와 같이 약분하여 나타내어 보세요.

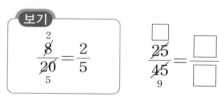

$$\frac{25}{45} = \frac{\square}{\square}$$

4 □ 안에 알맞은 수를 써넣어 크기가 같은 분수를 만들어 보세요.

$$\frac{3}{8} = \frac{\square}{16} = \frac{9}{\square} = \frac{\square}{32}$$

⏰ $\frac{5}{6}$와 $\frac{4}{9}$를 통분해 보세요. **(5~6)**

5 분모의 곱을 공통분모로 하여 통분해 보세요.

$$\left(\frac{5}{6}, \frac{4}{9} \right) \rightarrow (\qquad , \qquad)$$

6 분모의 최소공배수를 공통분모로 하여 통분해 보세요.

$$\left(\frac{5}{6}, \frac{4}{9} \right) \rightarrow (\qquad , \qquad)$$

7 다음 분수를 약분한 분수를 모두 써 보세요.

$$\frac{18}{42}$$

( )

8 크기가 같은 분수를 만드는 방법을 잘못 설명한 사람은 누구인지 이름을 써 보세요.

성민: 분모와 분자에 같은 수를 곱하면 돼.
유정: 분모와 분자를 0이 아닌 같은 수로 나누면 돼.

( )

9 다음 분수를 기약분수로 나타내어 보세요.

$$\frac{48}{60}$$

( )

10 분수의 크기를 비교하여 ○ 안에 >, =, <를 알맞게 써넣으세요.

$$\frac{8}{15} \bigcirc \frac{11}{20}$$

11 더 가벼운 동물을 찾아 써 보세요.

강아지: $3\frac{1}{2}$ kg   고양이: 3.45 kg

( )

12 $\frac{9}{12}$와 크기가 같은 분수를 모두 찾아 써 보세요.

$$\frac{3}{4} \qquad \frac{4}{6} \qquad \frac{16}{24} \qquad \frac{36}{48}$$

( )

13 물을 민호는 0.6 L, 영지는 $\frac{2}{5}$ L 마셨습니다. 물을 더 많이 마신 사람은 누구인가요?

( )

14 왼쪽 기약분수를 통분하였더니 오른쪽 분수가 되었습니다. □ 안에 알맞은 수를 써넣으세요.

$$\left(\frac{11}{\square}, \frac{\square}{21} \right) \rightarrow \left(\frac{33}{42}, \frac{20}{42} \right)$$

15 진분수 $\frac{\square}{10}$가 기약분수라고 할 때, □ 안에 들어갈 수 있는 자연수를 모두 구해 보세요.

( )

16 세 분수의 크기를 비교하여 큰 수부터 차례로 써보세요.

$$\left(\frac{2}{3}, \frac{5}{6}, \frac{13}{15} \right) \rightarrow \left(\qquad , \qquad , \qquad \right)$$

17 지하철 역에서 각 장소까지의 거리를 나타낸 것입니다. 지하철 역에서 가장 가까운 곳을 찾아 써 보세요.

동물원	미술관	박물관
1.34 km	$1\frac{1}{4}$ km	$1\frac{3}{10}$ km

( )

18 $\frac{7}{9}$과 크기가 같은 분수 중에서 분모와 분자의 합이 40보다 크고 50보다 작은 수를 구해 보세요.

( )

19 수 카드가 3장 있습니다. 이 중에서 2장을 뽑아 진분수를 만들려고 합니다. 만들 수 있는 진분수 중 가장 큰 수를 소수로 나타내어 보세요.

1	4	5

( )

20 조건 을 만족하는 수를 구해 보세요.

조건
• $\frac{5}{18}$보다 크고 $\frac{1}{3}$보다 작습니다.
• 분모가 54인 기약분수입니다.

( )

1 그림을 보고 □ 안에 알맞은 수를 써넣으세요.

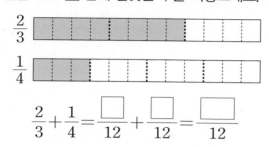

$$\frac{2}{3} + \frac{1}{4} = \frac{\boxed{}}{12} + \frac{\boxed{}}{12} = \frac{\boxed{}}{12}$$

2 □ 안에 알맞은 수를 써넣으세요.

$$7\frac{1}{2} - 3\frac{4}{9} = 7\frac{\boxed{}}{18} - 3\frac{\boxed{}}{18}$$

$$= (7 - \boxed{}) + \left(\frac{\boxed{}}{18} - \frac{\boxed{}}{18}\right)$$

$$= \boxed{}$$

3 계산해 보세요.

$$\frac{7}{12} - \frac{3}{8}$$

4 $5\frac{9}{16} - 2\frac{3}{4}$ 의 계산 결과에 ○표 하세요.

$3\frac{3}{16}$	$2\frac{13}{16}$	$3\frac{6}{16}$
( )	( )	( )

5 대분수를 가분수로 나타내어 계산해 보세요.

$$2\frac{3}{4} + 1\frac{7}{8} = \underline{}$$

6 빈 곳에 알맞은 수를 써넣으세요.

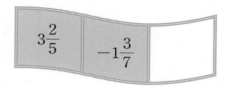

7 두 수의 합을 구해 보세요.

$$\frac{5}{6} \qquad \frac{5}{18}$$

(   )

8 계산에서 틀린 곳을 찾아 바르게 계산해 보세요.

$$\frac{3}{8} - \frac{1}{6} = \frac{3}{24} - \frac{1}{24} = \frac{\overset{1}{\cancel{2}}}{\underset{12}{\cancel{24}}} = \frac{1}{12}$$

$$\frac{3}{8} - \frac{1}{6} = \underline{}$$

9 두 수의 차를 구해 보세요.

$$2\frac{5}{9} \qquad 5\frac{7}{12}$$

(   )

10 □ 안에 알맞은 수를 써넣으세요.

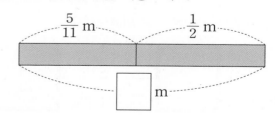

11 계산 결과를 찾아 이어 보세요.

$$\frac{5}{9} - \frac{1}{6}$$ ·

$$\frac{5}{6} - \frac{1}{4}$$ ·

· $$\frac{7}{12}$$

· $$\frac{7}{18}$$

12 끈 $10\frac{3}{10}$ m 중에서 $2\frac{5}{8}$ m를 사용했습니다. 남은 끈의 길이는 몇 m인지 구해 보세요.

식

답

13 크기를 비교하여 ○ 안에 >, =, <를 알맞게 써넣으세요.

$$\frac{8}{15} + \frac{5}{6} \ \bigcirc \ 1\frac{2}{5}$$

14 민지는 빵을 만들기 위해 밀가루에 물 $\frac{2}{5}$ 컵을 넣었는데 물이 부족하여 $\frac{1}{7}$ 컵을 더 넣었습니다. 민지가 넣은 물은 모두 몇 컵인가요?

식

답

15 빈칸에 알맞은 수를 써넣으세요.

$$\boxed{} \xrightarrow{+5\frac{1}{3}} \boxed{8\frac{4}{5}}$$

16 계산 결과가 1보다 큰 것을 찾아 기호를 써 보세요.

ㄱ $\frac{3}{10} + \frac{7}{12}$ ㄴ $\frac{2}{3} + \frac{4}{9}$ ㄷ $\frac{7}{8} + \frac{1}{10}$

( )

17 □ 안에 들어갈 수 있는 자연수는 모두 몇 개인가요?

$$3\frac{5}{6} + 2\frac{3}{4} > 6\frac{\square}{12}$$

( )

18 피자 한 판이 있습니다. 준기는 전체의 $\frac{1}{4}$ 을 먹고, 민하는 전체의 $\frac{3}{8}$ 을 먹었습니다. 준기와 민하가 먹고 남은 피자는 전체의 몇 분의 몇인가요?

( )

19 수 카드 2 , 7 , 9 를 한 번씩 사용하여 만들 수 있는 가장 큰 대분수와 가장 작은 대분수의 차를 구해 보세요.

( )

20 어떤 수에 $1\frac{2}{5}$ 를 더해야 할 것을 잘못하여 뺐더니 $1\frac{1}{3}$ 이 되었습니다. 바르게 계산한 값은 얼마인지 구해 보세요.

( )

1 정사각형입니다. □ 안에 알맞은 수를 써넣으세요.

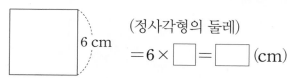

(정사각형의 둘레)

$=6 \times \boxed{} = \boxed{}$ (cm)

2 보기 와 같이 높이를 표시해 보세요.

보기

높이

밑변

밑변

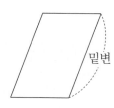

⏰ 도형의 둘레는 몇 cm인지 구해 보세요. (3~4)

3 평행사변형

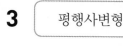

7 cm

9 cm

(   )

4 마름모

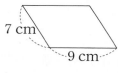

5 cm

(   )

⏰ 크기가 같은 사다리꼴 2개를 붙여서 평행사변형을 만들었습니다. 평행사변형의 넓이를 이용하여 사다리꼴의 넓이를 구하려고 합니다. 물음에 답하세요. (5~6)

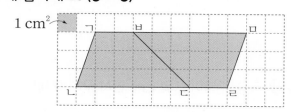

1 cm²

ㄱ ㅂ ㅁ

ㄴ ㄷ ㄹ

5 평행사변형 ㄱㄴㄹㅁ의 넓이는 몇 cm²인가요?

(   )

6 사다리꼴 ㄱㄴㄷㅂ의 넓이는 몇 cm²인가요?

(   )

7 도형의 넓이는 몇 cm²인지 구해 보세요.

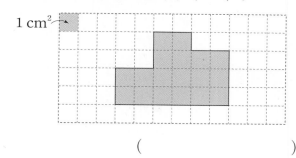

1 cm²

(   )

8 평행사변형의 넓이는 몇 cm²인지 구해 보세요.

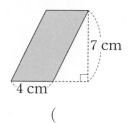

7 cm

4 cm

(   )

9 틀린 것을 찾아 기호를 써 보세요.

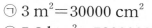

㉠ 3 m² = 30000 cm²

㉡ 5.2 km² = 52000000 m²

㉢ 0.7 m² = 7000 cm²

(   )

⏰ 도형의 넓이는 몇 cm²인지 구해 보세요.

(10~11)

10 삼각형

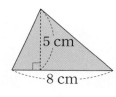

5 cm

8 cm

(   )

11 마름모

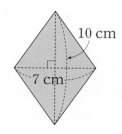

10 cm

7 cm

(   )

12 직사각형 모양의 도화지입니다. 도화지의 둘레와 넓이를 각각 구해 보세요.

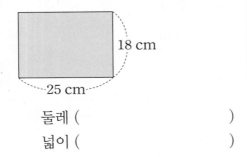

둘레 (   )

넓이 (   )

13 사다리꼴의 넓이는 몇 m^2인가요?

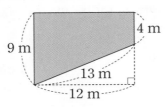

식 _____

답 _____

14 한 변의 길이가 3000 m인 정사각형의 넓이는 몇 km^2인가요?

(   )

15 삼각형의 넓이가 나머지와 <u>다른</u> 하나를 찾아 기호를 써 보세요.

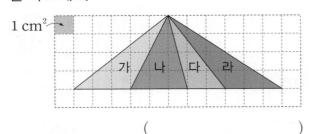

(   )

16 둘레가 70 cm인 정오각형의 한 변의 길이는 몇 cm인지 구해 보세요.

(   )

17 직사각형 안에 마름모를 그린 것입니다. 마름모의 넓이가 64 cm^2일 때 □ 안에 알맞은 수를 써넣으세요.

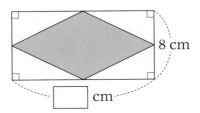

18 넓이가 가장 넓은 도형을 찾아 기호를 써 보세요.

> ㉠ 가로가 6 km, 세로가 4 km인 직사각형
> ㉡ 밑변의 길이가 8 km, 높이가 2 km인 평행사변형
> ㉢ 한 변의 길이가 5 km인 정사각형

(   )

19 선분 ㄱㄹ의 길이는 몇 cm인지 구해 보세요.

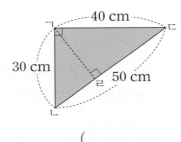

(   )

20 도형의 넓이는 몇 cm^2인지 구해 보세요.

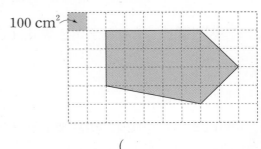

(   )

수학 성취도 평가

5학년 1학기 과정을 모두 끝내셨나요?

한 학기 성취도를 확인해 볼 수 있도록 25문항으로 구성된 평가지입니다.

1학기 내용을 얼마나 이해했는지 평가해 보세요.

차세대 리더

반 .... 이름 ....

1 그림을 보고 알맞은 말에 ○표 하세요.

$$\frac{2}{3} \qquad \frac{4}{6}$$

$\frac{2}{3}$와 $\frac{4}{6}$는 크기가 (같은 , 다른) 분수입니다.

2 □ 안에 알맞은 수를 써넣으세요.

$$\frac{3}{7}+\frac{1}{2}=\frac{\square}{14}+\frac{\square}{14}=\frac{\square}{14}$$

3 □ 안에 알맞은 수를 써넣으세요.

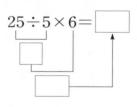

$$25 \div 5 \times 6 = \square$$

4 빈칸에 알맞은 수를 써넣으세요.

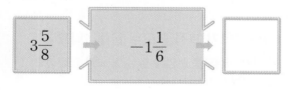

$$3\frac{5}{8} \quad -1\frac{1}{6} \quad \square$$

5 70과 28의 최대공약수를 구해 보세요.

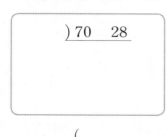

)70   28

( )

6 계산에서 틀린 곳을 찾아 바르게 계산해 보세요.

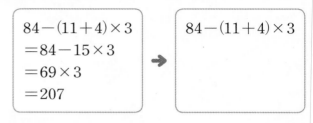

$$84-(11+4)\times 3$$
$$=84-15\times 3$$
$$=69\times 3$$
$$=207$$

➡

$$84-(11+4)\times 3$$

7 분모의 최소공배수를 공통분모로 하여 통분해 보세요.

$$\left(\frac{7}{10},\ \frac{5}{8}\right) \Rightarrow \left(\qquad,\qquad\right)$$

⏰ 주호는 2019년에 11살이었습니다. 주호의 나이와 연도 사이의 대응 관계를 알아보려고 합니다. 물음에 답하세요. (8~9)

8 주호의 나이와 연도 사이의 대응 관계를 이용해 표를 완성해 보세요.

주호의 나이(살)	11	12	13	14	……
연도(년)	2019				……

9 주호의 나이를 ○, 연도를 △라고 할 때, 두 양 사이의 대응 관계를 식으로 나타내어 보세요.

식 _____

10 삼각형의 넓이는 몇 cm^2인지 구해 보세요.

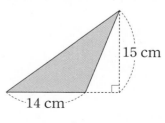

15 cm
14 cm

( )

11 우유를 유라는 $\frac{4}{5}$ L, 경주는 0.7 L 마셨습니다.

우유를 더 많이 마신 사람은 누구인가요?

(   )

12 관계있는 것끼리 이어 보세요.

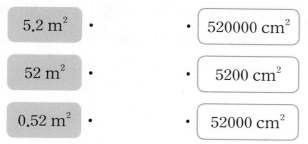

13 계산해 보세요.

$$40 \div (10-2) \times 9 + 37$$

(   )

14 (보기) 에서 약수와 배수의 관계인 수를 모두 찾아 써 보세요.

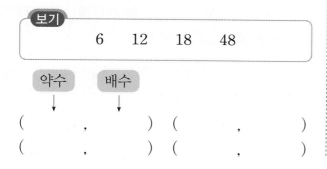

⏰ 바둑돌의 배열을 보고 물음에 답하세요.

(15~16)

서술형

15 검은 바둑돌의 수와 흰 바둑돌의 수 사이의 대응 관계를 설명해 보세요.

설명 _____

_____

16 흰 바둑돌이 9개일 때 필요한 검은 바둑돌은 몇 개인가요?

(   )

17 지하철에 125명이 타고 있습니다. 이번 역에서 49명이 내리고 37명이 탔다면 지금 지하철에 타고 있는 사람은 몇 명인지 하나의 식으로 나타내어 구해 보세요.

식 _____

답 _____

18 어떤 두 수의 최소공배수가 120입니다. 이 두 수의 공배수를 작은 수부터 차례로 3개 써 보세요.

(   )

19 $\dfrac{16}{96}$에 대해 잘못 말한 사람의 이름을 써 보세요.

> 성아: $\dfrac{16}{96}$을 약분하여 만들 수 있는 분수는 모두 4개야.
>
> 정수: $\dfrac{16}{96}$을 약분한 분수 중 분모와 분자가 가장 큰 분수는 $\dfrac{8}{48}$이야.
>
> 태민: $\dfrac{16}{96}$을 기약분수로 나타내면 $\dfrac{1}{8}$이지.

(   )

서술형

20 어떤 수의 배수를 가장 작은 수부터 차례로 쓴 것입니다. 15번째 수는 얼마인지 풀이 과정을 쓰고 답을 구해 보세요.

> 9, 18, 27, 36······

풀이

답

21 가 마을에서 나 마을을 거쳐 다 마을까지 다니던 것이 너무 멀어서 가 마을에서 다 마을까지 바로 갈 수 있는 길을 새로 만들었습니다. 몇 km 가까워졌는지 구해 보세요.

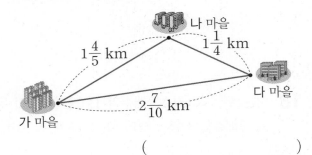

(   )

22 사다리꼴입니다. □ 안에 알맞은 수를 써넣으세요.

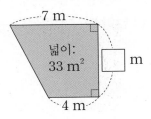

서술형

23 둘레가 28 cm인 정사각형의 넓이는 몇 cm²인지 풀이 과정을 쓰고 답을 구해 보세요.

풀이

답

24 어떤 수에서 $\dfrac{8}{15}$을 빼야 할 것을 잘못하여 더했더니 $1\dfrac{7}{10}$이 되었습니다. 바르게 계산한 값을 구해 보세요.

(   )

25 수 카드 3 , 9 , 8 을 한 번씩 사용하여 다음과 같은 식을 만들려고 합니다. 계산 결과가 가장 작을 때의 값을 구해 보세요.

$$72 \div (\boxed{} \times \boxed{}) + \boxed{}$$

(   )

수학 성취도 평가

미래를 바꾸는
긍정의 한마디

모든 언행을 칭찬하는 자보다
결점을 친절하게 말해주는 친구를 가까이 하라.

소크라테스(Socrates)

어리석은 사람은 박수에 웃음 짓고 현명한 사람은 비판을 들었을 때 기뻐한다고
합니다. 물론 쓴소리를 들은 직후엔 기분이 좋지 않을 수 있지만, 그 비판이 진심
어린 조언이었다면 여러분의 미래를 바꾸는 터닝포인트가 될 수 있어요.
만약 여러분에게 진심 어린 조언을 해 주는 친구가 있다면 더욱 돈독한 우정을
쌓으세요. 그 친구가 바로 진정한 친구니까요.

험난한 공부 여정의 진정한 친구, 천재교육이 항상 옆을 지켜줄게요.

#난이도별
#천재되는_수학교재

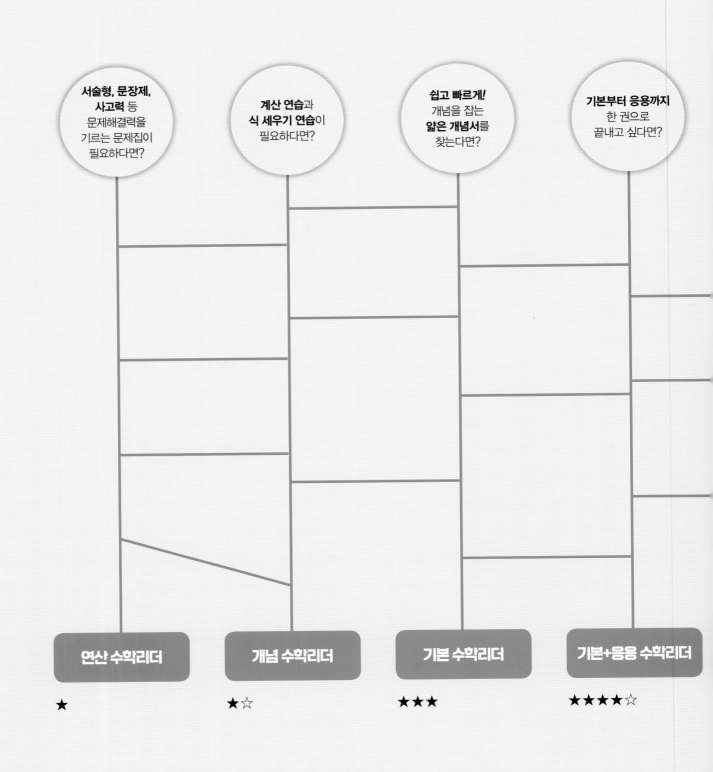

서술형, 문장제, **사고력** 등 문제해결력을 기르는 문제집이 필요하다면?

계산 연습과 **식 세우기 연습**이 필요하다면?

쉽고 빠르게! 개념을 잡는 **얇은 개념서**를 찾는다면?

기본부터 응용까지 한 권으로 끝내고 싶다면?

연산 수학리더
★

개념 수학리더
★☆

기본 수학리더
★★★

기본+응용 수학리더
★★★★☆

수학리더 유형

해법 수학

BOOK 2

5-1

리더가 되기 위한
공부 비법

라이트 유형서
개념별 유형
+ 꼬리를 무는 유형
+ 수학 독해력 유형
+ 사고력 플러스 유형

천재교육

해법전략
포인트 3가지

▶ 혼자서도 이해할 수 있는 친절한 문제 풀이

▶ 참고, 주의 등 자세한 풀이 제시

▶ 다른 풀이를 제시하여 다양한 방법으로 문제 풀이 가능

1. 자연수의 혼합 계산

1 $(35-19)+24$

2 3

3 26

4 >

5 ㉡

6 47, 3

7 (×)(○)

8 10

9 ㉡

10

11 38, 8 / 다릅니다에 ○표

12 28

13 ㉠

14 (1) $500+700=1200$

(2) $2000-(500+700)=800$, 800원

15 10, 20

16 (1) 48 (2) 12

17 ×, ÷, 20 / 20개

18 ( )(○)

19 (계산 순서대로) 35, 2, 2

20 4

21 $90÷(3×6)=90÷18=5$

22 $48÷3×2=32$ / $48÷(3×2)=8$

23 다릅니다.

24

25 ㉠, 28

26 하윤

27 $40÷(5×4)=2$, 2개

---

2 $25-23+1=2+1=3$

3 $14+21-9=35-9=26$

4 $56+23-17=79-17=62$

8 $33-(16+7)=33-23=10$

9 ㉠ $48-27+19=21+19=40$

㉡ $24-(15+3)=24-18=6$

10 $15+26-19=41-19=22$

$21-(9+11)=21-20=1$

11 $40-17+15=23+15=38$

$40-(17+15)=40-32=8$

---

12 $(23+45)-40=68-40=28$

13 ㉠ $20+(9-7)=20+2=22$

$20+9-7=29-7=22$

㉡ $20-(9+7)=20-16=4$

$20-9+7=11+7=18$

16 (1) $24÷2×4=12×4=48$

(2) $4×6÷2=24÷2=12$

17 $10×4=40(개)$ / $40÷2=20(개)$ → $10×4÷2=40÷2=20(개)$

18 $84÷(3×7)$

20 $48÷(4×3)=48÷12=4$

24 $5×4÷2=20÷2=10$

$40÷(4×2)=40÷8=5$

25 ㉠ $56÷4×2=14×2=28$

㉡ $45÷(3×5)=45÷15=3$

26 하윤: ㉠ $54÷(3×3)=54÷9=6$

시우: 계산 결과가 ㉠=6, ㉡=54로 다릅니다.

27 $40÷(5×4)=40÷20=2(개)$

1 26, 40

2 12, 6

3 (계산 순서대로) 16, 8, 8

4 (계산 순서대로) 6, 12, 12

5 89

6 2

7 9

8 21

9 5

10 31

11 18

12 7

1 58

2 ㉡

3 $26+13-14=25$

4 =

5 ㉠

6 $34+4-35=3$, 3 kg

7 72

1 $47-10+21=37+21=58$

2 ㉠ $45÷(3×3)=45÷9=5$

3 <u>26과 13의 합</u>에서 <u>14를 뺀 수</u>
　　26+13　　　　　−14
➡ $26+13-14=39-14=25$

4 $14×3÷2=42÷2=21$

5 ㉠ $22-(7+4)=22-11=11$
　　㉡ $24÷(4×2)=24÷8=3$

6 $34+4-35=38-35=3$ (kg)

7 • $60÷(4×5)=60÷20=3$　⎤
　　• $60÷4×5=15×5=75$　⎦ ➡ $75-3=72$

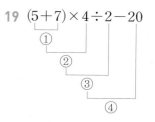

1 STEP 개념별 유형　12~15쪽

1 ㉡

2 $40-4×(3+6)$
　　　　　　└─┘①
　└───────┘②
　└─────────┘③

3 ⑤

4 42

5 ㉡

6 $28-(5+3)×2=12$

7 (1) 4 / 4, 5 / 50, 4, 5 (2) 20장

8 $40-4×3+5=33$, 33개

9 (1) $9+⃝(21÷3)-2$ (2) $5+40-⃝(30÷6)$

10 (계산 순서대로) 10, 5, 22, 22

11 12　　　　　　**12** 24

13 $25+(16-4)÷4=25+12÷4$
　　　　　　　　　　$=25+3$
　　　　　　　　　　$=28$

14 $4000-(2300+3000÷3)=\boxed{700}$ (원)

15 ㉠　　**16** ㉡　　**17**

18 $(20+24)÷4-5=6$, 6장

19 ㉠, ㉡, ㉢, ㉣

20 ㉢, ㉡, ㉠, ㉣　　**21** 5, 25, 35, 31

22 48　　　　　　　　**23** 다은

24 예 덧셈, 뺄셈, 곱셈, 나눗셈, ( )가 섞여 있는
　식은 ( ) 안을 가장 먼저 계산해야 하는데 곱
　셈을 가장 먼저 계산했습니다. / 8

25 <

1 ( )가 있는 식은 ( ) 안을 가장 먼저 계산해야
하므로 ㉡을 가장 먼저 계산해야 합니다.

3 $14+25-3×4=14+25-12=39-12=27$

4 $24+(18-12)×3=24+6×3=24+18=42$

5 $59-2×(26+3)=59-2×29=59-58=1$

6 $28-(5+3)×2=28-8×2=28-16=12$

7 (2) $50-(2+4)×5=50-6×5=50-30=20$(장)
　　따라서 남은 색종이는 20장입니다.

8 $40-4×3+5=40-12+5=28+5=33$(개)
　따라서 주머니에 넣은 쿠키와 머핀은 33개입니다.

9 덧셈, 뺄셈, 나눗셈이 섞여 있는 식에서는 나눗셈을
먼저 계산합니다.

10 ( )가 있는 식은 ( ) 안을 가장 먼저 계산합니다.

11 $5+35÷(7-2)=5+35÷5=5+7=12$

12 $20+56÷7-4=20+8-4=28-4=24$

13 ( ) 안을 가장 먼저 계산해야 합니다.
　$25+(16-4)÷4=25+12÷4=25+3=28$

14 빵 1개의 값: $3000÷3$
　잼 1병과 빵 1개의 값: $2300+3000÷3$
　(낸 돈)−(잼 1병과 빵 1개의 값)
　$=4000-(2300+3000÷3)$
　$=4000-(2300+1000)$
　$=4000-3300=700$(원)

15 ㉠ $40+18÷9-4=40+2-4=42-4=38$
　㉡ $30+40÷5-5=30+8-5=38-5=33$

16 ㉠ $64÷16-(1+2)=64÷16-3=4-3=1$
　➡ 1<2이므로 크기가 더 큰 것은 ㉡입니다.

17 $(28-12)÷4+13=16÷4+13=4+13=17$
　$28-12÷4+13=28-3+13=25+13=38$

18 $(20+24)÷4-5=44÷4-5=11-5=6$(장)
　따라서 준희에게 남은 도화지는 6장입니다.

19 $(5+7)×4÷2-20$
　└─┘①
　└───┘②
　└─────┘③
　└───────┘④

20 $40-36\div(6\times2)+10$

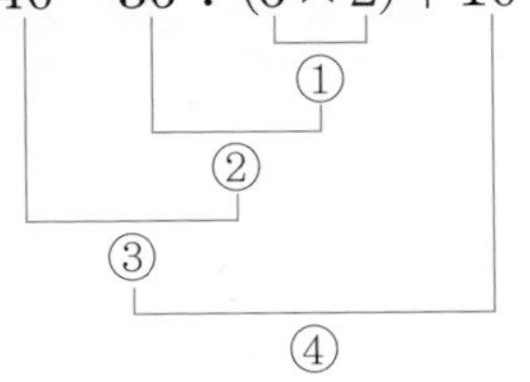

22 $40-20\div5+3\times4=40-4+3\times4$
$=40-4+12$
$=36+12=48$

23 다은: $6+3\times(10-2)\div4$
$=6+3\times8\div4=6+24\div4$
$=6+6=12$
현서: $30-(12+6)\div3\times2$
$=30-18\div3\times2=30-6\times2$
$=30-12=18$
따라서 바르게 계산한 사람은 다은입니다.

24 $4+2\times(15-9)\div3=4+2\times6\div3$
$=4+12\div3$
$=4+4=8$

평가 기준
계산이 틀린 이유를 쓰고, 바르게 계산했으면 정답입니다.

25 $15+(7-4)\times4\div2=15+3\times4\div2$
$=15+12\div2$
$=15+6=21$

개념 5 ~ 7 기초력 집중 연습 16쪽

1 (계산 순서대로) 8, 64, 80, 80
2 (계산 순서대로) 6, 41, 38, 38
3 (계산 순서대로) 20, 60, 62, 59, 59
4 (계산 순서대로) 16, 2, 14, 9, 9
5 29
6 15
7 23
8 22
9 20
10 8

9 $24\div4+(3-1)\times7=24\div4+2\times7$
$=6+2\times7$
$=6+14=20$

10 $5+3\times(20-15)\div5=5+3\times5\div5$
$=5+15\div5$
$=5+3=8$

유형 진단 TEST 17쪽

1 (　　)(　　)(○)
2 18
3 $(19+38)\div19-2=57\div19-2$
$=3-2=1$
4 다릅니다.
5 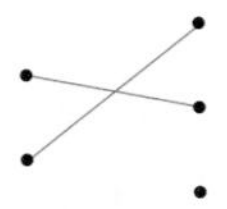
6 ㉡
7 예 $3000-(1200+5000\div5)=800$, 800원

1 $45-4\times5+8=45-20+8=25+8=33$

2 $32-(2+5)\times4\div2=32-7\times4\div2$
$=32-28\div2$
$=32-14=18$

4 • $(20+10)\div10-2=30\div10-2=3-2=1$
• $20+10\div10-2=20+1-2=21-2=19$
➔ 두 계산식의 계산 결과는 다릅니다.

5 $25-(4+3)\times2=25-7\times2=25-14=11$
$4+2\times5-12\div3=4+10-4=14-4=10$

6 ㉠ $14+20-2\times8=14+20-16=34-16=18$
㉡ $14+(20-2)\times8=14+18\times8$
$=14+144=158$
➔ $18<158$

7 $3000-(1200+5000\div5)$
$=3000-(1200+1000)$
$=3000-2200=800$(원)

2 STEP 꼬리를 무는 유형 18~19쪽

1 ㉢, 23
2 $3\times(4+14)\div9-6$ / 0

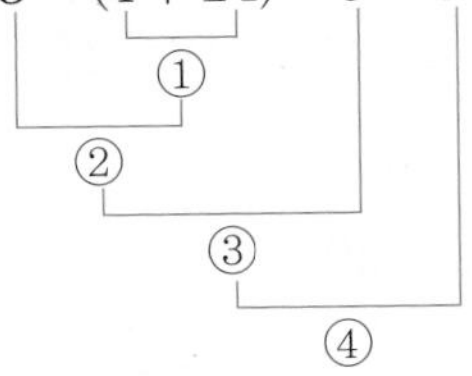

3 ㉡
4 같습니다.
5 커집니다.
6 >
7 ×
8 $12+4\times3-5=19$
9 $30-(5+4)\times2=12$
10 $(86-32)\times5\div9=30$, 30
11 63
12 17
13 −
14 $\square-(13+15)=4$, 32

1 $14+12\div(20-16)\times3=14+12\div4\times3$
  ① ② ③ ④
  $=14+3\times3$
  $=14+9$
  $=23$

2 $3\times(4+14)\div9-6=3\times18\div9-6$
  ① ② ③ ④
  $=54\div9-6$
  $=6-6=0$

3 ㉡ $35\div7\times2+6-3$
  ① ② ③ ④

4 $4\times(30\div15)=4\times2=\boxed{8}$
  $4\times30\div15=120\div15=\boxed{8}$ } 같습니다.

5 $84\div(3\times7)=84\div21=\boxed{4}$
  $84\div3\times7=28\times7=\boxed{196}$ } 커집니다.

> **다른 풀이**
> 나누어지는 수가 같을 때 나누는 수가 작을수록 몫은 커집니다. $84\div(3\times7)$은 84를 21로 나누는 것이고 $84\div3\times7$은 84를 3으로 나누는 것이므로 ( )가 없으면 계산 결과는 커집니다.

6 $31-10+5=21+5=26$
  $31-(10+5)=31-15=16$

7 $75\div(5\times3)=75\div15=5$
  $75\div5\times3=15\times3=45$

8 $12+4\times3-5=12+12-5=24-5=19$

9 $30-(5+4)\times2=30-9\times2=30-18=12$

10 $(86-32)\times5\div9=54\times5\div9$
  $=270\div9=30\ (^\circ\text{C})$

11 $\square\div(7\times3)=3,\ \square\div21=3,\ \square=21\times3,\ \square=63$

12 $54-(㉠+21)=16,\ ㉠+21=38,\ ㉠=17$

13 $52\div4\square5=8,\ 13\square5=8$
  ➔ $13-5=8\ (\bigcirc)$

14 $\square-(13+15)=4,\ \square-28=4,\ \square=32$

---

3 STEP 수학 독해력 유형 20~21쪽

독해력 유형 1 ❶ 42, 36, 6
  ❷ $(42+36)\div6-11=2$, 2 kg

쌍둥이 유형 1-1 1 kg

쌍둥이 유형 1-2 1 kg

독해력 유형 2 ❶ 2, 2 ❷ 2, 2, 1500
  ❸ $5000-(2200\div2+400\times2+1500)=1600$,
  1600원

쌍둥이 유형 2-1 400원

쌍둥이 유형 2-2 8200원

독해력 유형 1 ❷ $(42+36)\div6-11=78\div6-11$
  $=13-11$
  $=2\ (\text{kg})$

쌍둥이 유형 1-1
❶ (달에서 잰 경미와 오빠의 몸무게의 합)
  $=(36+48)\div6$
❷ $(36+48)\div6-13=84\div6-13$
  $=14-13=1\ (\text{kg})$

쌍둥이 유형 1-2
❶ (달에서 잰 진수와 누나의 몸무게의 합)
  $=(48+42)\div6$
❷ $16-(48+42)\div6=16-90\div6$
  $=16-15=1\ (\text{kg})$

독해력 유형 2 ❸ $5000-(2200\div2+400\times2+1500)$
  $=5000-(1100+400\times2+1500)$
  $=5000-(1100+800+1500)$
  $=5000-(1900+1500)$
  $=5000-3400=1600(\text{원})$

쌍둥이 유형 2-1
❶ (키위 3인분의 값)$=700\times3$
  (과일 통조림 3인분의 값)$=3000\div2$
❷ (3인분을 만들 때 필요한 재료의 값)
  $=700\times3+3000\div2+2000$
❸ (6000원으로 필요한 재료를 사고 남은 돈)
  $=6000-(700\times3+3000\div2+2000)$
  $=6000-(2100+3000\div2+2000)$
  $=6000-(2100+1500+2000)$
  $=6000-(3600+2000)$
  $=6000-5600=400(\text{원})$

쌍둥이 유형 2-2 ❶ (상추 4인분의 값)=600÷3
(파프리카 4인분의 값)=1600÷2
❷ (4인분을 만들 때 필요한 채소의 값)
=600÷3+1600÷2+800
❸ (10000원으로 필요한 채소를 사고 남은 돈)
=10000−(600÷3+1600÷2+800)
=10000−(200+1600÷2+800)
=10000−(200+800+800)
=10000−(1000+800)
=10000−1800=8200(원)

④ STEP 사고력 플러스 유형 22~25쪽

1-1 16+(40−16)÷4=16+24÷4=16+6=22
1-2 52−3×(6+8)=52−3×14=52−42=10
1-3 20÷(5×2)=2
　　　　　①
　　②
2-1 18+15−20=13
2-2 4×3÷6=2
2-3 43−(17+21)=5
2-4 54÷(3×6)=3
3-1 ㉢
3-2 ㉠　　**3-3** >　　**3-4** <
4-1 예 동화책 9권을 가지고 있습니다. 그중에서 3권을 친구에게 빌려줬습니다. 승재에게 남은 책은 몇 권인가요?　답 예 21권
4-2 예 5개씩 2줄로 담으려고 합니다. 쿠키를 모두 담으려면 상자가 몇 개 필요한가요?　답 예 3개
4-3 예 빵이 34개, 사탕이 15개, 껌이 8개 있습니다. 빵의 수는 사탕과 껌의 수의 합보다 몇 개 더 많은가요?　답 예 11개
5-1 36−(10+4)=22
5-2 96÷(8×2)=6 / 예 ( )가 없는 식을 계산하면 96÷8×2=12×2=24인데 계산 결과가 6이 되어야 하므로 ( )를 넣어 계산 순서를 바꾸어 계산합니다.
5-3 41−5×(2+3)　　**6-1** 4
6-2 예 가에 18을, 나에 9를 넣어 식을 세워 계산합니다. 18♥9=18÷9×9=2×9=18　답 18
6-3 56
7-1 단계1 2　단계2 20　단계3 21　　**7-2** 25
8-1 단계1 작게에 ○표　단계2 2, 3, 5(또는 3, 2, 5)
　　　　단계3 15
8-2 4

1-1 덧셈, 뺄셈, 나눗셈, ( )가 섞여 있는 식에서는 ( ) 안을 가장 먼저 계산하고 나눗셈, 덧셈과 뺄셈 순서로 계산합니다.
1-2 덧셈, 뺄셈, 곱셈, ( )가 섞여 있는 식에서는 ( ) 안을 가장 먼저 계산하고 곱셈, 덧셈과 뺄셈 순서로 계산합니다.
2-1 18+15=33, 33−20=13
➡ 18+15−20=13
2-2 4×3=12, 12÷6=2
➡ 4×3÷6=2
2-3 17+21=38, 43−38=5
➡ 43−(17+21)=5
2-4 3×6=18, 54÷18=3
➡ 54÷(3×6)=3
3-1 ㉠ 48−(9+25)=48−34=14
㉡ 48−9+25=39+25=64
14<64이므로 계산 결과가 더 큰 것은 ㉡입니다.
3-2 ㉠ 72÷3×3=24×3=72
㉡ 72÷(3×3)=72÷9=8
72>8이므로 계산 결과가 더 큰 것은 ㉠입니다.
3-3 40−5+6×2=40−5+12=35+12=47
40−(5+6)×2=40−11×2=40−22=18
➡ 47>18이므로
40−5+6×2 > 40−(5+6)×2입니다.
3-4 32+(20−15)÷5=32+5÷5=32+1=33
32+20−15÷5=32+20−3=52−3=49
➡ 33<49이므로
32+(20−15)÷5 < 32+20−15÷5입니다.
4-1 15+9−3=24−3=21
4-2 30÷(5×2)=30÷10=3
4-3 34−(15+8)=34−23=11

평가 기준
식에 알맞은 문제를 만들고, 답을 구했으면 정답입니다.

5-1 ( )가 없는 식을 계산하면
36−10+4=26+4=30인데 계산 결과가 22가 되어야 하므로 ( )를 넣어 계산 순서를 바꾸어 계산합니다. ➡ 36−(10+4)=36−14=22

5-2
( )가 없는 식의 계산 결과와 비교하여 ( )로 알맞게 묶었으면 정답입니다.

5-3 ( )가 없는 식을 계산하면 $41-5\times2+3=34$인데 계산 결과가 16이 되어야 하므로 ( )를 넣어 계산 순서를 바꾸어 계산합니다. ( )가 없는 식보다 계산 결과가 작아져야 하므로 41에서 빼는 수가 5×2보다 크게 되도록 만들어야 합니다.
➡ $41-5\times(2+3)=41-5\times5=41-25=16$

6-1 가에 15를, 나에 4를 넣어 식을 세워 계산합니다.
$15★4=15+4-15=19-15=4$

> **다른 풀이**
> 가★나=가+나−가=나
> 따라서 가★나=나와 같다고 할 수 있습니다. ➡ 15★4=4

6-2
약속에 따라 계산식을 세우고 답을 구했으면 정답입니다.

> **다른 풀이**
> 가♥나=가÷나×나=$\dfrac{가}{나}$×나=가
> 따라서 가♥나=가와 같다고 할 수 있습니다. ➡ 18♥9=18

6-3 $6♣4=6\times(6+4)-4=6\times10-4=60-4=56$

7-1 단계① $16\div(2+6)=16\div8=2$
단계② $\square-16\div(2+6)=\square-2=18$이므로 $\square$ 안에 알맞은 수는 20입니다.
단계③ $\square$ 안에 들어갈 수 있는 수는 20보다 커야 하므로 가장 작은 자연수는 21입니다.

7-2 $\square-56\div(10+4)=\square-56\div14=\square-4$
$\square-4>20$에서 $\square-4=20$이라 할 때 $\square$ 안에 알맞은 수는 24입니다. 따라서 $\square$ 안에 들어갈 수 있는 수는 24보다 커야 하므로 가장 작은 자연수는 25입니다.

8-1 단계① $60\div(㉠\times㉡)+㉢$에서 60을 나누는 수가 작을수록 계산 결과는 커집니다.
단계② $㉠\times㉡$의 값이 작아야 하므로 ㉠과 ㉡에 알맞은 수는 2와 3이고 ㉢에는 남은 수인 5를 넣어야 합니다.
단계③ $60\div(2\times3)+5=60\div6+5=10+5=15$

8-2 $48\div(\square\times\square)+\square$에서 48을 나누는 수가 클수록 계산 결과는 작아집니다. $\square\times\square$의 값을 크게 하는 두 수는 2와 8입니다.
➡ $48\div(2\times8)+1=48\div16+1=3+1=4$

유형 TEST

1 ㉡

2 5, 15, 35

3 $21-(3+5)=13$

```
21−(3+5)=13
      └ 8 ┘  ↑
  └─── 13 ───┘
```

4 38

5 22

6 $17+5\times(8-3)=17+5\times5=17+25=42$

7 △

8 $28-(6+15)=7$

9 ㉡

10

```
┌─────────┐
│    ○    │
├─────────┤
│         │
└─────────┘
```

11 ㉠

12 $>$

13 예 $96\div(8\times3)=4$, 4시간

14 예 $5500-(3000+2000)=500$, 500원

15 8

16 $(68-32)\times5\div9=20$, 20

17 예 ❶ 다혜는 만두를 한 번에 15개씩 4번 쪄서 남김없이 접시 3개에 똑같이 나누어 담았습니다. 접시 한 개에 담은 만두는 몇 개인가요?
답 예 ❷ 20개

18 예 ❶ ( )가 없는 식을 계산하면 $12+42\div6-3=12+7-3=19-3=16$인데 계산 결과가 26이 되어야 하므로 ( )를 넣어 계산 순서를 바꾸어 계산합니다. 계산 결과가 커져야 하므로 42를 나누는 수가 6보다 작게 되도록 만듭니다. /
❷ $12+42\div(6-3)=26$

19 예 ❶ 가에 25를, 나에 20을 넣어 식을 세워 계산합니다.
❷ $25♣20=25\div(25-20)+20$
　　　　$=25\div5+20=5+20=25$　답 25

20 예 ❶ $\square-(4+6)\times5=\square-10\times5$
　　　　　　$=\square-50$
❷ $\square-50=22$라 할 때 $\square$ 안에 알맞은 수는 72입니다.
❸ 따라서 $\square$ 안에 들어갈 수 있는 수는 72보다 커야 하므로 가장 작은 자연수는 73입니다.　답 73

---

4 $35-24\div6+7=35-4+7$
　　　　　　$=31+7=38$

5 $100\div10+3\times(10-6)=100\div10+3\times4$
　　　　　　　　$=10+3\times4$
　　　　　　　　$=10+12=22$

7 $42 \div 2 \times 3 = 21 \times 3 = 63$

  $42 \div (2 \times 3) = 42 \div 6 = 7$

8 $\underline{6 + 15 = 21}$, $28 - \underline{21} = 7$

  ➡ $28 - (6 + 15) = 7$

9 ㉠ $45 \div 5 \times 3 = 9 \times 3 = 27$

  ㉡ $30 + 4 \times (5 - 2) = 30 + 4 \times 3 = 30 + 12 = 42$

10 $6 + 2 \times (30 - 12) \div 4 = 6 + 2 \times 18 \div 4$

  $= 6 + 36 \div 4 = 6 + 9 = 15$

  $48 - (18 + 15) \div 3 = 48 - 33 \div 3$

  $= 48 - 11 = 37$

11 ㉠ $24 \times (4 \div 2) = 24 \times 2 = 48$

  $24 \times 4 \div 2 = 96 \div 2 = 48$

  ㉡ $36 \div (4 \times 9) = 36 \div 36 = 1$

  $36 \div 4 \times 9 = 9 \times 9 = 81$

12 $30 - (4 + 24) \div 4 = 30 - 28 \div 4 = 30 - 7 = 23$

13 $96 \div (8 \times 3) = 96 \div 24 = 4$(시간)

14 $5500 - (3000 + 2000) = 5500 - 5000 = 500$(원)

15 $6 \times (20 - 13) + \square = 50$, $6 \times 7 + \square = 50$,

  $42 + \square = 50$, $\square = 8$

16 $(68 - 32) \times 5 \div 9 = 36 \times 5 \div 9 = 180 \div 9 = 20$ (℃)

17 $15 \times 4 \div 3 = 60 \div 3 = 20$

채점 기준		
❶ 문제를 바르게 만듦.	3점	5점
❷ 문제에 맞게 답을 구함.	2점	

18

채점 기준		
❶ ( )가 없는 식을 계산함.	2점	5점
❷ ( )가 없는 식의 계산 결과와 비교하여 ( )로 알맞게 묶음.	3점	

19

채점 기준		
❶ 약속에 따라 식을 세우는 방법을 앎.	2점	5점
❷ 계산을 바르게 하여 답을 구함.	3점	

20

채점 기준		
❶ 먼저 계산할 수 있는 식을 계산함.	1점	5점
❷ $\square - (4 + 6) \times 5 = 22$라 할 때 $\square$ 안에 알맞은 수를 구함.	2점	
❸ $\square$ 안에 들어갈 수 있는 가장 작은 자연수를 구함.	2점	

유형 다시 보기   **29쪽**

① ㉡, ㉢

② (1) 예

(2) 예

③ 정칠각형

④ ㉡

① 다각형은 선분으로만 둘러싸인 도형입니다.

③ 변이 7개인 정다각형은 정칠각형입니다.

④  ➡ 5개   ➡ 9개

따라서 대각선의 수가 더 많은 다각형은 ㉡입니다.

재미있는 창의·융합·코딩   **30~31쪽**

코딩 ❶ ❶ 1, 5, 1, 8, ÷, 3, M+, 4, ×, 1, M−, MR / 17

❷ 8, 1, ÷, 9, M+, 3, ×, 2, M−, 1, 7, M+, MR / 20

창의 ❷ ❶ 4 ❷ 20

창의 ❷ ❶ 계산 결과에서부터 거꾸로 생각하여 ♣에 알맞은 수를 구합니다.

♣ → ×5 → ÷2 → +6 → −3 → 13

$13 + 3 = 16$, $16 - 6 = 10$, $10 \times 2 = 20$,

$20 \div 5 = 4$ ➡ ♣ = 4

❷ 계산 결과에서부터 거꾸로 생각하여 🍎에 알맞은 수를 구합니다.

🍎 → ÷4 → ×3 → −5 → +10 → 🍎 20

$20 - 10 = 10$, $10 + 5 = 15$, $15 \div 3 = 5$,

$5 \times 4 = 20$ ➡ 🍎 = 20

2. 약수와 배수

1 STEP 개념별 유형 34~37쪽

1 1, 2, 4, 8
2 (위에서부터) 1, 3, 5, 15 / 1, 3, 5, 15
3 1, 5, 25
4 1, 2, 4, 7, 14, 28
5 ×
6 다은
7 1, 3, 10, 15에 ○표
8 22
9 1, 2, 4, 5, 10, 20
10 (1) 1, 2, 3, 6, 9, 18 (2) 6개
11 2, 4, 6, 8
12 14, 21, 28, 35
13 3, 6, 9
14 10, 20, 30
15 ⑤
16 6
17

```
|--+--+--+--+--+--+--+--+--+--+--+--+--+--+--+--+--+--+--+--|
0           10          20
        ↑           ↑
        8          16
```

18

1	2	3	4	5
6	7	8	9	10
11	12	13	14	15
16	17	18	19	20

19 22, 44
20 ⑤
21 (1) 배수에 ○표
    (2) 약수에 ○표
22 (1) 9 (2) 3, 9
23 (○)
    ( )
24 ㉠
25 8 / 2, 12
26 12의 약수입니다. / 예 1, 2, 3, 4, 6, 12의 배수입니다.

---

4 28÷1=28, 28÷2=14, 28÷4=7, 28÷7=4, 28÷14=2, 28÷28=1

6 21÷1=21, 21÷3=7, 21÷7=3, 21÷21=1

7 30의 약수: 1, 2, 3, 5, 6, 10, 15, 30

8 어떤 수의 약수 중에서 가장 큰 수는 자기 자신이므로 22의 약수 중에서 가장 큰 수는 22입니다.

다른 풀이
  22의 약수: 1, 2, 11, 22
  따라서 22의 약수 중에서 가장 큰 수는 22입니다.

10 (1) 18÷1=18, 18÷2=9, 18÷3=6, 18÷6=3, 18÷9=2, 18÷18=1
    (2) 18의 약수: 1, 2, 3, 6, 9, 18 ➡ 6개

13 3의 배수 ➡ 3×1=3, 3×2=6, 3×3=9……

14 10의 배수
    ➡ 10×1=10, 10×2=20, 10×3=30……

16 민서가 말한 수 중 가장 작은 수는 6×1=6입니다.

---

20 참고
약수의 개수는 수에 따라 다르지만 배수의 개수는 무수히 많습니다.

24 ㉠ 8×4=32

25 2×4=8, 2×6=12

개념 1~3 기초력 집중 연습 38쪽

1 2, 4, 6
2 8, 16, 24
3 9, 18, 27
4 11, 22, 33
5
6

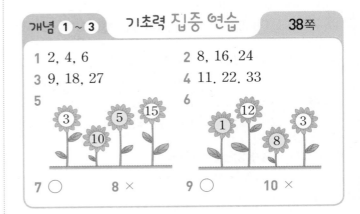

7 ○
8 ×
9 ○
10 ×

유형 진단 TEST 39쪽

1 (1) 1, 3, 5, 15 (2) 1, 2, 3, 4, 6, 8, 12, 24
2 1, 18에 ×표
3 예 5
4

1	2	③	④	5
⑥	7	⑧	⑨	10
11	⑫	13	14	⑮
⑯	17	⑱	19	⑳

5 예 / 예 108÷9=12이므로 108을 9로 나누면 나누어떨어지기 때문입니다.

6 ㉢
7 오전 8시, 오전 8시 25분, 오전 8시 50분

---

3 빈칸에는 10의 약수가 들어가도 되고 10의 배수가 들어가도 됩니다.

5 평가 기준
9는 108의 약수임을 알고, 그 이유를 썼으면 정답입니다.

6 ㉠ 6은 3의 배수이지만 10의 약수는 아닙니다.
    ㉡ 10과 15는 약수와 배수의 관계가 아닙니다.
    ㉢ 4×6=24
      ➡ 4는 24의 약수이고 24는 4의 배수입니다.
    ㉣ 36은 4의 배수이지만 9의 약수는 아닙니다.

7 25의 배수 ➡ 25×1=25, 25×2=50……
    따라서 버스가 출발하는 시각은 오전 8시, 오전 8시 25분, 오전 8시 50분입니다.

1

| ①| ②| ③| ④| 5 | ⑥| 7 | ⑧|
|9 | 10 | 11 | ⑫| 13 | 14 | 15 | ⑯|

2 1, 2, 4 / 4   **3** 6

4 1, 5, 25 / 1, 3, 5, 15 / 1, 5 / 5

5 1, 3, 9   **6** ㉠

7 약수   **8** 12

9 1, 2, 3, 4, 6, 12   **10** 4

11 (위에서부터) 5, 10, 3 / 5, 15

12 (1) 2, 5 / 2, 5 (2) 10

13 6   **14** (1) 21 (2) 21명

15 (1) 공배수 (2) 최소공배수

16 12, 24 / 12

17 (1)

| 6의 배수 | 6 | 12 | 18 | 24 | 30 | 36 | …… |
| 4의 배수 | 4 | 8 | 12 | 16 | 20 | 24 | …… |

(2) 12

18 ㉡   **19** 30, 60   **20** 20

21 배수에 ○표   **22** 6   **23** 4, 8, 12

24 3, 2   **25** 3, 2, 36

26 2) 28 12 / $2 \times 2 \times 7 \times 3 = 84$
　　2) 14   6
　　　　 7   3

27

28 (1) 24 (2) 24일

29 최대공약수에 ○표 / 6명

30 최소공배수에 ○표 / 15일

31 최소공배수에 ○표 / 40 cm

32 최대공약수에 ○표 / 9 cm

33 최대공약수에 ○표 / 12 cm

34 최소공배수에 ○표 / 오전 7시 45분

5 27의 약수: 1, 3, 9, 27
　　18의 약수: 1, 2, 3, 6, 9, 18
　➡ 27과 18의 공약수: 1, 3, 9

6 ㉠ 24의 약수: 1, 2, 3, 4, 6, 8, 12, 24
　　36의 약수: 1, 2, 3, 4, 6, 9, 12, 18, 36
　　➡ 24와 36의 공약수: 1, 2, 3, 4, 6, 12
　　➡ 24와 36의 최대공약수: 12
　㉡ 어떤 수의 약수 중 가장 작은 수는 1입니다.

8 두 수의 공약수는 두 수의 최대공약수의 약수입니다.
　➡ 18의 약수: 1, 2, 3, 6, 9, 18

9 12의 약수: 1, 2, 3, 4, 6, 12

10 $16 = 4 \times 4$　　$20 = 4 \times 5$
　➡ 최대공약수: 4

12 (2) 50과 20의 최대공약수 ➡ $2 \times 5 = 10$

13 2) 24 30　➡ 24와 30의 최대공약수:
　　3) 12 15　　　　$2 \times 3 = 6$
　　　　 4   5

14 (1) 3) 21 42　➡ 21과 42의 최대공약수:
　　　 7) 7 14　　　　$3 \times 7 = 21$
　　　　　 1   2
　(2) 21과 42의 최대공약수는 21이므로 최대 21명에게 나누어 줄 수 있습니다.

18 ㉠ 4와 10의 최소공배수는 20입니다.

19 10의 배수: 10, 20, 30, 40, 50, 60……
　　15의 배수: 15, 30, 45, 60……
　➡ 10과 15의 공배수: 30, 60……

20 4의 배수:
　　4, 8, 12, 16, 20, 24, 28, 32, 36, 40……
　　5의 배수: 5, 10, 15, 20, 25, 30, 35, 40……
　➡ 4와 5의 공배수: 20, 40……
　➡ 4와 5의 최소공배수: 20

22 어떤 두 수의 공배수는 두 수의 최소공배수의 배수이므로 6, 12, 18, 24, 30……은 두 수의 최소공배수의 배수입니다. 따라서 어떤 두 수의 최소공배수는 6입니다.

23 최소공배수가 4인 두 수의 공배수는 4의 배수입니다.
　➡ 4의 배수: 4, 8, 12……

27 2) 16 20　　　　2) 14 6
　　2) 8 10　　　　　 7   3
　　　　 4   5　　　➡ $2 \times 7 \times 3 = 42$
　➡ $2 \times 2 \times 4 \times 5 = 80$

28 (1) 2) 6 8　➡ 최소공배수: $2 \times 3 \times 4 = 24$
　　　　　 3   4

29 2) 30 48　➡ 최대공약수: $2 \times 3 = 6$
　　3) 15 24
　　　　 5   8

30 5) 15 5　➡ 최소공배수: $5 \times 3 \times 1 = 15$
　　　　 3   1

31
$$2\,)\!\!\underline{\;8\quad 10\;}$$
$$\quad\;\;4\quad\;5$$
➡ 최소공배수: $2 \times 4 \times 5 = 40$

32
$$3\,)\!\!\underline{\;45\quad 36\;}$$
$$3\,)\!\!\underline{\;15\quad 12\;}$$
$$\quad\;\;5\quad\;\;4$$
➡ 최대공약수: $3 \times 3 = 9$

33
$$2\,)\!\!\underline{\;36\quad 24\;}$$
$$2\,)\!\!\underline{\;18\quad 12\;}$$
$$3\,)\!\!\underline{\;\;9\quad\;\,6\;}$$
$$\quad\;\;3\quad\;\;2$$
➡ 최대공약수: $2 \times 2 \times 3 = 12$

34
$$3\,)\!\!\underline{\;15\quad 9\;}$$
$$\quad\;\;5\quad\;3$$
➡ 최소공배수: $3 \times 5 \times 3 = 45$

15와 9의 최소공배수는 45이므로 버스는 45분마다 동시에 출발합니다. 오전 7시에 두 버스가 동시에 출발했으므로 다음번에 동시에 출발하는 시각은 오전 7시 45분입니다.

개념 4 ~ 10 기초력 집중 연습 — 46쪽

1 6, 6 / 6
2 3, 2, 3 / 3, 6
3 3, 5 / 3, 5, 135
4 3, 5 / 3, 5, 135
5
$$5\,)\!\!\underline{\;35\quad 40\;}$$
$$\quad\;\;7\quad\;\;8$$
/ 5, 280
6
$$2\,)\!\!\underline{\;28\quad 20\;}$$
$$2\,)\!\!\underline{\;14\quad 10\;}$$
$$\quad\;\;7\quad\;\;5$$
/ 4, 140
7
$$2\,)\!\!\underline{\;16\quad 24\;}$$
$$2\,)\!\!\underline{\;\;8\quad 12\;}$$
$$2\,)\!\!\underline{\;\;4\quad\;\,6\;}$$
$$\quad\;\;2\quad\;\;3$$
/ 8, 48

유형 진단 TEST — 47쪽

1 8
2 1, 2, 4
3 (○)
　　( )
4 90
5 16, 32, 48
6 예 **방법 1** $10 = 1 \times 10$, $10 = 2 \times 5$
　$14 = 1 \times 14$, $14 = 2 \times 7$
　➡ 10과 14의 최소공배수: $2 \times 5 \times 7 = 70$
　방법 2
$$2\,)\!\!\underline{\;10\quad 14\;}$$
$$\quad\;\;5\quad\;\;7$$
　➡ 10과 14의 최소공배수: $2 \times 5 \times 7 = 70$
7 3번

---

2 44의 약수: **1, 2, 4**, 11, 22, 44
　20의 약수: **1, 2, 4**, 5, 10, 20

> **다른 풀이**
> 두 수의 공약수는 최대공약수의 약수입니다.
> 44와 20의 최대공약수: 4
> 따라서 두 수의 공약수는 4의 약수인 1, 2, 4입니다.

3 • 두 수의 공약수는 두 수의 공통된 약수이므로 두 수를 모두 나누어떨어지게 합니다.
　• 42와 30의 최대공약수는 6이므로 42와 30의 공약수 중에서 가장 큰 수는 6입니다.

4 공배수 중에서 가장 작은 수는 최소공배수이므로 18과 15의 최소공배수를 구합니다.
$$3\,)\!\!\underline{\;18\quad 15\;}$$
$$\quad\;\;6\quad\;\;5$$
➡ 최소공배수: $3 \times 6 \times 5 = 90$

5 최소공배수가 16인 두 수의 공배수는 16의 배수입니다. ➡ 16의 배수: 16, 32, 48……

7 3과 2의 공배수는 6이므로 6번째마다 같은 자리에 흰 바둑돌을 놓습니다.
6의 배수: 6, 12, 18, 24……
따라서 바둑돌을 20개씩 놓을 때 같은 자리에 흰 바둑돌을 놓는 경우는 6번째, 12번째, 18번째이므로 모두 3번입니다.

---

2 STEP 꼬리를 무는 유형 — 48~49쪽

1 예 7
2 (×)(○)
3 예 3
4 예 8
5 8개
6 3개
7 (1) 20에 ○표 (2) 27에 ○표
8 14
9 4
10 12명
11 126
12 14
13 12일

---

5 30의 약수: 1, 2, 3, 5, 6, 10, 15, 30 ➡ 8개

6 25의 약수: 1, 5, 25 ➡ 3개

7 (1) 20의 약수: 1, 2, 4, 5, 10, 20 ➡ 6개
　　33의 약수: 1, 3, 11, 33 ➡ 4개
　　6 > 4이므로 약수의 개수가 더 많은 수는 20입니다.
　(2) 27의 약수: 1, 3, 9, 27 ➡ 4개
　　49의 약수: 1, 7, 49 ➡ 3개

8
$$
\begin{array}{r|rr}
2 & 42 & 14 \\
\hline
7 & 21 & 7 \\
\hline
& 3 & 1
\end{array}
$$
➡ 최대공약수: $2 \times 7 = 14$

9 24와 20을 어떤 수로 나누었을 때 모두 나누어떨어지게 하는 수는 두 수의 공약수이고 이 중에서 가장 큰 수는 최대공약수입니다.
➡ 24와 20의 최대공약수: 4

10
$$
\begin{array}{r|rr}
2 & 36 & 24 \\
\hline
2 & 18 & 12 \\
\hline
3 & 9 & 6 \\
\hline
& 3 & 2
\end{array}
$$
➡ 최대공약수: $2 \times 2 \times 3 = 12$
36과 24의 최대공약수는 12이므로 최대 12명에게 나누어 줄 수 있습니다.

11
$$
\begin{array}{r|rr}
3 & 63 & 42 \\
\hline
7 & 21 & 14 \\
\hline
& 3 & 2
\end{array}
$$
➡ 최소공배수: $3 \times 7 \times 3 \times 2 = 126$

12 7의 배수이면서 2의 배수인 수는 7과 2의 공배수이고 이 중에서 가장 작은 수는 최소공배수인 14입니다.

13
$$
\begin{array}{r|rr}
2 & 6 & 4 \\
\hline
& 3 & 2
\end{array}
$$
➡ 최소공배수: $2 \times 3 \times 2 = 12$
따라서 다음번에 자전거 타기와 배드민턴 치기를 함께 하는 날은 오늘부터 12일 후입니다.

3 STEP 수학 독해력 유형 50~51쪽

독해력 유형 1 ❶
$$
\begin{array}{r|rr}
2 & 56 & 64 \\
\hline
2 & 28 & 32 \\
\hline
2 & 14 & 16 \\
\hline
& 7 & 8
\end{array}
$$
/ 8개 ❷ 7개
❸ 8개

쌍둥이 유형 1-1 4개, 7개

쌍둥이 유형 1-2 3병, 2병

독해력 유형 2 ❶
$$
\begin{array}{r|rr}
2 & 6 & 8 \\
\hline
& 3 & 4
\end{array}
$$
/ 24분 ❷ 48, 72
❸ 2번

쌍둥이 유형 2-1 2번

쌍둥이 유형 2-2 3번

독해력 유형 1 ❶ 56과 64의 최대공약수는 8이므로 최대 8개의 상자에 담을 수 있습니다.
❷ $56 \div 8 = 7$(개)
❸ $64 \div 8 = 8$(개)

쌍둥이 유형 1-1 ❶
$$
\begin{array}{r|rr}
2 & 24 & 42 \\
\hline
3 & 12 & 21 \\
\hline
& 4 & 7
\end{array}
$$
➡ 최대공약수: $2 \times 3 = 6$
24와 42의 최대공약수는 6이므로 최대 6명에게 나누어 줄 수 있습니다.
❷ 사탕: $24 \div 6 = 4$(개)
❸ 젤리: $42 \div 6 = 7$(개)

쌍둥이 유형 1-2 ❶
$$
\begin{array}{r|rr}
2 & 72 & 48 \\
\hline
2 & 36 & 24 \\
\hline
2 & 18 & 12 \\
\hline
3 & 9 & 6 \\
\hline
& 3 & 2
\end{array}
$$
➡ 최대공약수: $2 \times 2 \times 2 \times 3 = 24$
72와 48의 최대공약수는 24이므로 24명에게 나누어 줄 수 있습니다.
❷ 물: $72 \div 24 = 3$(병)
❸ 주스: $48 \div 24 = 2$(병)

독해력 유형 2 ❶ 6과 8의 최소공배수: $2 \times 3 \times 4 = 24$
➡ 규혜와 민수는 출발점에서 24분마다 다시 만납니다.
❷ 24의 배수: 24, 48, 72……
➡ 규혜와 민수는 출발 후 24분, 48분, 72분…… 후에 출발점에서 다시 만납니다.
❸ 24분, 48분 ➡ 2번

쌍둥이 유형 2-1 ❶ 4와 5의 최소공배수: 20
➡ 경희와 주아는 출발점에서 20분마다 다시 만납니다.
❷ 20의 배수: 20, 40, 60……
➡ 경희와 주아는 출발 후 20분, 40분, 60분…… 후에 출발점에서 다시 만납니다.
❸ 20분, 40분 ➡ 2번

쌍둥이 유형 2-2 ❶ 5와 3의 최소공배수: 15
➡ 성재와 소라는 출발점에서 15분마다 다시 만납니다.
❷ 15의 배수: 15, 30, 45, 60……
➡ 성재와 소라는 출발 후 15분, 30분, 45분, 60분…… 후에 출발점에서 다시 만납니다.
❸ 15분, 30분, 45분 ➡ 3번

4 STEP 사고력 플러스 유형   52~55쪽

1-1 예 27=3×9   **1-2** 예 24=4×6

1-3 36은 3과 12의 배수이고, 3과 12는 36의 약수입니다.

2-1 18   **2-2** 40   **2-3** 42

2-4 48   **3-1** 1, 5, 25   **3-2** 1, 2, 7, 14

3-3 30, 60, 90   **3-4** 18, 36, 54   **4-1** 1, 2, 4, 8

4-2 예 12와 30을 어떤 수로 나누었을 때 나누어떨어지는 수는 두 수의 공약수입니다.

```
2 ) 12  30      12와 30의 최대공약수:
3 )  6  15         2×3=6
     2   5
```

따라서 어떤 수가 될 수 있는 자연수는 6의 약수인 1, 2, 3, 6입니다.   답 1, 2, 3, 6

4-3 1, 2, 3, 6, 9, 18   **5-1** 6번

5-2 예 13의 배수: 13, 26, 39, 52, 65……

버스가 출발하는 시각: 오전 9시, 오전 9시 13분, 오전 9시 26분, 오전 9시 39분, 오전 9시 52분

➡ 5번   답 5번

5-3 오후 1시 24분   **6-1** 24, 36

6-2 예 4의 배수이면서 2의 배수인 수: 4의 배수

4의 배수: 4, 8, 12, 16, 20, 24, 28, 32……

➡ 10부터 30까지의 수 중에서 4의 배수: 12, 16, 20, 24, 28   답 12, 16, 20, 24, 28

6-3 105

7-1 단계 1 15, 16, 17, 18, 19, 20

단계 2 16, 18, 20   단계 3 18

7-2 12

8-1 단계 1 40, 35   단계 2 5   단계 3 1, 5   단계 4 5

8-2 8

2-1 어떤 수의 배수 중 가장 작은 수는 3이므로 3의 배수를 쓴 것입니다. ➡ □=3×6=18

2-2 어떤 수의 배수 중 가장 작은 수가 8이므로 8의 배수를 쓴 것입니다. ➡ □=8×5=40

2-3 어떤 수의 배수 중 가장 작은 수가 6이므로 6의 배수를 쓴 것입니다. 6의 배수를 작은 수부터 차례로 썼을 때 7번째 수는 6×7=42입니다.

2-4 어떤 수의 배수 중 가장 작은 수가 4이므로 4의 배수를 쓴 것입니다. ➡ 4×12=48

3-1 25의 약수: 1, 5, 25 ➡ 두 수의 공약수: 1, 5, 25

3-2 14의 약수: 1, 2, 7, 14

➡ 28과 어떤 수의 공약수: 1, 2, 7, 14

3-3 두 수의 최소공배수가 30일 때 두 수의 공배수는 30의 배수입니다. ➡ 30의 배수: 30, 60, 90……

3-4 두 수의 최소공배수가 18일 때 두 수의 공배수는 18의 배수입니다. ➡ 18의 배수: 18, 36, 54……

4-1 32와 24를 어떤 수로 나누었을 때 나누어떨어지는 수는 두 수의 공약수입니다.

```
2 ) 32  24
2 ) 16  12
2 )  8   6
     4   3
```

➡ 32와 24의 최대공약수: 2×2×2=8

따라서 어떤 수가 될 수 있는 자연수는 8의 약수인 1, 2, 4, 8입니다.

4-2 평가 기준

12와 30의 공약수를 구해야 함을 알고 구했으면 정답입니다.

4-3 54와 72를 어떤 수로 나누었을 때 나누어떨어지는 수는 두 수의 공약수입니다.

```
3 ) 54  72
3 ) 18  24
2 )  6   8
     3   4
```

➡ 54와 72의 최대공약수: 3×3×2=18

따라서 어떤 수가 될 수 있는 자연수는 18의 약수인 1, 2, 3, 6, 9, 18입니다.

5-1 11의 배수: 11, 22, 33, 44, 55, 66……

버스가 출발하는 시각: 오전 10시, 오전 10시 11분, 오전 10시 22분, 오전 10시 33분, 오전 10시 44분, 오전 10시 55분 ➡ 6번

5-2 평가 기준

13의 배수를 구하여 버스가 출발하는 시각과 횟수를 구했으면 정답입니다.

5-3 6의 배수: 6, 12, 18, 24, 30……

버스가 출발하는 시각: 오후 1시, 오후 1시 6분, 오후 1시 12분, 오후 1시 18분, 오후 1시 24분, 오후 1시 30분……

➡ 따라서 5번째로 출발하는 버스는 오후 1시 24분에 출발합니다.

6-1 3의 배수이면서 4의 배수인 수: 12의 배수
12의 배수: 12, 24, 36, 48, 60……
➡ 20부터 40까지의 수 중에서 12의 배수: 24, 36

6-2 **평가 기준**
4와 2의 공배수를 구하여 조건에 맞는 수를 모두 구했으면 정답입니다.

6-3 5의 배수이면서 3의 배수인 수: 15의 배수
15의 배수: 15, 30, 45, 60, 75, 90, 105……
➡ 15의 배수 중에서 100에 가장 가까운 수: 105

주의
100에 가장 가까운 수를 찾을 때에는 100보다 작은 수와 100보다 큰 수를 모두 알아봐야 합니다.

7-1 **단계2** 15, 16, 17, 18, 19, 20 중 2의 배수: 16, 18, 20
단계3 16, 18, 20 중 18의 약수: 18
따라서 조건을 모두 만족하는 수는 18입니다.

7-2 **조건1** 10보다 크고 18보다 작은 수: 11, 12, 13, 14, 15, 16, 17
조건2 11, 12, 13, 14, 15, 16, 17 중 4의 배수: 12, 16
조건3 12, 16 중 24의 약수: 12
따라서 조건을 모두 만족하는 수는 12입니다.

8-1 **단계1** 어떤 수로 43−3=40과 36−1=35를 나누면 나누어떨어지므로 어떤 수는 40과 35의 공약수입니다.
5) 40 35 ➡ 최대공약수: 5
   8 7
단계2 5의 약수: 1, 5
단계3 어떤 수는 나머지인 3과 1보다 커야 하므로 5입니다.

주의
나눗셈에서 나머지는 항상 나누는 수보다 작아야 합니다.

8-2 어떤 수로 57−1=56과 45−5=40을 나누면 나누어떨어지므로 어떤 수는 56과 40의 공약수입니다.
2) 56 40 ➡ 최대공약수: 2×2×2=8
2) 28 20
2) 14 10
   7 5
8의 약수는 1, 2, 4, 8이므로 어떤 수가 될 수 있는 수는 1, 2, 4, 8입니다. 따라서 어떤 수는 나머지인 1과 5보다 커야 하므로 8입니다.

유형 TEST

1 3, 3, 9 **2** (1) 배수 (2) 약수
3 (위에서부터) 3, 7, 21 / 1, 3, 7, 21
4 ④ **5** 60 **6** 3개
7 (×)(○) **8** 4, 12 / 6, 12
9 1, 2, 3, 6 / 6 **10** 70 **11** ㉢
12 1 **13** 20 **14** 9, 18, 27
15 4 cm **16** 2번
17 예 ❶ 14와 42를 어떤 수로 나누었을 때 나누어떨어지는 수는 두 수의 공약수입니다.
❷ 2) 14 42 ➡ 14와 42의 최대공약수:
  7) 7 21   2×7=14
     1 3
❸ 따라서 어떤 수가 될 수 있는 자연수는 14의 약수인 1, 2, 7, 14입니다. **답** 1, 2, 7, 14
18 예 ❶ 18의 배수: 18, 36, 54, 72……
❷ 오전 7시부터 오전 8시까지 버스가 출발하는 시각: 오전 7시, 오전 7시 18분, 오전 7시 36분, 오전 7시 54분
❸ ➡ 4번 **답** 4번
19 예 ❶ 2의 배수이면서 5의 배수인 수: 10의 배수
❷ 10의 배수: 10, 20, 30, 40, 50……
❸ 15부터 45까지의 수 중에서 10의 배수: 20, 30, 40 **답** 20, 30, 40
20 예 ❶ 10보다 크고 20보다 작은 자연수: 11, 12, 13, 14, 15, 16, 17, 18, 19
❷ 11, 12, 13, 14, 15, 16, 17, 18, 19 중 3의 배수: 12, 15, 18
❸ 12, 15, 18 중 30의 약수: 15
➡ 조건을 모두 만족하는 수는 15입니다. **답** 15

6 6의 배수: 6, 12, 18, 24, 30…… ➡ 3개

7 7×9=63

8 4×3=12, 6×2=12

10 10=2×5 14=2×7
➡ 최소공배수: 2×5×7=70

11 ㉠ 10의 약수: 1, 2, 5, 10
㉢ 4와 6은 약수와 배수의 관계가 아닙니다.

13 6의 약수: 1, 2, 3, 6 ➡ 4개
20의 약수: 1, 2, 4, 5, 10, 20 ➡ 6개
11의 약수: 1, 11 ➡ 2개

15

$$\begin{array}{c|cc} 2 & 24 & 20 \\ \hline 2 & 12 & 10 \\ \hline & 6 & 5 \end{array}$$ → 최대공약수: $2 \times 2 = 4$

16 4와 3의 공배수는 12이므로 12번째마다 같은 자리에 흰 바둑돌을 놓습니다.
→ 12의 배수: 12, 24, 36……
따라서 바둑돌을 30개씩 놓을 때 같은 자리에 흰 바둑돌을 놓는 경우는 12번째, 24번째입니다. → 2번

17

채점 기준		
❶ 14와 42의 공약수를 구해야 함을 앎.	1점	
❷ 14와 42의 최대공약수를 구함.	2점	5점
❸ 어떤 수가 될 수 있는 자연수를 모두 구함.	2점	

18

채점 기준		
❶ 18의 배수를 구함.	2점	
❷ 버스가 출발하는 시각을 구함.	2점	5점
❸ 버스는 몇 번 출발하는지 구함.	1점	

19

채점 기준		
❶ 어떤 수의 배수를 구해야 하는지 앎.	1점	
❷ 2와 5의 공배수를 구함.	3점	5점
❸ 조건에 맞는 수를 모두 구함.	1점	

20

채점 기준		
❶ [조건1]을 만족하는 수를 모두 구함.	2점	
❷ ❶ 중 [조건2]를 만족하는 수를 모두 구함.	2점	5점
❸ ❷ 중 [조건3]을 만족하는 수를 구함.	1점	

앞단원 유형 다시 보기 59쪽

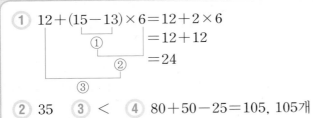

① $12 + (15 - 13) \times 6 = 12 + 2 \times 6$
$= 12 + 12$
$= 24$

② 35   ③ <   ④ $80 + 50 - 25 = 105$, 105개

② $(2+6) \times 5 - 20 \div 4 = 8 \times 5 - 20 \div 4$
$= 40 - 20 \div 4 = 40 - 5 = 35$

③ $13 + (20 - 15) \div 5 = 13 + 5 \div 5 = 13 + 1 = 14$
$13 + 20 - 15 \div 5 = 13 + 20 - 3 = 33 - 3 = 30$

재미있는 창의·융합·코딩 60~61쪽

코딩1 ❶ 9, 맞아에 ○표 ❷ 7, 아니야에 ○표
창의2 (위에서부터) 계유, 무자, 을미, 경술, 임술 / 12, 60 / 기축

3. 규칙과 대응

1 STEP 개념별 유형 64~67쪽

1 ( )(○)   2 2
3 4개   4 4개씩
5 20, 40
6 예 원의 수는 사각형의 수의 4배입니다.
7 많습니다에 ○표   8 3, 4, 5
9 4, 5, 6   10 2개
11 8개
12 예 원의 수는 마름모의 수보다 2개 많습니다.
13 3, 3   14 3, 3
15 ♡＋3＝☆ (또는 ☆－3＝♡)
16 1200, 1800, 2400, 3000
17 학생 수, ×, 600
18 ◇×600＝○ (또는 ○÷600＝◇)
19 15, 20
20 예 바구니의 수의 5배입니다.
21 □×5＝△(또는 △÷5＝□)
22 예 쿠키의 수, 쿠키의 수는 쟁반의 수의 3배입니다.
23 예 쿠키의 수, ◇×3＝♡(또는 ♡÷3＝◇)
24 (왼쪽부터) 4, 20 / (누름 못의 수)－1＝(도화지의 수)
(또는 (도화지의 수)＋1＝(누름 못의 수))
25 예 동생의 나이(♡)는 내 나이(◇)보다 3살 적습니다.

1 다음에 이어질 모양은 삼각형이 1개 늘어나고 사각형이 2개 늘어납니다.

2 삼각형이 1개씩 늘어날 때 사각형은 2개씩 늘어납니다.

3 사각형이 1개일 때 원은 4개입니다.

4

사각형의 수(개)	원의 수(개)	
1	4	⎫ +4
2	8	⎬ +4
3	12	⎬ +4
4	16	⎭

5 원의 수는 사각형의 수의 4배이므로 사각형이 5개일 때 필요한 원의 수는 $5 \times 4 = 20$(개)이고 사각형이 10개일 때 필요한 원의 수는 $10 \times 4 = 40$(개)입니다.

8 삼각형의 수는 사각형의 수보다 1개 많습니다.

11 원의 수는 마름모의 수보다 2개 많습니다.
　　➡ $6+2=8$(개)

17 입장료는 학생 수의 600배입니다.
　　➡ (학생 수)×600=(입장료)

21 (바구니의 수)×5=(사과의 수)
　　또는 (사과의 수)÷5=(바구니의 수)

22 쟁반 1개에 쿠키가 3개씩 있습니다.

24 ・누름 못의 수에서 1을 빼면 도화지의 수입니다.
　　・도화지의 수에 1을 더하면 누름 못의 수입니다.

25 주어진 식이 ♡는 ◇보다 3만큼 더 적으므로 그런 관계가 이루어진 두 양을 찾아 상황을 만듭니다.

> **평가 기준**
>
> 두 양에 해당하는 2가지 단어를 선택하여 상황을 만들었으면 정답입니다.

개념 ① ~ ④ 기초력 집중 연습　68쪽

1 2　　　　　　　　　　**2** 1
3 3　　　　　　　　　　**4** 2
5 □+3=△ (또는 △−3=□)
6 ◎×3=☆ (또는 ☆÷3=◎)
7 ○÷5=◇ (또는 ◇×5=○)
8 □−7=△ (또는 △+7=□)
9 ▽×10=♡ (또는 ♡÷10=▽)
10 ○+5=△ (또는 △−5=○)

유형 진단 TEST　69쪽

1 2배　　　　　　　　**2** 6개
3 2027, 예 □, ○, □+2007=○
　　(또는 ○−2007=□)
4 □+○=40 (또는 ○+□=40)
5 예 풍선의 수는 자전거의 수의 7배입니다.
　　예 자전거 바퀴의 수는 자전거의 수의 3배입니다.
6 예 (탁자의 수)×5=(의자의 수), 예 한 탁자에 놓이는 의자의 수가 1개 늘어났기 때문에 4배였던 대응 관계가 5배로 바뀌었습니다.

1 사각형이 1개씩 늘어날 때 삼각형은 2개씩 늘어납니다.

---

2 ・초록색 사각형은 노란색 사각형보다 1개 많습니다.
　　・노란색 사각형은 초록색 사각형보다 1개 적습니다.

3 지수의 나이에 2007을 더하면 연도와 같습니다.
　　➡ $20+2007=2027$

> **참고**
>
> ○, □, △, ☆ 등과 같은 기호를 사용합니다.

4 13+27=40, 30+10=40, 5+35=40,
　　19+21=40
　　➡ □+○=40 (또는 ○+□=40)

6 **평가 기준**
>
> 의자의 수가 탁자의 수의 5배임을 알고 대응 관계를 식으로 나타내고 이유를 썼으면 정답입니다.

---

2 STEP 꼬리를 무는 유형　70~71쪽

1 2　　　　　　　　　**2** 서준
3 예 오빠의 나이는 연주의 나이보다 6살 많습니다.
4 9, 9　　　　　　　　**5** 10, 10
6 예 ◎는 ☆의 3000배입니다.
　　예 ◎를 3000으로 나누면 ☆입니다.
7 예 칸의 수, 칸막이의 수, ♡+1=◇
　　(또는 ◇−1=♡)
8 예 봉지의 수, 귤의 수, 귤의 수는 봉지의 수의 6배입니다.
9 예 돼지의 수, ○, 돼지 다리의 수, ◇ / 예 ○×4=◇
10 예 두발자전거의 수, 두발자전거 바퀴의 수
11 예 형의 나이(◎)는 동생의 나이(☆)보다 3살 많습니다.
12 예 사각형의 수를 ▽, 사각형 변의 수를 ◇라고 할 때, 사각형 변의 수는 사각형의 수의 4배입니다.

6 ・어린이 한 명의 입장료가 3000원이므로 입장료는 어린이 입장객의 수의 3000배입니다.
　　・어린이 입장객의 수는 어린이 입장료를 3000으로 나눈 수와 같습니다.

7 칸막이 수는 칸의 수보다 1개 많습니다.

10 두발자전거는 바퀴가 2개이므로 두발자전거 바퀴의 수는 두발자전거의 수의 2배입니다.

3 STEP 수학 독해력 유형 72~73쪽

독해력 유형 ①	❶ 3, 6, 9, 12 ❷ 3 ❸ 30개
쌍둥이 유형 1-1	24개
쌍둥이 유형 1-2	81개
독해력 유형 ②	❶ 5 ❷ 4
쌍둥이 유형 2-1	13
쌍둥이 유형 2-2	45

독해력 유형 ① ❷ 사각형의 수는 수 카드의 수의 3배입니다.
➡ (수 카드의 수)×3=(사각형의 수)
❸ (수 카드의 수가 10일 때 필요한 사각형의 수)
=10×3=30(개)

쌍둥이 유형 1-1 ❶ 수 카드의 수와 육각형의 수 사이의 대응 관계를 표로 나타내면 다음과 같습니다.

수 카드의 수	1	2	3	4	……
육각형의 수(개)	2	4	6	8	……

❷ 수 카드의 수와 육각형의 수 사이의 대응 관계를 식으로 나타내면 (수 카드의 수)×2=(육각형의 수)입니다.
❸ (수 카드의 수가 12일 때 필요한 육각형의 수)
=12×2=24(개)

쌍둥이 유형 1-2 ❶ 수 카드의 수와 삼각형의 수 사이의 대응 관계를 표로 나타내면 다음과 같습니다.

수 카드의 수	1	2	3	4	……
삼각형의 수(개)	1	4	9	16	……

❷ 수 카드의 수와 삼각형의 수 사이의 대응 관계를 식으로 나타내면 (수 카드의 수)×(수 카드의 수)=(삼각형의 수)입니다.
❸ (수 카드의 수가 9일 때 필요한 삼각형의 수)
=9×9=81(개)

독해력 유형 ② ❶ 지유가 말한 수에서 5를 뺀 수를 한석이가 답했습니다.
❷ 9−5=4이므로 한석이가 답하는 수는 4입니다.

쌍둥이 유형 2-1 ❶ 주현이가 말한 수에 4를 더한 수가 정화가 답한 수입니다.
주현이가 말한 수를 ♡, 정화가 답한 수를 △라고 할 때, 두 양 사이의 대응 관계를 식으로 나타내면 ♡+4=△입니다.
❷ 주현이가 9를 말할 때 정화가 답하는 수는
9+4=13입니다.

쌍둥이 유형 2-2 ❶ 가연이가 말한 수에 5를 곱한 수가 찬영이가 답한 수입니다.
가연이가 말한 수를 □, 찬영이가 답한 수를 ☆이라고 할 때, 두 양 사이의 대응 관계를 식으로 나타내면 □×5=☆입니다.
❷ 가연이가 9를 말할 때 찬영이가 답하는 수는
9×5=45입니다.

4 STEP 사고력 플러스 유형 74~77쪽

1-1 14, 15 **1-2** 3, 4
1-3 9, 24
2-1 50 **2-2** 20
2-3 56 **2-4** 23
3-1 4, 6, 8 / 예 □×2=△
3-2 6, 9, 12 / 예 ○×3=☆
3-3 6, 7 / 예 ♡+3=◇
4-1 예 누름 못의 수는 도화지의 수보다 1 큽니다.
4-2 예 못의 수는 나무토막의 수보다 1 작습니다.
4-3 예 누름 못의 수는 색종이의 수의 2배보다 2 큽니다.
5-1 200장
5-2 예

시간(초)	1	2	3	4	……
그림의 수(장)	25	50	75	100	……

(시간)×25=(그림의 수)이므로 만화 영화를 100초 상영하려면 그림은 100×25=2500(장) 필요합니다. 답 2500장
5-3 51도막
6-1 22
6-2 예 2020−8=2012, 2023−11=2012, 2027−15=2012이므로 현호의 나이는 연도보다 2012만큼 더 작은 수입니다.
따라서 2031년에 현호의 나이는
2031−2012=19(살)입니다. 답 19살
6-3 (위부터) 13, 2028
7-1 단계 ❶ 3, 4, 5 단계 ❷ 6번 단계 ❸ 36초
7-2 60분
8-1 단계 ❶ 1시간 단계 ❷ 예 □−1=△
단계 ❸ 오후 7시
8-2 오후 8시

1-1 △=5일 때 5+9=14이므로 ○=14입니다.
△=6일 때 6+9=15이므로 ○=15입니다.

1-2 ☆=8일 때 8−5=3이므로 □=3입니다.
☆=9일 때 9−5=4이므로 □=4입니다.

1-3 ◎는 ◇의 3배입니다. ➡ ◇×3=◎
◇=3일 때 3×3=9이므로 ◎=9입니다.
◇=8일 때 8×3=24이므로 ◎=24입니다.

2-1 ○는 △의 10배입니다. ➡ △×10=○
빈칸에 알맞은 수는 5×10=50입니다.

2-2 ♧는 □보다 7 작습니다. ➡ □−7=♧
빈칸에 알맞은 수는 27−7=20입니다.

2-3 ♡는 ◇의 8배입니다. ➡ ◇×8=♡
7×8=56이므로 ◇=7일 때 ♡=56입니다.

2-4 ◎는 ▽보다 9 작습니다. ➡ ▽−9=◎
▽=32일 때 32−9=23이므로 ◎=23입니다.

3-1 △는 □의 2배입니다. ➡ □×2=△

3-2 ☆은 ○의 3배입니다. ➡ ○×3=☆

3-3 ◇는 ♡보다 3 큰 수입니다. ➡ ♡+3=◇

4-1

도화지의 수(장)	1	2	3	……
누름 못의 수(개)	2	3	4	……

4-2

나무토막의 수(개)	1	2	3	4	……
못의 수(개)	0	1	2	3	……

'나무토막의 수는 못의 수보다 1 큽니다.'라고 해도 됩니다.

4-3

색종이의 수(장)	1	2	3	4	……
누름 못의 수(개)	4	6	8	10	……

➡ 누름 못의 수는 색종이의 수의 2배보다 2 큽니다.

5-1

시간(초)	1	2	3	4	……
그림의 수(장)	20	40	60	80	……

(시간)×20=(그림의 수)이므로 만화 영화를 10초 상영하려면 그림이 10×20=200(장) 필요합니다.

5-2

5-3

자른 횟수(번)	1	2	3	……
도막의 수(도막)	2	3	4	……

(자른 횟수)+1=(자른 색 테이프의 도막의 수)
따라서 50번 자르면 색 테이프는 50+1=51(도막)이 됩니다.

6-1 2020−12=2008, 2022−14=2008,
2028−20=2008이므로 수지의 나이는 연도보다 2008만큼 더 작은 수입니다.
➡ 2030년에 수지의 나이는 2030−2008=22(살)입니다.

6-2

6-3 2020−11=2009, 2031−22=2009
준영이의 나이는 연도보다 2009만큼 더 작은 수이므로 2022−2009=13(살)입니다.
연도는 준영이의 나이보다 2009만큼 더 큰 수이므로 19+2009=2028(년)입니다.

7-1 단계 ① (자른 횟수)+1=(나무 막대의 도막의 수)
단계 ② 7도막으로 자르려면 7−1=6(번) 잘라야 합니다.
단계 ③ (자른 횟수)×6=(걸리는 시간)이므로 나무 막대를 7도막으로 자르는 데 걸리는 시간은 6×6=36(초)입니다.

7-2 (자른 횟수)+1=(도막의 수)이므로 철근을 16도막으로 자르려면 16−1=15(번) 잘라야 합니다.
(자른 횟수)×4=(걸리는 시간)이므로 철근을 16도막으로 자르는 데 걸리는 시간은 15×4=60(분)입니다.

8-1 단계 ① 서울이 오후 2시일 때 싱가포르의 시각은 오후 1시이므로 싱가포르의 시각은 서울의 시각보다 2−1=1(시간) 느립니다.
단계 ③ 싱가포르는 오후 8−1=7(시)입니다.

8-2 서울이 오후 3시일 때 하노이의 시각은 오후 1시이므로 하노이의 시각은 서울의 시각보다 3−1=2(시간) 느립니다.
서울의 시각과 하노이의 시각 사이의 대응 관계를 식으로 나타내면 (하노이의 시각)=(서울의 시각)−2입니다.
➡ 서울이 오후 10시일 때 하노이는 오후 10−2=8(시)입니다.

유형 TEST

1

2 2, 3, 4

3 원, 2

4 ( )(○)

5 예 꽃의 수, 꽃병의 수, 꽃의 수는 꽃병의 수의 4배입니다.

6 3, 4, 5, 6

7 △+1=○ (또는 ○-1=△)

8 예 식탁 1개에 접시가 3개씩 있으므로 접시의 수는 식탁의 수의 3배입니다.

9 ◇×10=△ (또는 △÷10=◇)

10 80장

11 12, 4

12 우진

13 ☆+12=◇ (또는 ◇-12=☆)

14 48개

15 66

16 예 형의 나이(○)는 내 나이(□)보다 3살 많습니다.

17 예 ❶

시간(초)	1	2	3	4	……
그림의 수(장)	25	50	75	100	……

❷ (시간)×25=(그림의 수)이므로 만화 영화를 50초 상영하려면 필요한 그림은
50×25=1250(장)입니다.　　　답 1250장

18 예 ❶ 2020-9=2011, 2026-15=2011, 2031-20=2011이므로 석주의 나이는 연도보다 2011만큼 더 작은 수입니다.

❷ 따라서 2035년에 석주의 나이는
2035-2011=24(살)입니다.　　　답 24살

19 예 ❶

자른 횟수(번)	1	2	3	4	……
도막의 수(도막)	2	3	4	5	……

(자른 횟수)+1=(도막의 수)이므로 철근을 10도막으로 자르려면 10-1=9(번) 잘라야 합니다.

❷ (자른 횟수)×5=(걸리는 시간)이므로 철근을 10도막으로 자르는 데 걸리는 시간은
9×5=45(분)입니다.　　　답 45분

20 예 ❶ 서울이 오전 3시일 때 방콕의 시각은 오전 1시이므로 방콕의 시각은 서울의 시각보다 3-1=2(시간) 느립니다.
서울의 시각과 방콕의 시각 사이의 대응 관계를 식으로 나타내면
(방콕의 시각)=(서울의 시각)-2입니다.

❷ 따라서 서울이 오전 8시일 때 방콕은 오전 8-2=6(시)입니다.　　　답 오전 6시

7 의자 팔걸이의 수는 의자의 수보다 1개 많습니다.
→ △+1=○

9 (장미꽃의 수)×10=(색종이의 수)
→ ◇×10=△

10 필요한 색종이는 8×10=80(장)입니다.

11 ▽=21일 때 21-9=12이므로 ○=12입니다.
▽=13일 때 13-9=4이므로 ○=4입니다.

12 낮의 길이와 밤의 길이의 합은 24시간이므로 ◇+♡=24이고, 24-♡=◇입니다.

13 ◇는 ☆보다 12 큽니다. → ☆+12=◇

14

수 카드의 수	1	2	3	4	……
사각형의 수(개)	4	8	12	16	……

→ (수 카드의 수)×4=(사각형의 수)
따라서 수 카드의 수가 12일 때 필요한 사각형의 수는 12×4=48(개)입니다.

15 (강희가 말한 수)×6=(준서가 답한 수)
→ 강희가 11을 말할 때 준서가 답하는 수는 11×6=66입니다.

16 채점 기준

두 양에 해당하는 2가지 단어를 선택하여 상황을 만들었으면 정답입니다.

17 채점 기준

❶ 상영 시간과 그림의 수 사이의 대응 관계를 표로 나타냄.	2점	5점
❷ 만화 영화를 50초 상영하는 데 필요한 그림의 수를 구했음.	3점	

18 채점 기준

❶ 연도와 석주의 나이 사이의 대응 관계를 썼음.	2점	5점
❷ 2035년의 석주의 나이를 구함.	3점	

19 채점 기준

❶ 자른 횟수와 도막의 수 사이의 대응 관계를 표로 나타냄.	2점	5점
❷ 철근을 10도막으로 자르는 데 걸리는 시간을 구했음.	3점	

20 채점 기준

❶ 서울과 방콕의 시각 사이의 대응 관계를 바르게 썼음.	2점	5점
❷ 서울이 오전 8시일 때 방콕의 시각을 구했음.	3점	

① 1, 2, 4, 8, 16, 32

② 6, 12, 24, 36에 ○표

③ 예 2) 20　36 / 4
　　　 2) 10　18
　　　　　 5　　9

④ 오전 6시 30분

---

① $32 \div 1 = 32$, $32 \div 2 = 16$, $32 \div 4 = 8$, $32 \div 8 = 4$, $32 \div 16 = 2$, $32 \div 32 = 1$

➡ 32의 약수: 1, 2, 4, 8, 16, 32

② $6 \times 2 = 12$, $12 \times 1 = 12$이므로 6과 12는 12의 약수입니다.

$12 \times 1 = 12$, $12 \times 2 = 24$, $12 \times 3 = 36$이므로 12, 24, 36은 12의 배수입니다.

④ 5) 10　15
　　　 2　　3

➡ 10과 15의 최소공배수: $5 \times 2 \times 3 = 30$
오전 6시 이후 두 버스는 30분 후에 동시에 출발하므로 다음번에 두 버스가 동시에 출발하는 시각은 오전 6시 30분입니다.

재미있는 창의·융합·코딩   82~83쪽

코딩❶ 5, 5, 5, 8

창의❷ 예 ① 지구본
② 서랍장 손잡이 모양
③ 여학생 머리띠
④ 사각판 개수
⑤ 모형 상자 안에 모형 개수

코딩❶ 2개를 넣으면 10개가 나오고, 5개를 넣으면 25개가 나오므로 5배가 되는 규칙이므로
(넣은 양)$\times 5 =$(나오는 양)입니다.
거꾸로 보면 (나오는 양)$\div 5 =$(넣은 양)입니다.
➡ $40 \div 5 = 8$(개)이므로 마지막에 넣은 초콜릿은 8개입니다.

---

4. 약분과 통분

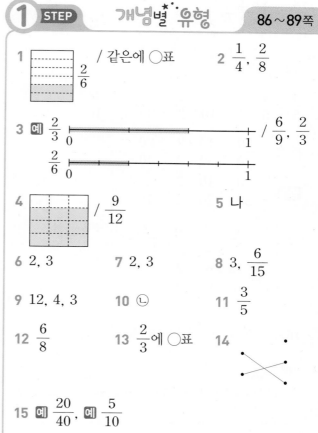

1   / 같은에 ○표   2 $\frac{1}{4}$, $\frac{2}{8}$ $\frac{2}{6}$

3 예 $\frac{2}{3}$ / $\frac{6}{9}$, $\frac{2}{3}$
　 예 $\frac{2}{6}$

4   / $\frac{9}{12}$ 5 나

6 2, 3   7 2, 3   8 3, $\frac{6}{15}$

9 12, 4, 3   10 ㉡   11 $\frac{3}{5}$

12 $\frac{6}{8}$ 13 $\frac{2}{3}$에 ○표   14

15 예 $\frac{20}{40}$, 예 $\frac{5}{10}$

16 (1) 1, 2, 3, 6 (2) 6, 6, 2 (3) $\frac{2}{3}$

17 16, 16, $\frac{1}{2}$ 18 $\frac{\overset{8}{\cancel{32}}}{\underset{9}{\cancel{36}}} = \frac{8}{9}$ 19 $\frac{2}{7}$

20 $\frac{2}{9}$에 △표   21 ㉡   22 12

23 하윤

---

1 색칠한 부분을 비교해 봅니다.

4 ㉠은 전체를 똑같이 12로 나눈 것 중 9이므로 ㉠에 알맞은 분수는 $\frac{9}{12}$입니다.

5 보기: $\frac{2}{3}$, 가: $\frac{3}{4}$, 나: $\frac{4}{6}$

9

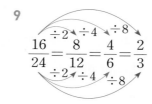

$$\frac{16}{24} = \frac{8}{12} = \frac{4}{6} = \frac{2}{3}$$

10 ㉠ $\dfrac{4}{6}=\dfrac{4\div 2}{6\div 2}=\dfrac{2}{3}$　㉡ $\dfrac{2}{5}=\dfrac{2\times 2}{5\times 2}=\dfrac{4}{10}$

12 $\dfrac{3}{4}=\dfrac{3\times 2}{4\times 2}=\dfrac{6}{8}$

13 $\dfrac{8}{12}=\dfrac{8\div 4}{12\div 4}=\dfrac{2}{3}$

14 $\dfrac{4}{5}=\dfrac{4\times 2}{5\times 2}=\dfrac{8}{10}$, $\dfrac{1}{2}=\dfrac{1\times 5}{2\times 5}=\dfrac{5}{10}$

15 방법 **1** $\dfrac{10}{20}=\dfrac{10\times 2}{20\times 2}=\dfrac{20}{40}$……

방법 **2** $\dfrac{10}{20}=\dfrac{10\div 2}{20\div 2}=\dfrac{5}{10}$……

16 (2) $\dfrac{12}{18}=\dfrac{12\div 2}{18\div 2}=\dfrac{6}{9}$, $\dfrac{12}{18}=\dfrac{12\div 3}{18\div 3}=\dfrac{4}{6}$,

$\dfrac{12}{18}=\dfrac{12\div 6}{18\div 6}=\dfrac{2}{3}$

17 16과 32의 최대공약수: 16 ➡ $\dfrac{\overset{1}{16}}{\underset{2}{32}}=\dfrac{1}{2}$

> 참고
> 기약분수로 나타낼 때 분모와 분자를 최대공약수로 나누면
> 편리합니다.

18 $\dfrac{32}{36}$의 분모와 분자를 각각 4로 나눕니다. ➡ $\dfrac{\overset{8}{32}}{\underset{9}{36}}=\dfrac{8}{9}$

19 $\dfrac{3}{9}=\dfrac{3\div 3}{9\div 3}=\dfrac{1}{3}$이므로 $\dfrac{3}{9}$은 기약분수가 아닙니다.

$\dfrac{4}{10}=\dfrac{4\div 2}{10\div 2}=\dfrac{2}{5}$이므로 $\dfrac{4}{10}$는 기약분수가 아닙니다.

20 18과 54의 공약수: 1, 2, 3, 6, 9, 18

$\dfrac{\overset{9}{18}}{\underset{27}{54}}=\dfrac{9}{27}$, $\dfrac{\overset{6}{18}}{\underset{18}{54}}=\dfrac{6}{18}$, $\dfrac{\overset{2}{18}}{\underset{6}{54}}=\dfrac{2}{6}$

21 ㉠ $\dfrac{8}{10}=\dfrac{8\div 2}{10\div 2}=\dfrac{4}{5}$　㉡ $\dfrac{14}{21}=\dfrac{14\div 7}{21\div 7}=\dfrac{2}{3}$

㉢ $\dfrac{12}{15}=\dfrac{12\div 3}{15\div 3}=\dfrac{4}{5}$

22 $\dfrac{24}{36}$를 한 번만 약분하여 기약분수로 나타내려면 분모와 분자의 최대공약수로 나누어야 합니다.

➡ 24와 36의 최대공약수: 12

23 지호: 분모와 분자를 각각 0이 아닌 같은 수로 나누어야 합니다.

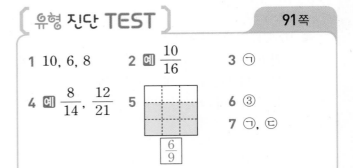

> 개념 **1~3**　기초력 집중 연습　**90쪽**
>
> **1** 예 $\dfrac{6}{14}$　**2** 예 $\dfrac{10}{12}$　**3** 예 $\dfrac{5}{15}$　**4** 예 $\dfrac{4}{6}$
> **5** ×　**6** ○　**7** ○
> **8** $\dfrac{1}{3}$　**9** $\dfrac{2}{3}$　**10** $\dfrac{4}{7}$
> **11** $\dfrac{5}{8}$　**12** $\dfrac{3}{4}$　**13** $\dfrac{3}{4}$

> 유형 진단 TEST　**91쪽**
>
> **1** 10, 6, 8　**2** 예 $\dfrac{10}{16}$　**3** ㉠
> **4** 예 $\dfrac{8}{14}$, $\dfrac{12}{21}$　**5** (그림)　**6** ③
> 　　　　　　　　　　　　$\dfrac{6}{9}$　**7** ㉠, ㉢

3 ㉠ $\dfrac{\overset{5}{10}}{\underset{7}{14}}=\dfrac{5}{7}$　㉡ $\dfrac{\overset{2}{14}}{\underset{5}{35}}=\dfrac{2}{5}$

4 $\dfrac{4}{7}=\dfrac{4\times 2}{7\times 2}=\dfrac{8}{14}$, $\dfrac{4}{7}=\dfrac{4\times 3}{7\times 3}=\dfrac{12}{21}$

5 크기가 같게 색칠하면 전체를 똑같이 9로 나눈 것 중 6이므로 $\dfrac{6}{9}$입니다.

6 분모와 분자의 최대공약수로 각각 나눕니다.

① $\dfrac{\overset{1}{2}}{\underset{3}{6}}=\dfrac{1}{3}$　③ $\dfrac{\overset{2}{8}}{\underset{3}{12}}=\dfrac{2}{3}$　④ $\dfrac{\overset{4}{12}}{\underset{5}{15}}=\dfrac{4}{5}$　⑤ $\dfrac{\overset{7}{14}}{\underset{9}{18}}=\dfrac{7}{9}$

7 ㉠, ㉢: 분모와 분자를 각각 0이 아닌 같은 수로 나누어서 만들었습니다.

㉡: 분모와 분자에 각각 0이 아닌 같은 수를 곱해서 만들었습니다.

1 6, 6, 12 / 8, 12 **2** 3, 7 / $\dfrac{9}{21}$, $\dfrac{7}{21}$

3 12, 10 **4** ④

5   **6** 24

7 (1) $\dfrac{25}{60}$, $\dfrac{18}{60}$ (2) $\dfrac{15}{24}$, $\dfrac{14}{24}$

8 75, 45, 75

9 방법 1

$\left(\dfrac{1}{4}, \dfrac{3}{8}\right) \rightarrow \left(\dfrac{1\times8}{4\times8}, \dfrac{3\times4}{8\times4}\right) \rightarrow \left(\dfrac{8}{32}, \dfrac{12}{32}\right)$

방법 2

$\left(\dfrac{1}{4}, \dfrac{3}{8}\right) \rightarrow \left(\dfrac{1\times2}{4\times2}, \dfrac{3}{8}\right) \rightarrow \left(\dfrac{2}{8}, \dfrac{3}{8}\right)$

10 >, > **11** 6, 7, < **12** =

13 ㉡

14 $\dfrac{2}{9} < \dfrac{5}{12}$ | $\dfrac{4}{7} > \dfrac{5}{8}$

15 고구마 **16** 가 컵 **17** $\dfrac{3}{5}$

18 서아 **19** 성수

20 (1) 8, < / 6, > / 3, 4, < (2) $\dfrac{2}{5}$, $\dfrac{1}{3}$, $\dfrac{1}{4}$

21 $\dfrac{5}{6}$ **22** (위에서부터) $\dfrac{3}{10}$, $\dfrac{6}{10}$ / 0.3, 0.7

23 0.8 **24** · **25** 3, 6, <

26 6 / <, 0.6 / < **27** 6, 0.6 / >

28 < **29** ㉡

30 ㉠ **31** 수영장

32 (1) 1.25, 0.8 (2) $1\dfrac{1}{4}$ **33** 지호

34 예 $\dfrac{7}{8}$ ├─┼─┼─┼─┼─┼─┼─┤ / <
0   1

35 (1) < (2) > **36** $\dfrac{3}{4}$

3 $\left(\dfrac{4}{5}, \dfrac{2}{3}\right) \rightarrow \left(\dfrac{4\times3}{5\times3}, \dfrac{2\times5}{3\times5}\right) \rightarrow \left(\dfrac{12}{15}, \dfrac{10}{15}\right)$

4 공통분모가 될 수 있는 수는 분모의 공배수입니다.

5 $\left(\dfrac{5}{6}, \dfrac{2}{9}\right) \rightarrow \left(\dfrac{5\times3}{6\times3}, \dfrac{2\times2}{9\times2}\right) \rightarrow \left(\dfrac{15}{18}, \dfrac{4}{18}\right)$

6 공통분모가 될 수 있는 수 중에서 가장 작은 수는 분모의 최소공배수입니다. ➡ 8과 6의 최소공배수: 24

7 (1) 12와 10의 최소공배수: 60

$\left(\dfrac{5}{12}, \dfrac{3}{10}\right) \rightarrow \left(\dfrac{5\times5}{12\times5}, \dfrac{3\times6}{10\times6}\right) \rightarrow \left(\dfrac{25}{60}, \dfrac{18}{60}\right)$

8 $\left(\dfrac{11}{15}, \dfrac{3}{5}\right) \rightarrow \left(\dfrac{11\times5}{15\times5}, \dfrac{3\times15}{5\times15}\right) \rightarrow \left(\dfrac{55}{75}, \dfrac{45}{75}\right)$

따라서 ㉠=75, ㉡=45, ㉢=75입니다.

11 $\left(\dfrac{2}{7}, \dfrac{1}{3}\right) \rightarrow \left(\dfrac{2\times3}{7\times3}, \dfrac{1\times7}{3\times7}\right) \rightarrow \left(\dfrac{6}{21}, \dfrac{7}{21}\right)$

$\rightarrow \dfrac{6}{21} < \dfrac{7}{21} \rightarrow \dfrac{2}{7} < \dfrac{1}{3}$

12 $\left(\dfrac{4}{9}, \dfrac{12}{27}\right) \rightarrow \left(\dfrac{12}{27}, \dfrac{12}{27}\right) \rightarrow \dfrac{4}{9} = \dfrac{12}{27}$

13 $\left(1\dfrac{7}{8}, 1\dfrac{8}{9}\right) \rightarrow \left(1\dfrac{63}{72}, 1\dfrac{64}{72}\right) \rightarrow 1\dfrac{7}{8} < 1\dfrac{8}{9}$

다른 풀이

분자가 분모보다 1만큼 더 작은 분수는 분모가 클수록 큽니다. 따라서 분모를 비교하면 8<9이므로 $1\dfrac{7}{8} < 1\dfrac{8}{9}$입니다.

14 $\left(\dfrac{2}{9}, \dfrac{5}{12}\right) \rightarrow \left(\dfrac{8}{36}, \dfrac{15}{36}\right) \rightarrow \dfrac{2}{9} < \dfrac{5}{12}$

$\left(\dfrac{4}{7}, \dfrac{5}{8}\right) \rightarrow \left(\dfrac{32}{56}, \dfrac{35}{56}\right) \rightarrow \dfrac{4}{7} < \dfrac{5}{8}$

15 $\left(\dfrac{2}{7}, \dfrac{3}{10}\right) \rightarrow \left(\dfrac{20}{70}, \dfrac{21}{70}\right) \rightarrow \dfrac{2}{7} < \dfrac{3}{10}$

따라서 더 무거운 것은 고구마입니다.

16 $\left(\dfrac{7}{10}, \dfrac{5}{6}\right) \rightarrow \left(\dfrac{21}{30}, \dfrac{25}{30}\right) \rightarrow \dfrac{7}{10} < \dfrac{5}{6}$

따라서 물이 더 적게 들어 있는 컵은 가 컵입니다.

17 $\left(\dfrac{2}{3}, \dfrac{3}{5}\right) \rightarrow \left(\dfrac{10}{15}, \dfrac{9}{15}\right) \rightarrow \dfrac{2}{3} > \dfrac{3}{5}$

$\left(\dfrac{2}{3}, \dfrac{5}{7}\right) \rightarrow \left(\dfrac{14}{21}, \dfrac{15}{21}\right) \rightarrow \dfrac{2}{3} < \dfrac{5}{7}$

18 서아: 분모가 다른 분수는 통분한 후 분자의 크기를 비교합니다.

19 $\left(\dfrac{2}{5}, \dfrac{3}{8}\right) \rightarrow \left(\dfrac{16}{40}, \dfrac{15}{40}\right) \rightarrow \dfrac{2}{5} > \dfrac{3}{8}$

20 (2) $\dfrac{1}{4} < \dfrac{2}{5}$, $\dfrac{2}{5} > \dfrac{1}{3}$, $\dfrac{1}{4} < \dfrac{1}{3}$

따라서 크기가 큰 분수부터 차례로 쓰면 $\dfrac{2}{5}$, $\dfrac{1}{3}$, $\dfrac{1}{4}$입니다.

21 $\frac{4}{5} > \frac{3}{7}$, $\frac{3}{7} < \frac{5}{6}$, $\frac{4}{5} < \frac{5}{6}$

➡ 따라서 가장 큰 분수는 $\frac{5}{6}$입니다.

23 $\frac{4}{5} = \frac{4 \times 2}{5 \times 2} = \frac{8}{10} = 0.8$

24 $\frac{1}{2} = \frac{1 \times 5}{2 \times 5} = \frac{5}{10} = 0.5$

$\frac{3}{5} = \frac{3 \times 2}{5 \times 2} = \frac{6}{10} = 0.6$

25 $\left(\frac{6}{20}, \frac{18}{30} \right) \Rightarrow \left(\frac{3}{10}, \frac{6}{10} \right)$

$\Rightarrow \frac{3}{10} < \frac{6}{10} \Rightarrow \frac{6}{20} < \frac{18}{30}$

28 $0.7 = \frac{7}{10}$, $\frac{4}{5} = \frac{8}{10} \Rightarrow \frac{7}{10} < \frac{8}{10} \Rightarrow 0.7 < \frac{4}{5}$

다른 풀이

$\frac{4}{5} = \frac{8}{10} = 0.8 \Rightarrow 0.7 < 0.8 \Rightarrow 0.7 < \frac{4}{5}$

29 ㉠ $\frac{11}{20} = \frac{55}{100} = 0.55$, $0.55 > 0.5 \Rightarrow \frac{11}{20} > 0.5$

30 ㉠ $\frac{2}{5} = \frac{4}{10} = 0.4 \Rightarrow 0.3 < 0.4 \Rightarrow 0.3 < \frac{2}{5}$

㉡ $2\frac{1}{2} = 2\frac{5}{10} = 2.5 \Rightarrow 2.5 > 2.3 \Rightarrow 2\frac{1}{2} > 2.3$

31 $\frac{47}{50} = \frac{94}{100} = 0.94 \Rightarrow 0.96 > 0.94 \Rightarrow 0.96 > \frac{47}{50}$

32 (1) $1\frac{1}{4} = 1\frac{25}{100} = 1.25$, $\frac{4}{5} = \frac{8}{10} = 0.8$

(2) $1\frac{1}{4} = 1.25$, $\frac{4}{5} = 0.8$이므로 1.25, 0.8, 1.1을 비교하면 가장 큰 수는 $1.25 = 1\frac{1}{4}$입니다.

33 $\frac{1}{5} = \frac{2}{10} = 0.2 \Rightarrow 0.17 < 0.2 \Rightarrow 0.17 < \frac{1}{5}$

35 (1) $\frac{2}{3}$와 $\frac{3}{4}$의 분모를 비교하면 $3 < 4$이므로 $\frac{2}{3} < \frac{3}{4}$입니다.

(2) $\frac{8}{9}$과 $\frac{6}{7}$의 분모를 비교하면 $9 > 7$이므로 $\frac{8}{9} > \frac{6}{7}$입니다.

36 분자가 분모보다 1만큼 더 작은 수이므로 분모가 가장 작은 $\frac{3}{4}$이 가장 작은 수입니다.

1 $\frac{15}{18}$, $\frac{12}{18}$ 　　**2** $\frac{24}{40}$, $\frac{25}{40}$

3 $\frac{36}{40}$, $\frac{15}{40}$ 　　**4** $\frac{15}{72}$, $\frac{16}{72}$

5 > 　　**6** < 　　**7** =

8 0.3, $\frac{1}{4}$ 　**9** 1.4, $1\frac{4}{5}$ 　**10** $\frac{3}{4}$, 0.76

1 $\frac{3}{8}$, $\frac{4}{8}$ 　　**2** < 　　**3** $\frac{2}{3}$에 △표

4 ㉠ 　　　　**5** 20, 36, 36 　**6** $\frac{4}{7}$, $\frac{3}{4}$, $\frac{7}{9}$

7 현서

2 $2.3 = 2\frac{3}{10}$

$\left(2\frac{3}{10}, 2\frac{1}{3} \right) \Rightarrow \left(2\frac{9}{30}, 2\frac{10}{30} \right) \Rightarrow 2\frac{3}{10} < 2\frac{1}{3}$

$\Rightarrow 2.3 < 2\frac{1}{3}$

3 $\left(\frac{2}{3}, \frac{7}{10} \right) \Rightarrow \left(\frac{20}{30}, \frac{21}{30} \right) \Rightarrow \frac{2}{3} < \frac{7}{10}$

4 ㉠ 분모가 다른 분수의 크기 비교는 통분하여 분자끼리 비교합니다.

5 두 분수를 통분했으므로 ㉡과 ㉢은 같습니다. $\frac{5}{6}$의 분자에 6을 곱했으므로 ㉢$= 6 \times 6 = 36$이고 ㉡$= 36$입니다. $9 \times 4 = 36$이므로 ㉠$= 5 \times 4 = 20$입니다.

6 $\left(\frac{4}{7}, \frac{7}{9} \right) \Rightarrow \left(\frac{36}{63}, \frac{49}{63} \right) \Rightarrow \frac{4}{7} < \frac{7}{9}$

$\left(\frac{7}{9}, \frac{3}{4} \right) \Rightarrow \left(\frac{28}{36}, \frac{27}{36} \right) \Rightarrow \frac{7}{9} > \frac{3}{4}$

$\left(\frac{4}{7}, \frac{3}{4} \right) \Rightarrow \left(\frac{16}{28}, \frac{21}{28} \right) \Rightarrow \frac{4}{7} < \frac{3}{4}$

따라서 크기가 작은 수부터 차례로 쓰면 $\frac{4}{7}$, $\frac{3}{4}$, $\frac{7}{9}$입니다.

7 $\frac{1}{2}$, $\frac{2}{3}$, $\frac{2}{5}$의 크기를 비교하면 가장 작은 수는 $\frac{2}{5}$이므로 사탕을 가장 적게 먹은 사람은 현서입니다.

② STEP 꼬리를 무는 유형 100~101쪽

1 2.75
2 $\frac{9}{10}$
3 $1\frac{1}{4}$

4 0.85 L
5 예 $\frac{16}{20}$, $\frac{24}{30}$
6 $\frac{8}{10}$, $\frac{4}{5}$

7 예 $\frac{7}{9}$, $\frac{28}{36}$
8 $\frac{7}{13}$

9 $\frac{9}{14}$
10 시우

11 $\frac{16}{24}$, $\frac{8}{12}$, $\frac{4}{6}$, $\frac{2}{3}$
12 $\frac{1}{4}$, $\frac{3}{12}$에 ○표

13 $\frac{3}{4}$
14 $\frac{4}{10}$, $\frac{2}{5}$

4 $\frac{17}{20} = \frac{85}{100} = 0.85$ ➡ 0.85 L

5 $\frac{8}{10} = \frac{8 \times 2}{10 \times 2} = \frac{16}{20}$, $\frac{8}{10} = \frac{8 \times 3}{10 \times 3} = \frac{24}{30}$ ······

6 $\frac{16}{20} = \frac{16 \div 2}{20 \div 2} = \frac{8}{10}$, $\frac{16}{20} = \frac{16 \div 4}{20 \div 4} = \frac{4}{5}$

7 $\frac{14}{18} = \frac{14 \div 2}{18 \div 2} = \frac{7}{9}$, $\frac{14}{18} = \frac{14 \times 2}{18 \times 2} = \frac{28}{36}$ ······

8 $\left(\frac{7}{13}, \frac{20}{39} \right)$ ➡ $\left(\frac{21}{39}, \frac{20}{39} \right)$ ➡ $\frac{7}{13} > \frac{20}{39}$

9 $\left(\frac{4}{7}, \frac{1}{2}, \frac{9}{14} \right)$ ➡ $\frac{1}{2} < \frac{4}{7} < \frac{9}{14}$

10 $\left(\frac{13}{15}, \frac{8}{9} \right)$ ➡ $\left(\frac{39}{45}, \frac{40}{45} \right)$ ➡ $\frac{13}{15} < \frac{8}{9}$

11 32와 48의 공약수: 1, 2, 4, 8, 16

$\frac{\overset{16}{\cancel{32}}}{\underset{24}{\cancel{48}}} = \frac{16}{24}$, $\frac{\overset{8}{\cancel{32}}}{\underset{12}{\cancel{48}}} = \frac{8}{12}$, $\frac{\overset{4}{\cancel{32}}}{\underset{6}{\cancel{48}}} = \frac{4}{6}$, $\frac{\overset{2}{\cancel{32}}}{\underset{3}{\cancel{48}}} = \frac{2}{3}$

12 9와 36의 공약수: 1, 3, 9

$\frac{\overset{3}{\cancel{9}}}{\underset{12}{\cancel{36}}} = \frac{3}{12}$, $\frac{\overset{1}{\cancel{9}}}{\underset{4}{\cancel{36}}} = \frac{1}{4}$

13 $\frac{18}{24} = \frac{18 \div 6}{24 \div 6} = \frac{3}{4}$

14 분모가 20이고 분자가 8인 진분수: $\frac{8}{20}$

8과 20의 공약수: 1, 2, 4

➡ $\frac{\overset{4}{\cancel{8}}}{\underset{10}{\cancel{20}}} = \frac{4}{10}$, $\frac{\overset{2}{\cancel{8}}}{\underset{5}{\cancel{20}}} = \frac{2}{5}$

③ STEP 수학 독해력 유형 102~103쪽

독해력 유형 ❶ ❶ $\frac{2}{3}$, $\frac{1}{2}$ ❷ $\frac{4}{6}$, $\frac{2}{3}$

❸ 주스, 물

쌍둥이 유형 ❶-1 사과주스, 망고주스

쌍둥이 유형 ❶-2 매실차, 녹차

독해력 유형 ❷ ❶ 1, 2, 3, 4, 5, 6, 7

❷ 1, 3, 5, 7   ❸ 4개

쌍둥이 유형 ❷-1 2개

쌍둥이 유형 ❷-2 4개

독해력 유형 ❶ ❷ $\frac{4}{6} = \frac{4 \div 2}{6 \div 2} = \frac{2}{3}$

❸ 주스가 $\frac{4}{6} = \frac{2}{3}$, 물이 $\frac{2}{3}$이므로 같은 양이 담긴 음료는 주스와 물입니다.

쌍둥이 유형 ❶-1 ❶ 사과주스: $\frac{1}{3}$, 포도주스: $\frac{1}{2}$,

망고주스: $\frac{2}{6}$

❷ 이 중 크기가 같은 분수는 $\frac{1}{3}$과 $\frac{2}{6}$입니다.

❸ 따라서 같은 양이 담긴 음료는 사과주스와 망고주스입니다.

쌍둥이 유형 ❶-2 ❶ 매실차: $\frac{2}{4}$, 사이다: $\frac{2}{3}$, 녹차: $\frac{1}{2}$

❷ 이 중 크기가 같은 분수는 $\frac{2}{4}$와 $\frac{1}{2}$입니다.

❸ 따라서 같은 양이 담긴 음료는 매실차와 녹차입니다.

독해력 유형 ❷ ❶ $\frac{\square}{8}$가 진분수가 되려면 □ 안에는 1부터 7까지의 수가 들어갈 수 있습니다.

❷ $\frac{\square}{8}$는 진분수인 기약분수이므로 □ 안에 들어갈 수 있는 수는 1, 3, 5, 7입니다.

❸ 1, 3, 5, 7 ➡ 4개

쌍둥이 유형 ❷-1 ❶ $\frac{\square}{6}$가 진분수가 되려면 □ 안에는 1, 2, 3, 4, 5가 들어갈 수 있습니다.

❷ $\frac{\square}{6}$는 진분수인 기약분수이므로 □ 안에 들어갈 수 있는 수는 1, 5입니다.

❸ 따라서 □ 안에 들어갈 수 있는 수는 모두 2개입니다.

쌍둥이 유형 2-2

❶ $\dfrac{\square}{12}$가 진분수가 되려면 □ 안에는 1, 2, 3, 4, 5, 6, 7, 8, 9, 10, 11이 들어갈 수 있습니다.

❷ $\dfrac{\square}{12}$가 진분수인 기약분수이므로 □ 안에 들어갈 수 있는 수는 1, 5, 7, 11입니다.

❸ 따라서 □ 안에 들어갈 수 있는 수는 모두 4개입니다.

4 STEP 사고력 플러스 유형　104~107쪽

1-1 $\dfrac{7}{10}$, $\dfrac{6}{10}$　　　　**1-2** $\dfrac{22}{24}$, $\dfrac{15}{24}$

1-3 방법 1 $\dfrac{50}{60}$, $\dfrac{54}{60}$　방법 2 $\dfrac{25}{30}$, $\dfrac{27}{30}$

2-1 $\dfrac{5}{7}$, $\dfrac{5}{8}$　　　　　**2-2** $\dfrac{3}{7}$, $\dfrac{5}{6}$

2-3 10, 2　　　　　**2-4** 2, 2

3-1 6, 12, 18, 24　　**3-2** 15, 30, 45

3-3 36, 48　　　　　**4-1** $\dfrac{9}{12}$

4-2 예 $\dfrac{2}{5}$의 분모가 45가 되려면 분모와 분자에 각각 9를 곱해야 합니다.

　➡ $\dfrac{2}{5} = \dfrac{2 \times 9}{5 \times 9} = \dfrac{18}{45}$　　　　답 $\dfrac{18}{45}$

4-3 $\dfrac{4}{12}$　　　　　**5-1** 2

5-2 예 $\dfrac{6}{7} > \dfrac{\square}{5}$ ➡ $\dfrac{30}{35} > \dfrac{\square \times 7}{35}$에서 분자끼리 비교하면 30 > □ × 7입니다. 따라서 □ 안에 들어갈 수 있는 자연수는 1, 2, 3, 4이므로 가장 큰 자연수는 4입니다.　　　답 4

5-3 8　　　　　**6-1** $\dfrac{12}{16}$

6-2 예 $\dfrac{2}{5}$와 크기가 같은 분수: $\dfrac{4}{10}$, $\dfrac{6}{15}$, $\dfrac{8}{20}$……
이 중에서 분모와 분자의 합이 15보다 크고 25보다 작은 분수는 $\dfrac{6}{15}$입니다.　　　답 $\dfrac{6}{15}$

6-3 $\dfrac{16}{28}$

7-1 단계 1 $\dfrac{2}{4}$, $\dfrac{2}{5}$, $\dfrac{4}{5}$　단계 2 $\dfrac{4}{5}$　단계 3 0.8

7-2 0.8

8-1 단계 1 24　단계 2 8　단계 3 64　단계 4 56

8-2 42

1-1 10과 5의 최소공배수는 10이므로 10을 공통분모로 하여 통분합니다.

> **참고**
>
> 공통분모가 가장 작은 수가 되려면 분모의 최소공배수를 공통분모로 하여 통분합니다.

1-3 $\left(\dfrac{5}{6}, \dfrac{9}{10}\right)$ ➡ $\left(\dfrac{5 \times 10}{6 \times 10}, \dfrac{9 \times 6}{10 \times 6}\right)$ ➡ $\left(\dfrac{50}{60}, \dfrac{54}{60}\right)$

$\left(\dfrac{5}{6}, \dfrac{9}{10}\right)$ ➡ $\left(\dfrac{5 \times 5}{6 \times 5}, \dfrac{9 \times 3}{10 \times 3}\right)$ ➡ $\left(\dfrac{25}{30}, \dfrac{27}{30}\right)$

2-1 통분한 두 분수를 각각 기약분수로 나타냅니다.

$\dfrac{\overset{5}{\cancel{40}}}{\underset{7}{\cancel{56}}} = \dfrac{5}{7}$, $\dfrac{\overset{5}{\cancel{35}}}{\underset{8}{\cancel{56}}} = \dfrac{5}{8}$

2-2 통분한 두 분수를 각각 기약분수로 나타냅니다.

$\dfrac{\overset{3}{\cancel{18}}}{\underset{7}{\cancel{42}}} = \dfrac{3}{7}$, $\dfrac{\overset{5}{\cancel{35}}}{\underset{6}{\cancel{42}}} = \dfrac{5}{6}$

따라서 통분하기 전 두 기약분수는 $\dfrac{3}{7}$, $\dfrac{5}{6}$입니다.

2-3 7 × 3 = 21이므로 ㉠ × 3 = 30, ㉠ = 10입니다. 3 × 10 = 30이므로 ㉡ × 10 = 20, ㉡ = 2입니다.

3-1 두 분수의 분모인 3과 2의 공배수는 6, 12, 18, 24, 30……입니다. 따라서 30보다 작은 수를 모두 찾으면 6, 12, 18, 24입니다.

3-3 두 분수의 분모인 6과 4의 공배수는 12, 24, 36, 48, 60……이고, 이 중에서 30보다 크고 50보다 작은 수를 모두 찾으면 36, 48입니다.

4-1 $\dfrac{3}{4} = \dfrac{3 \times 3}{4 \times 3} = \dfrac{9}{12}$

4-2
> **평가 기준**
>
> 분모와 분자에 각각 얼마를 곱해야 하는지 알고 답을 구했으면 정답입니다.

4-3 $\dfrac{\overset{1}{\cancel{6}}}{\underset{3}{\cancel{18}}} = \dfrac{1}{3}$

$\dfrac{1}{3} = \dfrac{1 \times 4}{3 \times 4} = \dfrac{4}{12}$

5-1 $\dfrac{3}{5} > \dfrac{\square}{4}$ ➡ $\dfrac{12}{20} > \dfrac{\square \times 5}{20}$에서 분자끼리 비교하면 12 > □ × 5입니다. 따라서 □ 안에 들어갈 수 있는 자연수는 1, 2이므로 가장 큰 자연수는 2입니다.

5-2 평가 기준
두 분수를 통분한 후 분자끼리 비교하여 □ 안에 들어갈 수 있는 가장 큰 자연수를 구했으면 정답입니다.

6-1 $\dfrac{3}{4}$과 크기가 같은 분수: $\dfrac{6}{8}$, $\dfrac{9}{12}$, $\dfrac{12}{16}$, $\dfrac{15}{20}$......
이 중에서 분모와 분자의 합이 25보다 크고 30보다
작은 분수는 $\dfrac{12}{16}$입니다.

6-2 평가 기준
$\dfrac{2}{5}$와 크기가 같은 분수를 만들고 그 중 조건에 맞는 분수를 구했으면 정답입니다.

6-3 $\dfrac{4}{7}$와 크기가 같은 분수: $\dfrac{8}{14}$, $\dfrac{12}{21}$, $\dfrac{16}{28}$, $\dfrac{20}{35}$......
이 중에서 분모와 분자의 차가 10보다 크고 15보다
작은 분수는 $\dfrac{16}{28}$입니다.

7-1 단계1 분모보다 분자가 작은 분수 ➡ $\dfrac{2}{4}$, $\dfrac{2}{5}$, $\dfrac{4}{5}$
단계2 $\dfrac{2}{4}>\dfrac{2}{5}$, $\dfrac{2}{5}<\dfrac{4}{5}$, $\dfrac{2}{4}<\dfrac{4}{5}$ ➡ 가장 큰 수: $\dfrac{4}{5}$
단계3 $\dfrac{4}{5}=\dfrac{8}{10}=0.8$

7-2 만들 수 있는 진분수: $\dfrac{4}{5}$, $\dfrac{4}{8}$, $\dfrac{5}{8}$
$\dfrac{4}{5}>\dfrac{4}{8}$, $\dfrac{4}{8}<\dfrac{5}{8}$, $\dfrac{4}{5}>\dfrac{5}{8}$
➡ 가장 큰 수: $\dfrac{4}{5}=0.8$

8-1 단계1 $3+21=24$
단계2 $\dfrac{3}{8}=\dfrac{24}{\square}$에서 분자에 8을 곱하면 됩니다.
단계3 $\dfrac{3}{8}=\dfrac{3\times8}{8\times8}=\dfrac{24}{64}$
단계4 $8+\square=64$ ➡ $\square=56$이므로 분모 8에 56을 더해야 합니다.

8-2 분모: $9+54=63$, $\dfrac{7}{9}=\dfrac{\square}{63}$에서 분모에 7을 곱하면 됩니다. $\dfrac{7}{9}=\dfrac{7\times7}{9\times7}=\dfrac{49}{63}$에서 분자를 비교하면 $7+\square=49$ ➡ $\square=42$이므로 분자에 42를 더해야 합니다.

유형 TEST

1 같은에 ○표   **2** >, 2   **3** $\dfrac{3}{7}$에 ○표

4 $\dfrac{27}{36}$, $\dfrac{4}{36}$ **5** 예 $\dfrac{5}{6}$ **6** 16, 6, 4

7 예

□ $\dfrac{2}{3}$

8 >
9 ③

10 10, 12, 11   **11** 예 $\dfrac{10}{18}$

12 $\dfrac{6}{7}$ **13** 하윤

14 $\dfrac{1}{3}$에 ○표

15 (위에서부터) $\dfrac{7}{10}$ / $\dfrac{5}{8}$, $\dfrac{7}{10}$

16 ㉡

17 예 ❶ $\dfrac{5}{6}$의 분모가 36이 되려면 분모와 분자에 각각 6을 곱해야 합니다.
❷ $\dfrac{5}{6}=\dfrac{5\times6}{6\times6}=\dfrac{30}{36}$ 답 $\dfrac{30}{36}$

18 예 ❶ $\dfrac{7}{8}>\dfrac{\square}{12}$ ➡ $\dfrac{21}{24}>\dfrac{\square\times2}{24}$에서 분자끼리 비교하면 $21>\square\times2$입니다.
❷ □ 안에 들어갈 수 있는 자연수는 1, 2, 3, 4, 5, 6, 7, 8, 9, 10입니다.
❸ 따라서 □ 안에 들어갈 수 있는 가장 큰 자연수는 10입니다.   답 10

19 예 ❶ $\dfrac{7}{9}$과 크기가 같은 분수: $\dfrac{14}{18}$, $\dfrac{21}{27}$, $\dfrac{28}{36}$, $\dfrac{35}{45}$......
❷ 이 중에서 분모와 분자의 합이 60보다 크고 70보다 작은 분수는 $\dfrac{28}{36}$입니다.   답 $\dfrac{28}{36}$

20 예 ❶ 만들 수 있는 진분수: $\dfrac{2}{5}$, $\dfrac{2}{8}$, $\dfrac{5}{8}$
❷ $\dfrac{2}{5}>\dfrac{2}{8}$, $\dfrac{2}{8}<\dfrac{5}{8}$ ➡ 만들 수 있는 진분수 중 가장 작은 수는 $\dfrac{2}{8}$입니다.
❸ $\dfrac{\overset{1}{\cancel{2}}}{\underset{4}{\cancel{8}}}=\dfrac{1}{4}=\dfrac{25}{100}=0.25$ 답 0.25

3 $\dfrac{12}{28}=\dfrac{12\div4}{28\div4}=\dfrac{3}{7}$

4 $\left(\dfrac{3}{4},\ \dfrac{1}{9}\right)\Rightarrow\left(\dfrac{3\times9}{4\times9},\ \dfrac{1\times4}{9\times4}\right)\Rightarrow\left(\dfrac{27}{36},\ \dfrac{4}{36}\right)$

6 $\dfrac{24}{32}=\dfrac{24\div2}{32\div2}=\dfrac{12}{16},\ \dfrac{24}{32}=\dfrac{24\div4}{32\div4}=\dfrac{6}{8},$

$\dfrac{24}{32}=\dfrac{24\div8}{32\div8}=\dfrac{3}{4}$

8 $1\dfrac{13}{20}=1\dfrac{65}{100}=1.65\Rightarrow1.67>1\dfrac{13}{20}$

9 공통분모가 될 수 있는 수는 분모 9와 6의 공배수인 18, 36, 54, 72……입니다.

10 $\left(\dfrac{5}{6},\ \dfrac{11}{12}\right)\Rightarrow\left(\dfrac{10}{12},\ \dfrac{11}{12}\right)$

따라서 ㉠=10, ㉡=12, ㉢=11입니다.

11 $\dfrac{5}{9}=\dfrac{5\times2}{9\times2}=\dfrac{10}{18}……$

12 $\dfrac{24}{28}=\dfrac{24\div4}{28\div4}=\dfrac{6}{7}$

13 $\left(\dfrac{2}{5},\ \dfrac{3}{8}\right)\Rightarrow\left(\dfrac{16}{40},\ \dfrac{15}{40}\right)\Rightarrow\dfrac{2}{5}>\dfrac{3}{8}$

14 $\left(\dfrac{8}{15},\ \dfrac{13}{20}\right)\Rightarrow\left(\dfrac{32}{60},\ \dfrac{39}{60}\right)\Rightarrow\dfrac{8}{15}<\dfrac{13}{20}$

$\left(\dfrac{8}{15},\ \dfrac{5}{9}\right)\Rightarrow\left(\dfrac{24}{45},\ \dfrac{25}{45}\right)\Rightarrow\dfrac{8}{15}<\dfrac{5}{9}$

$\left(\dfrac{8}{15},\ \dfrac{1}{3}\right)\Rightarrow\left(\dfrac{8}{15},\ \dfrac{5}{15}\right)\Rightarrow\dfrac{8}{15}>\dfrac{1}{3}$

15 $\left(\dfrac{5}{8},\ \dfrac{4}{7}\right)\Rightarrow\left(\dfrac{35}{56},\ \dfrac{32}{56}\right)\Rightarrow\dfrac{5}{8}>\dfrac{4}{7}$

$\left(\dfrac{7}{10},\ \dfrac{7}{12}\right)\Rightarrow\left(\dfrac{42}{60},\ \dfrac{35}{60}\right)\Rightarrow\dfrac{7}{10}>\dfrac{7}{12}$

$\left(\dfrac{5}{8},\ \dfrac{7}{10}\right)\Rightarrow\left(\dfrac{25}{40},\ \dfrac{28}{40}\right)\Rightarrow\dfrac{5}{8}<\dfrac{7}{10}$

16 ㉠ $\dfrac{\overset{1}{8}}{\underset{2}{16}}=\dfrac{1}{2}$

㉡ $\dfrac{8}{16}=\dfrac{8\div2}{16\div2}=\dfrac{4}{8},\ \dfrac{8}{16}=\dfrac{8\div4}{16\div4}=\dfrac{2}{4},$

$\dfrac{8}{16}=\dfrac{8\div8}{16\div8}=\dfrac{1}{2}\Rightarrow$ 3개

17 채점 기준

❶ 분모와 분자에 각각 얼마를 곱해야 하는지 구함.	2점	5점
❷ 조건에 맞는 크기가 같은 분수를 구함.	3점	

18 채점 기준

❶ 통분하여 분자끼리 비교함.	2점	5점
❷ □ 안에 들어갈 수 있는 자연수를 모두 구함.	2점	
❸ □ 안에 들어갈 수 있는 가장 큰 수를 구함.	1점	

19 채점 기준

❶ $\dfrac{7}{9}$과 크기가 같은 분수를 만듦.	3점	5점
❷ 조건에 맞는 분수를 구함.	2점	

20 채점 기준

❶ 만들 수 있는 진분수를 모두 구함.	2점	5점
❷ 가장 작은 분수를 구함.	2점	
❸ 가장 작은 분수를 소수로 나타냄.	1점	

유형 다시 보기 111쪽

① 48, 60, 72   ② 예 $□\times12=△$

③    ④ 20개

② 소모된 열량은 달리기를 한 시간의 12배입니다.

④ 삼각형 1개에 원이 2개 필요하므로 삼각형이 10개일 때 원은 20개 필요합니다.

재미있는 창의·융합·코딩 112~113쪽

코딩1 1   코딩2 ❶ $\dfrac{4}{7}$ ❷ 0.8

창의3
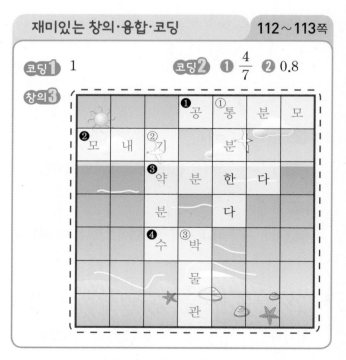

코딩2 ❶ $\left(\dfrac{5}{9},\ \dfrac{4}{7}\right)\Rightarrow\left(\dfrac{35}{63},\ \dfrac{36}{63}\right)\Rightarrow\dfrac{5}{9}<\dfrac{4}{7}$

5. 분수의 덧셈과 뺄셈

① STEP 개념별 유형 116~117쪽

1 2, 6, 14, 7

2 2, 5, 15, 17

3 $\dfrac{13}{18}$

4 $\dfrac{3}{4}$

5 $\dfrac{1}{6}+\dfrac{3}{4}=\dfrac{1\times4}{6\times4}+\dfrac{3\times6}{4\times6}=\dfrac{4}{24}+\dfrac{18}{24}$

$=\dfrac{\overset{11}{\cancel{22}}}{\underset{12}{\cancel{24}}}=\dfrac{11}{12}$

6 (1) $\dfrac{13}{20}$ (2) $\dfrac{3}{5}$

7 $\dfrac{19}{56}$

8 $\dfrac{1\times1}{3\times3}$에 ○표 /

$\dfrac{4}{9}+\dfrac{1}{3}=\dfrac{4}{9}+\dfrac{1\times3}{3\times3}=\dfrac{4}{9}+\dfrac{3}{9}=\dfrac{7}{9}$

9 (1) $\dfrac{3}{7}$, $\dfrac{29}{35}$ (2) $\dfrac{29}{35}$ L

10 $\dfrac{5}{12}+\dfrac{1}{2}=\dfrac{11}{12}$, $\dfrac{11}{12}$시간

11 5, 50, 75, 25, 1

12 2, 10, 15, 5, $1\dfrac{1}{2}$

13 $1\dfrac{1}{6}$

14 $1\dfrac{5}{8}$

15 $\dfrac{7}{8}+\dfrac{7}{12}=\dfrac{21}{24}+\dfrac{14}{24}=\dfrac{35}{24}=1\dfrac{11}{24}$

16 (1) $1\dfrac{1}{2}$ (2) $1\dfrac{4}{45}$

17 $1\dfrac{3}{56}$

18 (선 연결)

19 $1\dfrac{5}{28}$

20 $\dfrac{7}{8}+\dfrac{9}{16}=1\dfrac{7}{16}$, $1\dfrac{7}{16}$ L

21 2, 2, 7, 1, 1

22 13, 26, 49, $6\dfrac{1}{8}$

23 $5\dfrac{7}{18}$

24 $4\dfrac{9}{20}$

25 $3\dfrac{13}{28}$

26 $2\dfrac{7}{10}+1\dfrac{3}{4}=4\dfrac{9}{20}$, $4\dfrac{9}{20}$ kg

3 $\dfrac{6}{9}+\dfrac{1}{6}=\dfrac{5\times2}{9\times2}+\dfrac{1\times3}{6\times3}=\dfrac{10}{18}+\dfrac{3}{18}=\dfrac{13}{18}$

---

4 $\dfrac{1}{3}+\dfrac{5}{12}=\dfrac{1\times4}{3\times4}+\dfrac{5}{12}=\dfrac{4}{12}+\dfrac{5}{12}=\dfrac{\overset{3}{\cancel{9}}}{\underset{4}{\cancel{12}}}=\dfrac{3}{4}$

6 (1) $\dfrac{2}{5}+\dfrac{1}{4}=\dfrac{8}{20}+\dfrac{5}{20}=\dfrac{13}{20}$

(2) $\dfrac{1}{3}+\dfrac{4}{15}=\dfrac{15}{45}+\dfrac{12}{45}=\dfrac{\overset{3}{\cancel{27}}}{\underset{5}{\cancel{45}}}=\dfrac{3}{5}$

7 $\dfrac{1}{8}+\dfrac{3}{14}=\dfrac{1\times7}{8\times7}+\dfrac{3\times4}{14\times4}=\dfrac{7}{56}+\dfrac{12}{56}=\dfrac{19}{56}$

8 통분을 할 때 분모, 분자에 같은 수를 곱해야 합니다.

9 (2) (물의 양)＋(기름의 양)

$=\dfrac{2}{5}+\dfrac{3}{7}=\dfrac{14}{35}+\dfrac{15}{35}=\dfrac{29}{35}$ (L)

10 (정화가 읽은 시간)＋(진수가 읽은 시간)

$=\dfrac{5}{12}+\dfrac{1}{2}=\dfrac{10}{24}+\dfrac{12}{24}=\dfrac{\overset{11}{\cancel{22}}}{\underset{12}{\cancel{24}}}=\dfrac{11}{12}$ (시간)

11 두 분모의 곱을 공통분모로 하여 통분한 후 계산합니다.

12 두 분모의 최소공배수를 공통분모로 하여 통분한 후 계산합니다.

16 (1) $\dfrac{5}{6}+\dfrac{2}{3}=\dfrac{5}{6}+\dfrac{2\times2}{3\times2}=\dfrac{5}{6}+\dfrac{4}{6}$

$=\dfrac{9}{6}=1\dfrac{\overset{1}{\cancel{3}}}{\underset{2}{\cancel{6}}}=1\dfrac{1}{2}$

(2) $\dfrac{5}{9}+\dfrac{8}{15}=\dfrac{5\times15}{9\times15}+\dfrac{8\times9}{15\times9}=\dfrac{75}{135}+\dfrac{72}{135}$

$=\dfrac{147}{135}=1\dfrac{\overset{4}{\cancel{12}}}{\underset{45}{\cancel{135}}}=1\dfrac{4}{45}$

17 $\dfrac{1}{8}+\dfrac{13}{14}=\dfrac{7}{56}+\dfrac{52}{56}=\dfrac{59}{56}=1\dfrac{3}{56}$

18 • $\dfrac{5}{6}+\dfrac{3}{4}=\dfrac{10}{12}+\dfrac{9}{12}=\dfrac{19}{12}=1\dfrac{7}{12}$

• $\dfrac{4}{5}+\dfrac{2}{3}=\dfrac{12}{15}+\dfrac{10}{15}=\dfrac{22}{15}=1\dfrac{7}{15}$

19 $\dfrac{3}{7}+\dfrac{3}{4}=\dfrac{12}{28}+\dfrac{21}{28}=\dfrac{33}{28}=1\dfrac{5}{28}$

20 (어제 마신 우유의 양)＋(오늘 마신 우유의 양)

$=\dfrac{7}{8}+\dfrac{9}{16}=\dfrac{14}{16}+\dfrac{9}{16}=\dfrac{23}{16}=1\dfrac{7}{16}$ (L)

23 $1\dfrac{5}{9}+3\dfrac{5}{6}=1\dfrac{10}{18}+3\dfrac{15}{18}=4+\dfrac{25}{18}$

$=4+1\dfrac{7}{18}=5\dfrac{7}{18}$

24 $2\frac{4}{5}+1\frac{13}{20}=\frac{14}{5}+\frac{33}{20}=\frac{56}{20}+\frac{33}{20}$
$=\frac{89}{20}=4\frac{9}{20}$

25 $1\frac{5}{7}+1\frac{3}{4}=1\frac{20}{28}+1\frac{21}{28}=2\frac{41}{28}=3\frac{13}{28}$

26 (고양이의 무게)=(강아지의 무게)+$1\frac{3}{4}$
$=2\frac{7}{10}+1\frac{3}{4}=2\frac{14}{20}+1\frac{15}{20}$
$=3\frac{29}{20}=4\frac{9}{20}$ (kg)

개념 ①~③ 기초력 집중 연습   120쪽

1 $\frac{2}{3}$ 2 $\frac{17}{20}$ 3 $\frac{23}{24}$

4 $\frac{27}{35}$ 5 $1\frac{3}{16}$ 6 $1\frac{1}{10}$

7 $1\frac{7}{24}$ 8 $1\frac{9}{20}$ 9 $3\frac{1}{28}$

10 $4\frac{8}{15}$ 11 $5\frac{9}{35}$ 12 $6\frac{16}{33}$

13 $\frac{33}{40}$ 14 $1\frac{7}{12}$ 15 $4\frac{5}{9}$

16 $5\frac{11}{28}$

유형 진단 TEST   121쪽

1 $\frac{13}{24}$ 2 $3\frac{11}{35}$ m

3 방법① 예 $1\frac{6}{7}+2\frac{3}{4}=1\frac{24}{28}+2\frac{21}{28}$
$=(1+2)+\left(\frac{24}{28}+\frac{21}{28}\right)$
$=3+\frac{45}{28}=3+1\frac{17}{28}$
$=4\frac{17}{28}$

방법② 예 $1\frac{6}{7}+2\frac{3}{4}=\frac{13}{7}+\frac{11}{4}=\frac{52}{28}+\frac{77}{28}$
$=\frac{129}{28}=4\frac{17}{28}$

4 >   5 $\frac{3}{4}+\frac{1}{6}=\frac{11}{12}$, $\frac{11}{12}$ L

6 $5\frac{11}{18}$

---

3 방법① 자연수는 자연수끼리, 분수는 분수끼리 더해서 계산합니다.
방법② 대분수를 가분수로 고쳐서 계산합니다.

4 $\frac{4}{5}+\frac{7}{8}=\frac{32}{40}+\frac{35}{40}=\frac{67}{40}=1\frac{27}{40}$
→ $1\frac{27}{40}>1\frac{11}{40}$

6 가장 큰 수: $3\frac{7}{9}$, 가장 작은 수: $1\frac{5}{6}$
$3\frac{7}{9}+1\frac{5}{6}=\frac{34}{9}+\frac{11}{6}=\frac{68}{18}+\frac{33}{18}$
$=\frac{101}{18}=5\frac{11}{18}$

① STEP 개념별 유형   122~125쪽

1 3, 9, 21, 12, 4   2 3, 2, 8, 13

3 $\frac{17}{24}$ 4 $\frac{13}{30}$

5 $\frac{5}{6}-\frac{2}{9}=\frac{5\times9}{6\times9}-\frac{2\times6}{9\times6}=\frac{45}{54}-\frac{12}{54}$
$=\frac{\overset{11}{\cancel{33}}}{\underset{18}{\cancel{54}}}=\frac{11}{18}$

6 (1) $\frac{4}{21}$ (2) $\frac{17}{36}$

7 방법① 예 두 분모의 곱을 공통분모로 하여 통분한 후 계산했습니다.
방법② 예 두 분모의 최소공배수를 공통분모로 하여 통분한 후 계산했습니다.

8 $\frac{8}{9}-\frac{1}{12}=\frac{29}{36}$, $\frac{29}{36}$ kg

9 $\frac{6}{35}$ m

10 6, 6, 4, 1, 4   11 8, 24, 13, $1\frac{4}{9}$

12 $2\frac{5}{12}$ 13 $1\frac{29}{42}$

14 $2\frac{2}{3}-1\frac{1}{4}=\frac{8}{3}-\frac{5}{4}=\frac{32}{12}-\frac{15}{12}=\frac{17}{12}=1\frac{5}{12}$

15 $1\frac{7}{12}$ 16 [연결선]

17 $1\frac{1}{14}$ 18 $1\frac{9}{20}$ L

19 $1\dfrac{5}{6}-1\dfrac{1}{3}=\dfrac{1}{2}$, $\dfrac{1}{2}$시간

20 6, 15, 15, 9, 1, 9   **21** 7, 35, 16, 19, $1\dfrac{9}{10}$

22 $1\dfrac{17}{30}$ **23** $1\dfrac{8}{9}$

24 $1\dfrac{7}{20}$ **25** $1\dfrac{16}{21}$

26 $6\dfrac{2}{3}-2\dfrac{7}{8}=3\dfrac{19}{24}$, $3\dfrac{19}{24}$컵

6 (1) $\dfrac{10}{21}-\dfrac{2}{7}=\dfrac{10}{21}-\dfrac{6}{21}=\dfrac{4}{21}$

(2) $\dfrac{8}{9}-\dfrac{5}{12}=\dfrac{96}{108}-\dfrac{45}{108}=\dfrac{\overset{17}{51}}{\underset{36}{108}}=\dfrac{17}{36}$

7

방법 1 은 두 분모의 곱을 공통분모로 방법 2 는 두 분모의 최소공배수를 공통분모로 하여 계산했음을 설명했으면 정답입니다.

9 $\dfrac{3}{5}-\dfrac{3}{7}=\dfrac{21}{35}-\dfrac{15}{35}=\dfrac{6}{35}$ (m)

12 $3\dfrac{5}{6}-1\dfrac{5}{12}=3\dfrac{10}{12}-1\dfrac{5}{12}=(3-1)+\left(\dfrac{10}{12}-\dfrac{5}{12}\right)$
$=2+\dfrac{5}{12}=2\dfrac{5}{12}$

13 $2\dfrac{6}{7}-1\dfrac{1}{6}=\dfrac{20}{7}-\dfrac{7}{6}=\dfrac{120}{42}-\dfrac{49}{42}=\dfrac{71}{42}=1\dfrac{29}{42}$

15 $3\dfrac{3}{4}-2\dfrac{1}{6}=3\dfrac{9}{12}-2\dfrac{2}{12}=1\dfrac{7}{12}$

16 $4\dfrac{7}{12}-1\dfrac{7}{24}=4\dfrac{14}{24}-1\dfrac{7}{24}=3\dfrac{7}{24}$
$3\dfrac{5}{6}-1\dfrac{3}{8}=3\dfrac{20}{24}-1\dfrac{9}{24}=2\dfrac{11}{24}$

17 $6\dfrac{4}{7}-5\dfrac{1}{2}=\dfrac{46}{7}-\dfrac{11}{2}=\dfrac{92}{14}-\dfrac{77}{14}=\dfrac{15}{14}=1\dfrac{1}{14}$

18 $2\dfrac{7}{10}-1\dfrac{1}{4}=2\dfrac{14}{20}-1\dfrac{5}{20}=1\dfrac{9}{20}$ (L)

22 $4\dfrac{1}{6}-2\dfrac{3}{5}=4\dfrac{5}{30}-2\dfrac{18}{30}=3\dfrac{35}{30}-2\dfrac{18}{30}$
$=(3-2)+\left(\dfrac{35}{30}-\dfrac{18}{30}\right)$
$=1+\dfrac{17}{30}=1\dfrac{17}{30}$

23 $4\dfrac{2}{9}-2\dfrac{1}{3}=\dfrac{38}{9}-\dfrac{7}{3}=\dfrac{38}{9}-\dfrac{21}{9}=\dfrac{17}{9}=1\dfrac{8}{9}$

24 $5\dfrac{1}{10}-3\dfrac{3}{4}=\dfrac{51}{10}-\dfrac{15}{4}=\dfrac{102}{20}-\dfrac{75}{20}$
$=\dfrac{27}{20}=1\dfrac{7}{20}$

25 $3\dfrac{3}{7}-1\dfrac{2}{3}=3\dfrac{9}{21}-1\dfrac{14}{21}=2\dfrac{30}{21}-1\dfrac{14}{21}=1\dfrac{16}{21}$

26 $6\dfrac{2}{3}-2\dfrac{7}{8}=6\dfrac{16}{24}-2\dfrac{21}{24}=5\dfrac{40}{24}-2\dfrac{21}{24}$
$=3\dfrac{19}{24}$ (컵)

1 $\dfrac{11}{20}$ **2** $\dfrac{1}{5}$ **3** $\dfrac{9}{40}$

4 $\dfrac{1}{6}$ **5** $1\dfrac{5}{12}$ **6** $1\dfrac{5}{9}$

7 $4\dfrac{1}{18}$ **8** $1\dfrac{13}{18}$ **9** $\dfrac{4}{5}$

10 $\dfrac{7}{10}$ **11** $\dfrac{1}{2}$ **12** $1\dfrac{11}{12}$

13 $\dfrac{11}{24}$ **14** $2\dfrac{9}{35}$ **15** $1\dfrac{25}{36}$

16 $2\dfrac{13}{30}$

1 $\dfrac{5}{24}$ **2** $1\dfrac{11}{18}$ **3**

4 $\dfrac{13}{5}$에 ◯표/
$3\dfrac{3}{5}-2\dfrac{1}{7}=\dfrac{18}{5}-\dfrac{15}{7}=\dfrac{126}{35}-\dfrac{75}{35}$
$=\dfrac{51}{35}=1\dfrac{16}{35}$

5 $1\dfrac{7}{12}$ **6** $\dfrac{5}{36}$ L

5 가장 큰 수: $5\dfrac{1}{3}$, 가장 작은 수: $3\dfrac{3}{4}$
➡ $5\dfrac{1}{3}-3\dfrac{3}{4}=\dfrac{16}{3}-\dfrac{15}{4}=\dfrac{64}{12}-\dfrac{45}{12}$
$=\dfrac{19}{12}=1\dfrac{7}{12}$

6 (오전에 사용하고 남은 식용유의 양)

$$=\frac{8}{9}-\frac{7}{12}=\frac{32}{36}-\frac{21}{36}=\frac{11}{36}\,(\text{L})$$

(오후에 사용하고 남은 식용유의 양)

$$=\frac{11}{36}-\frac{1}{6}=\frac{11}{36}-\frac{6}{36}=\frac{5}{36}\,(\text{L})$$

② STEP 꼬리를 무는 유형 128~129쪽

1 $3\frac{2}{5}+1\frac{2}{3}=3\frac{8}{20}+3\frac{15}{20}=6\frac{23}{20}=7\frac{3}{20}$

2 $1\frac{1}{4}+1\frac{6}{7}=\frac{5}{4}+\frac{13}{7}=\frac{35}{28}+\frac{52}{28}=\frac{87}{28}=3\frac{3}{28}$

3 $5\frac{1}{6}-3\frac{3}{4}=5\frac{2}{12}-3\frac{9}{12}=4\frac{14}{12}-3\frac{9}{12}=1\frac{5}{12}$

4 $1\frac{7}{30}$

5 $\frac{3}{44}$

6 $4\frac{23}{42}$

7 $1\frac{11}{72}$ m

8 $1\frac{5}{18}$

9 $\frac{33}{70}$

10 $19\frac{13}{18}$ m

11 $3\frac{1}{6}$

12 $8\frac{1}{36}$

13 $\frac{19}{20}$

14 $\frac{17}{24}$

6 $3\frac{1}{6}+1\frac{8}{21}=3\frac{7}{42}+1\frac{16}{42}=4\frac{23}{42}$

7 $\frac{7}{9}+\frac{3}{8}=\frac{56}{72}+\frac{27}{72}=\frac{83}{72}=1\frac{11}{72}\,(\text{m})$

8 $\square=\frac{11}{18}+\frac{2}{3}=\frac{11}{18}+\frac{12}{18}=\frac{23}{18}=1\frac{5}{18}$

9 $\square=\frac{9}{10}-\frac{3}{7}=\frac{63}{70}-\frac{30}{70}=\frac{33}{70}$

10 (정수네 집에서 문구점까지의 거리)
  $+$(문구점에서 학교까지의 거리)
$$=11\frac{5}{9}+8\frac{1}{6}=11\frac{10}{18}+8\frac{3}{18}=19\frac{13}{18}\,(\text{m})$$

11 $\square+5\frac{3}{7}=8\frac{25}{42}$

$\Rightarrow\square=8\frac{25}{42}-5\frac{3}{7}=8\frac{25}{42}-5\frac{18}{42}=3\frac{7}{42}=3\frac{1}{6}$

12 $\square-6\frac{7}{12}=1\frac{4}{9}$

$\Rightarrow\square=1\frac{4}{9}+6\frac{7}{12}=1\frac{16}{36}+6\frac{21}{36}=7\frac{37}{36}=8\frac{1}{36}$

13 $2\frac{3}{10}+\bigcirc=3\frac{1}{4}$

$\Rightarrow\bigcirc=3\frac{1}{4}-2\frac{3}{10}=3\frac{5}{20}-2\frac{6}{20}=2\frac{25}{20}-2\frac{6}{20}$
$$=\frac{19}{20}$$

14 (어떤 수)$+\frac{1}{8}=\frac{5}{6}$

$\Rightarrow$(어떤 수)$=\frac{5}{6}-\frac{1}{8}=\frac{20}{24}-\frac{3}{24}=\frac{17}{24}$

③ STEP 수학 독해력 유형 130~131쪽

독해력 유형 ① ❶ $7\frac{2}{3}$장 ❷ 9장

쌍둥이 유형 1-1 3컵

쌍둥이 유형 1-2 $4\frac{1}{8}$ m

독해력 유형 ② ❶ $3\frac{19}{28}$ km ❷ $\frac{3}{4}$ km

쌍둥이 유형 2-1 $1\frac{2}{45}$ km

쌍둥이 유형 2-2 $\frac{1}{24}$ km

독해력 유형 ① ❶ (은혁이가 사용한 색종이의 수)

  $=$(지연이가 사용한 색종이의 수)$-1\frac{2}{15}$

  $=8\frac{4}{5}-1\frac{2}{15}=8\frac{12}{15}-1\frac{2}{15}=7\frac{10}{15}=7\frac{2}{3}$(장)

❷ (수정이가 사용한 색종이의 수)

  $=$(은혁이가 사용한 색종이의 수)$+1\frac{1}{3}$

  $=7\frac{2}{3}+1\frac{1}{3}=9$(장)

쌍둥이 유형 1-1 ❶ (정수가 마신 물의 양)

  $=$(소영이가 마신 물의 양)$-1\frac{2}{5}$

  $=3\frac{3}{20}-1\frac{2}{5}=3\frac{3}{20}-1\frac{8}{20}$

  $=2\frac{23}{20}-1\frac{8}{20}=1\frac{15}{20}=1\frac{3}{4}$(컵)

❷ (진철이가 마신 물의 양)

  $=$(정수가 마신 물의 양)$+1\frac{1}{4}=1\frac{3}{4}+1\frac{1}{4}=3$(컵)

쌍둥이 유형 1-2 ❶ (빨간색 끈의 길이)

$$= (노란색 끈의 길이) - 3\frac{1}{20}$$
$$= 5\frac{3}{8} - 3\frac{1}{20} = 5\frac{15}{40} - 3\frac{2}{40}$$
$$= 2\frac{13}{40} \text{ (m)}$$

❷ (파란색 끈의 길이)

$$= (빨간색 끈의 길이) + 1\frac{4}{5}$$
$$= 2\frac{13}{40} + 1\frac{4}{5} = 2\frac{13}{40} + 1\frac{32}{40}$$
$$= 3\frac{45}{40} = 4\frac{\overset{1}{\cancel{5}}}{\underset{8}{\cancel{40}}} = 4\frac{1}{8} \text{ (m)}$$

독해력 유형 2 ❶ $1\frac{3}{7} + 2\frac{1}{4} = 1\frac{12}{28} + 2\frac{7}{28}$
$$= 3\frac{19}{28} \text{ (km)}$$

❷ $3\frac{19}{28} - 2\frac{13}{14} = 3\frac{19}{28} - 2\frac{26}{28} = 2\frac{47}{28} - 2\frac{26}{28}$
$$= \frac{\overset{3}{\cancel{21}}}{\underset{4}{\cancel{28}}} = \frac{3}{4} \text{ (km)}$$

쌍둥이 유형 2-1 ❶ (학교에서 문구점을 거쳐 주민자치센터까지 가는 거리)

$$= 1\frac{7}{9} + 1\frac{2}{5} = 1\frac{35}{45} + 1\frac{18}{45}$$
$$= 2\frac{53}{45} = 3\frac{8}{45} \text{ (km)}$$

❷ 학교에서 문구점을 거쳐 주민자치센터까지 가는 거리보다 학교에서 주민자치센터까지 바로 가는 길은
$$3\frac{8}{45} - 2\frac{2}{15} = 3\frac{8}{45} - 2\frac{6}{45} = 1\frac{2}{45} \text{ (km)}$$가 가까워졌습니다.

쌍둥이 유형 2-2 ❶ (윤서가 걸어간 거리)

$$= 1\frac{1}{6} + \frac{5}{8} = 1\frac{4}{24} + \frac{15}{24} = 1\frac{19}{24} \text{ (km)}$$

❷ 동생은 윤서보다
$$1\frac{19}{24} - 1\frac{3}{4} = 1\frac{19}{24} - 1\frac{18}{24} = \frac{1}{24} \text{ (km)}$$ 덜 걸어갔습니다.

④ STEP 사고력 플러스 유형 132~135쪽

1-1 $1\frac{3}{20}$ **1-2** $3\frac{1}{24}$

1-3 $\frac{1}{4}$ **1-4** $1\frac{31}{63}$

2-1 $\frac{11}{40}$ m **2-2** $1\frac{7}{12}$ m

2-3 $\frac{5}{16}$ m **2-4** $\frac{25}{63}$ m

3-1 6 **3-2** 5

3-3 11 **3-4** 5

4-1 $6\frac{2}{5} + 3\frac{5}{6}$, $10\frac{7}{30}$

4-2 예 $3\frac{5}{9} > 2\frac{7}{15} > 1\frac{1}{8}$이므로 가장 큰 수 $3\frac{5}{9}$와 두 번째로 큰 수 $2\frac{7}{15}$을 더합니다. 따라서 합이 가장 큰 식은 $3\frac{5}{9} + 2\frac{7}{15} = 3\frac{25}{45} + 2\frac{21}{45} = 5\frac{46}{45} = 6\frac{1}{45}$입니다.

답 $6\frac{1}{45}$

4-3 $6\frac{3}{8}$, $1\frac{1}{4}$ / $5\frac{1}{8}$ **5-1** $\frac{3}{20}$

5-2 예 어떤 수를 □라 하면 $\Box + 1\frac{1}{8} = 2\frac{7}{12}$,
$$\Box = 2\frac{7}{12} - 1\frac{1}{8} = 2\frac{14}{24} - 1\frac{3}{24} = 1\frac{11}{24}$$입니다.

➡ 어떤 수는 $1\frac{11}{24}$이므로 바르게 계산하면

$$1\frac{11}{24} - 1\frac{1}{8} = 1\frac{11}{24} - 1\frac{3}{24} = \frac{\overset{1}{\cancel{8}}}{\underset{3}{\cancel{24}}} = \frac{1}{3}$$입니다.

답 $\frac{1}{3}$

5-3 $\frac{17}{24}$ **6-1** $1\frac{20}{63}$ m

6-2 예 (두 색 테이프의 길이의 합)
$$= 2\frac{5}{8} + 2\frac{5}{8} = 4\frac{10}{8} = 5\frac{\overset{1}{\cancel{2}}}{\underset{4}{\cancel{8}}} = 5\frac{1}{4} \text{ (m)}$$

➡ (이어 붙인 색 테이프의 전체 길이)
$$= (두 색 테이프의 길이의 합)$$
$$\quad - (겹쳐진 부분의 길이)$$
$$= 5\frac{1}{4} - 1\frac{7}{12} = 4\frac{15}{12} - 1\frac{7}{12}$$
$$= 3\frac{\overset{2}{\cancel{8}}}{\underset{3}{\cancel{12}}} = 3\frac{2}{3} \text{ (m)}$$

답 $3\frac{2}{3}$ m

7-1 단계1 $\dfrac{4}{5}$　단계2 $\dfrac{11}{20}$　단계3 $\dfrac{11}{20}$

7-2 $\dfrac{7}{30}$

8-1 단계1 $1\dfrac{2}{3}$　단계2 $2\dfrac{5}{6}$　단계3 $4\dfrac{1}{2}$

8-2 $5\dfrac{23}{35}$

1-1 $\dfrac{7}{10}+\dfrac{9}{20}=\dfrac{14}{20}+\dfrac{9}{20}=\dfrac{23}{20}=1\dfrac{3}{20}$

1-2 $1\dfrac{1}{6}+1\dfrac{7}{8}=1\dfrac{4}{24}+1\dfrac{21}{24}=2\dfrac{25}{24}=3\dfrac{1}{24}$

1-3 $\dfrac{11}{12}-\dfrac{2}{3}=\dfrac{11}{12}-\dfrac{8}{12}=\dfrac{\overset{1}{\cancel{3}}}{\underset{4}{\cancel{12}}}=\dfrac{1}{4}$

1-4 $2\dfrac{7}{9}-1\dfrac{2}{7}=2\dfrac{49}{63}-1\dfrac{18}{63}=1\dfrac{31}{63}$

2-1 (가로)$-$(세로)$=\dfrac{7}{8}-\dfrac{3}{5}=\dfrac{35}{40}-\dfrac{24}{40}$
$=\dfrac{11}{40}$ (m)

2-2 (가로)$-$(세로)$=2\dfrac{5}{6}-1\dfrac{1}{4}=2\dfrac{10}{12}-1\dfrac{3}{12}$
$=1\dfrac{7}{12}$ (m)

2-3 (㉯ 색 테이프의 길이)$-$(㉮ 색 테이프의 길이)
$=3\dfrac{3}{16}-2\dfrac{7}{8}=3\dfrac{3}{16}-2\dfrac{14}{16}$
$=2\dfrac{19}{16}-2\dfrac{14}{16}=\dfrac{5}{16}$ (m)

2-4 (㉯ 막대의 길이)$-$(㉮ 막대의 길이)
$=2\dfrac{1}{9}-1\dfrac{5}{7}=2\dfrac{7}{63}-1\dfrac{45}{63}$
$=1\dfrac{70}{63}-1\dfrac{45}{63}=\dfrac{25}{63}$ (m)

3-1 $2\dfrac{1}{7}+3\dfrac{7}{8}=2\dfrac{8}{56}+3\dfrac{49}{56}=5\dfrac{57}{56}=6\dfrac{1}{56}$
➡ $6\dfrac{1}{56}>\square$에서 $\square$ 안에 들어갈 수 있는 자연수 중 가장 큰 수는 6입니다.

3-2 $10\dfrac{3}{4}-5\dfrac{2}{9}=10\dfrac{27}{36}-5\dfrac{8}{36}=5\dfrac{19}{36}$
➡ $5\dfrac{19}{36}>\square$에서 $\square$ 안에 들어갈 수 있는 자연수 중 가장 큰 수는 5입니다.

3-3 $3\dfrac{7}{15}+6\dfrac{4}{5}=3\dfrac{7}{15}+6\dfrac{12}{15}=9\dfrac{19}{15}=10\dfrac{4}{15}$
➡ $10\dfrac{4}{15}<\square$에서 $\square$ 안에 들어갈 수 있는 자연수 중 가장 작은 수는 11입니다.

3-4 $6\dfrac{1}{6}-1\dfrac{3}{4}=6\dfrac{2}{12}-1\dfrac{9}{12}=5\dfrac{14}{12}-1\dfrac{9}{12}=4\dfrac{5}{12}$
➡ $4\dfrac{5}{12}<\square$에서 $\square$ 안에 들어갈 수 있는 자연수 중 가장 작은 수는 5입니다.

4-1 합이 가장 크려면 가장 큰 수와 두 번째로 큰 수를 더하면 됩니다.
➡ $6\dfrac{2}{5}>3\dfrac{5}{6}>1\dfrac{1}{7}$이므로 $6\dfrac{2}{5}+3\dfrac{5}{6}=10\dfrac{7}{30}$입니다.

4-2 평가 기준
가장 큰 수와 두 번째로 큰 수를 찾아 두 수의 합을 구했으면 정답입니다.

4-3 차가 가장 크려면 가장 큰 수에서 가장 작은 수를 빼면 됩니다.
➡ $6\dfrac{3}{8}>3\dfrac{9}{20}>1\dfrac{1}{4}$이므로
$6\dfrac{3}{8}-1\dfrac{1}{4}=6\dfrac{3}{8}-1\dfrac{2}{8}=5\dfrac{1}{8}$입니다.

5-1 어떤 수를 $\square$라 하면 $\square+\dfrac{1}{5}=\dfrac{11}{20}$,
$\square=\dfrac{11}{20}-\dfrac{1}{5}=\dfrac{11}{20}-\dfrac{4}{20}=\dfrac{7}{20}$입니다.
➡ 어떤 수는 $\dfrac{7}{20}$이므로 바르게 계산하면
$\dfrac{7}{20}-\dfrac{1}{5}=\dfrac{7}{20}-\dfrac{4}{20}=\dfrac{3}{20}$입니다.

5-2 평가 기준
어떤 수를 구하고 바르게 계산한 값을 구했으면 정답입니다.

5-3 어떤 수를 $\square$라 하면 $\square-\dfrac{1}{12}=\dfrac{13}{24}$,
$\square=\dfrac{13}{24}+\dfrac{1}{12}=\dfrac{13}{24}+\dfrac{2}{24}=\dfrac{\overset{5}{\cancel{15}}}{\underset{8}{\cancel{24}}}=\dfrac{5}{8}$입니다.
➡ 어떤 수는 $\dfrac{5}{8}$이므로 바르게 계산하면
$\dfrac{5}{8}+\dfrac{1}{12}=\dfrac{15}{24}+\dfrac{2}{24}=\dfrac{17}{24}$입니다.

6-1 (두 색 테이프의 길이의 합)

$$=\frac{7}{9}+\frac{7}{9}=\frac{14}{9}=1\frac{5}{9}\ (m)$$

➡ (이어 붙인 색 테이프의 전체 길이)

　　＝(두 색 테이프의 길이의 합)
　　　－(겹쳐진 부분의 길이)

$$=1\frac{5}{9}-\frac{5}{21}=1\frac{35}{63}-\frac{15}{63}=1\frac{20}{63}\ (m)$$

6-2 평가 기준

두 색 테이프의 길이의 합에서 겹쳐진 부분의 길이를 빼서 이어 붙인 색 테이프의 전체 길이를 구했으면 정답입니다.

7-1 단계1 텃밭 전체를 1이라 하면 튤립을 심고 남은 부분은 텃밭 전체의 $1-\frac{1}{5}=\frac{5}{5}-\frac{1}{5}=\frac{4}{5}$입니다.

단계2 봉숭아를 심고 남은 부분은 텃밭 전체의 $\frac{4}{5}-\frac{1}{4}=\frac{16}{20}-\frac{5}{20}=\frac{11}{20}$입니다.

7-2 벽면 전체를 1이라 하면 오전에 페인트칠을 하고 남은 부분은 벽면 전체의 $1-\frac{1}{6}=\frac{6}{6}-\frac{1}{6}=\frac{5}{6}$입니다.

➡ 오후에 페인트칠을 하고 남은 부분은 벽면 전체의 $\frac{5}{6}-\frac{3}{5}=\frac{25}{30}-\frac{18}{30}=\frac{7}{30}$입니다.

따라서 앞으로 더 칠해야 할 벽면은 전체의 $\frac{7}{30}$입니다.

8-1 단계1 대분수가 가장 작으려면 자연수 부분에 가장 작은 수를 놓고 나머지 수로 진분수를 만듭니다.

➡ $1\frac{2}{3}$

단계2 가장 작은 수 2를 자연수 부분에 놓고 5, 6으로 진분수를 만듭니다. ➡ $2\frac{5}{6}$

단계3 $1\frac{2}{3}+2\frac{5}{6}=1\frac{4}{6}+2\frac{5}{6}=3\frac{9}{6}=4\frac{3}{6}=4\frac{1}{2}$

8-2 인주가 만들 수 있는 가장 작은 대분수: $1\frac{4}{5}$

형석이가 만들 수 있는 가장 작은 대분수: $3\frac{6}{7}$

➡ $1\frac{4}{5}+3\frac{6}{7}=1\frac{28}{35}+3\frac{30}{35}=4\frac{58}{35}=5\frac{23}{35}$

1 8, 3, 8, 9, 17　　　　**2** $\frac{1}{18}$

3 $4\frac{2}{15}$　　　　**4** $\frac{5}{6}$

5 $1\frac{3}{4}+3\frac{1}{3}=\frac{7}{4}+\frac{10}{3}=\frac{21}{12}+\frac{40}{12}=\frac{61}{12}=5\frac{1}{12}$

6 $1\frac{11}{24}$　　　　**7** $2\frac{4}{15}$

8 $\frac{2}{7}+\frac{3}{4}=1\frac{1}{28}$, $1\frac{1}{28}$ L　　　**9** $>$

10 $2\frac{1}{28}$에 ○표/

$2\frac{1}{4}-1\frac{6}{7}=2\frac{7}{28}-1\frac{24}{28}=1\frac{35}{28}-1\frac{24}{28}$

$\qquad\qquad=\frac{11}{28}$

11 $\frac{3}{40}$ m　　　　**12** ㉡

13 $4\frac{1}{6}$ km　　　**14** $3\frac{7}{20}$

15 $10\frac{1}{9}-5\frac{3}{8}=4\frac{53}{72}$, $4\frac{53}{72}$ kg　　**16** $8\frac{14}{15}$

17 예 ❶ 합이 가장 크게 되려면 가장 큰 수와 두 번째로 큰 수를 더합니다.

$5\frac{7}{9}>3\frac{1}{4}>2\frac{7}{12}$이므로 $5\frac{7}{9}$과 $3\frac{1}{4}$을 더합니다.

❷ 따라서 합이 가장 큰 식은

$5\frac{7}{9}+3\frac{1}{4}=5\frac{28}{36}+3\frac{9}{36}=8\frac{37}{36}=9\frac{1}{36}$입니다.

답 $9\frac{1}{36}$

18 예 ❶ 어떤 수를 □라 하면 □$+1\frac{3}{8}=2\frac{15}{16}$,

□$=2\frac{15}{16}-1\frac{3}{8}=2\frac{15}{16}-1\frac{6}{16}=1\frac{9}{16}$입니다.

❷ 따라서 어떤 수는 $1\frac{9}{16}$이므로 바르게 계산하면

$1\frac{9}{16}-1\frac{3}{8}=1\frac{9}{16}-1\frac{6}{16}=\frac{3}{16}$입니다. 답 $\frac{3}{16}$

19 예 ❶ (두 색 테이프의 길이의 합)

$$=2\frac{5}{6}+2\frac{5}{6}=4\frac{10}{6}=5\frac{4}{6}=5\frac{2}{3}\ (m)$$

❷ (이어 붙인 색 테이프의 전체 길이)

$$=5\frac{2}{3}-1\frac{5}{8}=5\frac{16}{24}-1\frac{15}{24}=4\frac{1}{24}\ (m)$$

답 $4\frac{1}{24}$ m

20 예 ❶ 정우가 만들 수 있는 가장 작은 대분수는

$1\frac{6}{7}$입니다.

❷ 영지가 만들 수 있는 가장 작은 대분수는

$1\frac{3}{8}$입니다.

❸ 따라서 두 사람이 만든 대분수의 합은

$1\frac{6}{7}+1\frac{3}{8}=1\frac{48}{56}+1\frac{21}{56}=3\frac{13}{56}$입니다. 답 $3\frac{13}{56}$

15 (남은 콩의 양)

=(처음 있던 콩의 양)−(사용한 콩의 양)

$=10\frac{1}{9}-5\frac{3}{8}=10\frac{8}{72}-5\frac{27}{72}=9\frac{80}{72}-5\frac{27}{72}$

$=4\frac{53}{72}$ (kg)

16 ㉠$-2\frac{1}{10}=6\frac{5}{6}$

➡ ㉠$=6\frac{5}{6}+2\frac{1}{10}=6\frac{25}{30}+2\frac{3}{30}=8\frac{28}{30}=8\frac{14}{15}$

17 채점 기준

❶ 합이 가장 크게 되는 두 분수의 조건을 구함.	2점	
❷ 합이 가장 크게 되는 식을 세우고 답을 구함.	3점	5점

18 채점 기준

❶ 어떤 수를 구함.	2점	
❷ ❶에서 구한 어떤 수를 이용하여 바르게 계산한 값을 구함.	3점	5점

19 채점 기준

❶ 두 색 테이프의 길이의 합을 구함.	2점	
❷ 이어 붙인 색 테이프의 전체 길이를 구함.	3점	5점

20 채점 기준

❶ 정우가 만들 수 있는 가장 작은 대분수를 구함.	1점	
❷ 영지가 만들 수 있는 가장 작은 대분수를 구함.	1점	5점
❸ 두 사람이 만든 대분수의 합을 구함.	3점	

앞 단원 유형 다시 보기 — 139쪽

① $\frac{3}{4},\ \frac{18}{24}$ ② (1) $\frac{3}{5}$ (2) $\frac{4}{9}$

③ 준호   ④ 1, 2, 3

③ $\left(\frac{18}{25},\frac{23}{40}\right)\rightarrow\left(\frac{144}{200},\frac{115}{200}\right)\rightarrow\frac{144}{200}>\frac{115}{200}$

➡ 더 짧은 거리를 걸은 사람은 준호입니다.

④ $0.7=\frac{7}{10}$이고 $\frac{\square}{5}=\frac{\square\times2}{5\times2}=\frac{\square\times2}{10}$입니다.

$\frac{7}{10}>\frac{\square\times2}{10}$ ➡ $7>\square\times2$이므로 $\square$ 안에 들어갈 수 있는 자연수는 1, 2, 3입니다.

재미있는 창의·융합·코딩 — 140~141쪽

창의1 ❶ (1)  (2) 예

❷ 13개

❸ 예

❹ $1\frac{1}{12}$

창의2 $\frac{1}{2},\ \frac{1}{4}$

융합3 $1\frac{3}{4}$

창의1 ❶ (1) $\frac{3}{4}=\frac{6}{8}=\frac{9}{12}$

(2) $\frac{1}{3}=\frac{2}{6}=\frac{3}{9}=\frac{4}{12}$

❷ $\frac{3}{4}$과 $\frac{1}{3}$을 합하면 $\frac{1}{12}$ 막대가 13개입니다.

❸ $\frac{1}{12}$ 막대 12개는 1 막대 1개와 같습니다.

❹ 1 막대 1개, $\frac{1}{12}$ 막대 1개이므로 $1\frac{1}{12}$입니다.

창의2 빈대떡 2장을 각각 절반으로 나누어 4명이 한 조각씩 먹고, 나머지 빈대떡 한 장은 4등분하여 한 조각씩 먹습니다.

예

➡ $\frac{3}{4}=\frac{1}{2}+\frac{1}{4}$

융합3 ♪: $\frac{1}{4}$, ♩: 1, ♪: $\frac{1}{2}$

$\frac{1}{4}+1+\frac{1}{2}=1\frac{1}{4}+\frac{1}{2}=1\frac{1}{4}+\frac{2}{4}=1\frac{3}{4}$

34

6. 다각형의 둘레와 넓이

1 (1) 4, 4, 4, 24 (2) 6, 24
2 (1) 24 cm (2) 35 cm   **3** $6 \times 8 = 48$, 48 cm
4 48 m   **5** 9
6 81 cm   **7** 7, 2, 34
8 6, 9, 2, 30   **9** $11 \times 4 = 44$, 44 cm
10 9   **11** 50 cm

12 , 2 제곱센티미터

13 9개   **14** 9 cm²
15 7 cm², 8 cm²   **16** 나
17 나
18 예 1 cm²

![도형 그리기 예시]

19 (1) 5, 3 (2) 5, 3, 15
20 5, 25   **21** (위부터) 3, 4/ 9, 12
22 3   **23** $4 \times 7 = 28$, 28 cm²
24 예 1 cm², 16 cm²

![정사각형 그리기 예시]

25 117 cm²   **26** 64 cm²
27 6
28 (1) 2 제곱미터 (2) 8 제곱킬로미터
29 (1) 30000 (2) 7 (3) 5000000 (4) 9
30   **31** (1) m² (2) km²

![선 잇기]

32 $6 \times 6 = 36$, 36 m²   **33** 48번
34 9000000, 9   **35** 35 m²
36 (1) < (2) <

2 (1) (정삼각형의 둘레)$= 8 \times 3 = 24$ (cm)
  (2) (정오각형의 둘레)$= 7 \times 5 = 35$ (cm)

4 (레슬링 경기장의 둘레)$= 12 \times 4 = 48$ (m)

5 (정오각형의 한 변의 길이)$=$(둘레)$\div$(변의 수)
  $= 45 \div 5 = 9$ (cm)

6 (정구각형의 둘레)$= 9 \times 9 = 81$ (cm)

10 (마름모의 한 변의 길이)$=$(둘레)$\div 4$
  $= 36 \div 4 = 9$ (cm)

11 (직사각형의 둘레)$= (12 + 13) \times 2 = 50$ (cm)

14 도형의 넓이는 1 cm²가 9개이므로 9 cm²입니다.

15 가: 1 cm²가 7개이므로 7 cm²입니다.
  나: 1 cm²가 8개이므로 8 cm²입니다.

16 7 cm² < 8 cm²이므로 나 도형이 더 넓습니다.

18 1 cm²가 8개인 여러 가지 도형을 그립니다.

22 가로가 3 cm이므로 세로가 1 cm씩 늘어날 때마다 1 cm²인 모눈이 3칸씩 늘어납니다.

24 한 변의 길이가 4 cm인 정사각형을 그리면 1 cm²가 가로와 세로에 각각 4개씩 있으므로 정사각형의 넓이는 $4 \times 4 = 16$ (cm²)입니다.

25 (직사각형의 넓이)$= 13 \times 9 = 117$ (cm²)

26 (정사각형의 넓이)$= 8 \times 8 = 64$ (cm²)

27 (세로)$=$(직사각형의 넓이)$\div$(가로)
  ➡ $\square = 72 \div 12 = 6$

29 (1) ■ m²$=$■0000 cm² (2) ■0000 cm²$=$■ m²
  (3) ■ km²$=$■000000 m²
  (4) ■000000 m²$=$■ km²

30 40 m²$= 400000$ cm²
  4 m²$= 40000$ cm²
  4 km²$= 4000000$ m²

32 (정사각형의 넓이)$= 6 \times 6 = 36$ (m²)

33 800 cm$= 8$ m, 600 cm$= 6$ m
  1 m²가 가로로 8번, 세로로 6번이므로 모두 $8 \times 6 = 48$(번) 들어갑니다.

34 정사각형의 넓이는 $3000 \times 3000 = 9000000$ (m²)이고 9000000 m²$= 9$ km²입니다.

35 500 cm$= 5$ m이므로
  (직사각형의 넓이)$= 5 \times 7 = 35$ (m²)입니다.

36 (2) 9000000 m²$= 9$ km² ➡ 9 km² < 80 km²

개념 1~5 기초력 집중 연습 150쪽

1 28 cm	**2** 54 cm
3 60 cm	**4** 44 cm
5 26 cm	**6** 24 cm
7 55 cm^2	**8** 36 cm^2
9 49 cm^2	**10** 80000
11 6	**12** 90
13 4000000	**14** 7
15 0.5	

유형 진단 TEST 151쪽

1 하윤	**2** 84 cm^2
3 40 cm, 100 cm^2	**4** (○)( )
5 96 m^2	**6** 10 km^2

7 1 cm^2 →

1 시우: 방의 넓이는 m^{2}가 적당합니다.

2 (직사각형의 넓이)=14×6=84 (cm^2)

3 (정사각형의 둘레)=10×4=40 (cm)
(정사각형의 넓이)=10×10=100 (cm^2)

4 (정팔각형의 둘레)=5×8=40 (cm)
(직사각형의 둘레)=(9+7)×2=32 (cm)
➡ 40 cm>32 cm

5 800 cm=8 m이므로
(직사각형의 넓이)=12×8=96 (m^2)입니다.

6 2000 m=2 km이므로
(직사각형의 넓이)=2×5=10 (km^2)입니다.

7 ▨가 2개, 3개, 4개, 5개, 7개로 2 cm^2, 3 cm^2, 4 cm^2, 5 cm^2, 7 cm^{2}입니다. 따라서 넓이가 6 cm^{2}인 도형을 그려야 하므로 1 cm^{2}가 6개인 도형을 그립니다.

1 STEP 개념별 유형 152~157쪽

1 (1)
9 cm
8 cm
(2) 8 cm
(3) 9 cm
(4) 72 cm^2

2 42 cm^2 **3** 15 cm^2

4 나   **5** 나

6 (위부터) 3/ 6, 9   **7** 3

8 12   **9** 10×9=90, 90 m^2

10 (1)
6 cm
15 cm
(2) 15 cm
(3) 6 cm
(4) 45 cm^2

11 6 cm

12
4 cm , 4 cm^2

13 20 cm^2 **14** 33 cm^2

15 나   **16** 나

17 13×8÷2=52, 52 m^2

18 14   **19** 2

20 40 cm^2 **21** 20 cm^2

22 3, 21

23
, 5 cm^2

24 70 m^2 **25** 54 m^2

26 7   **27** 8 m

28 예 1 cm^2

29 2, 7, 8, 2, 48   **30** 12, 24, 36

31 (1) 56 cm^2, 60 cm^2 (2) 116 cm^2

32 56 m^2 **33** 88 m^2

34 (위부터) 4, 2/ 9 cm^2

35 8   **36** 280 m^2

2 (평행사변형의 넓이)=6×7=42 (cm^2)

주의

6×8=48 (cm^2)라고 계산하지 않도록 합니다.
높이를 곱해야 하는 데 다른 한 변의 길이를 곱하면 틀립니다.

3 (평행사변형의 넓이)=(밑변의 길이)×(높이)
$=3×5=15 (cm^2)$

4 가: 2 cm, 나: 3 cm, 다: 2 cm

5 나는 높이는 같지만 밑변의 길이가 다르므로 넓이가 다릅니다.

8 (평행사변형의 넓이)=(밑변의 길이)×(높이)
(높이)=(평행사변형의 넓이)÷(밑변의 길이)
$=72÷6=12 (cm)$

11 밑변의 길이가 10 cm일 때 높이는 6 cm이고 밑변의 길이가 12 cm일 때 높이는 5 cm입니다.

12 삼각형의 높이를 재면 2 cm입니다.
(삼각형의 넓이)=$4×2÷2=4 (cm^2)$

16 나는 높이는 같지만 밑변의 길이가 다르므로 넓이가 다릅니다.

18 (삼각형의 넓이)=(밑변의 길이)×(높이)÷2
➡ $□×13÷2=91, □×13=182, □=14$

22 평행사변형의 높이는 길이가 6 m인 대각선의 길이의 반이므로 $6÷2=3 (m)$입니다.
(마름모의 넓이)=(평행사변형의 넓이)
$=7×3=21 (m^2)$

23
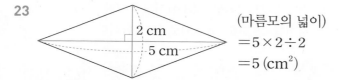
(마름모의 넓이)
$=5×2÷2$
$=5 (cm^2)$

24 (마름모의 넓이)=(직사각형의 넓이)÷2
$=10×14÷2=70 (m^2)$

25 (마름모의 넓이)=$12×9÷2=54 (m^2)$

26 $16×□÷2=56, 16×□=112, □=7$

27 (선분 ㄴㄷ)×17÷2=68, (선분 ㄴㄷ)×17=136,
(선분 ㄴㄷ)=8 m

28 두 대각선의 길이를 곱하여 32가 되는 마름모를 그립니다.
$32=1×32=2×16=4×8$

30 (삼각형 ㄱㄴㄹ의 넓이)=$4×6÷2=12 (cm^2)$
(삼각형 ㄹㄴㄷ의 넓이)=$8×6÷2=24 (cm^2)$
(사다리꼴 ㄱㄴㄷㄹ의 넓이)=$12+24=36 (cm^2)$

31 (1) (평행사변형의 넓이)=$7×8=56 (cm^2)$
(삼각형의 넓이)=$(22-7)×8÷2$
$=15×8÷2=60 (cm^2)$
(2) (사다리꼴의 넓이)=$56+60=116 (cm^2)$

32 (사다리꼴의 넓이)=$(9+5)×8÷2$
$=14×8÷2=56 (m^2)$

33 (사다리꼴의 넓이)=$(10+6)×11÷2$
$=16×11÷2=88 (m^2)$

34
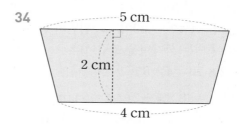
(사다리꼴의 넓이)=$(5+4)×2÷2$
$=9×2÷2=9 (cm^2)$

35 $(5+18)×□÷2=92, 23×□÷2=92,$
$23×□=184, □=8$

36 (땅콩밭의 넓이)=$(20+15)×16÷2$
$=35×16÷2=280 (m^2)$

개념 **5 ~ 9** 기초력 집중 연습 158쪽

1 $30 cm^2$
2 $49 cm^2$
3 $32 m^2$
4 $36 cm^2$
5 $42 cm^2$
6 $55 m^2$
7 $10 cm^2$
8 $42 cm^2$
9 $60 m^2$
10 $12 cm^2$
11 $39 cm^2$
12 $72 m^2$

유형 진단 TEST 159쪽

1 $32 m^2$

2 $20×30=600, 600 m^2$

3 15 cm, 10 cm, $75 cm^2$

4 $57 cm^2$

5 예 $1 cm^2$ →

6 가

1 (삼각형의 넓이)=$8 \times 8 \div 2 = 32$ (m^2)

2 (평행사변형의 넓이)=$20 \times 30 = 600$ (m^2)

3 (마름모의 넓이)=$15 \times 10 \div 2 = 75$ (cm^2)

4 (사다리꼴의 넓이)=$(7+12) \times 6 \div 2 = 57$ (cm^2)

5 (삼각형의 넓이)=(밑변의 길이)$\times$(높이)$\div 2 = 10$
에서 (밑변의 길이)$\times$(높이)$=20$이므로 밑변의 길이와
높이의 곱이 20이 되는 삼각형을 그립니다.
$20 = 1 \times 20 = 2 \times 10 = 4 \times 5$

6 (마름모 가의 넓이)=$(8 \times 4 \div 2) \times 4 = 64$ (m^2)
(사다리꼴 나의 넓이)=$(7+5) \times 6 \div 2 = 36$ (m^2)
$64 \text{ m}^2 > 36 \text{ m}^2$이므로 넓이가 더 넓은 것은 가입니다.

② STEP 꼬리를 무는 유형 160~161쪽

1 77 m^2

2 10 cm, 90 cm^2
   9 cm
  16 cm

3 방법① 예 8 cm이므로
(평행사변형의 넓이)=$9 \times 8 = 72$ (cm^2)입니다.
방법② 예 6 cm이므로
(평행사변형의 넓이)=$12 \times 6 = 72$ (cm^2)입니다.

4 14 cm   5 17 m   6 15

7 5 cm   8 12   9 15

10 예 1 cm^2

11 (1) □×□=81 (2) 9 m   12 9

13 16 m

14 예 1 cm   15 8 m
  1 cm

2 (평행사변형의 넓이)=$9 \times 10 = 90$ (cm^2)

4 (직사각형의 넓이)=(가로)$\times$(세로)이고
가로를 □cm라 하면 □$\times 8 = 112$, □$=14$입니다.

5 (직사각형의 넓이)=(가로)$\times$(세로)이고
세로를 □m라 하면 $9 \times$□$=153$, □$=17$입니다.

6 $18 \times$□$=270$, □$=15$

7 가로를 □cm라 하면 □$\times 36 = 180$, □$=5$입니다.

8 (정사각형의 넓이)=(한 변의 길이)$\times$(한 변의 길이)
이고 $12 \times 12 = 144$이므로 □$=12$입니다.

9 (정사각형의 넓이)=(한 변의 길이)$\times$(한 변의 길이)
이고 $15 \times 15 = 225$, □$=15$입니다.

10 $6 \times 6 = 36$이므로 한 변의 길이가 6 cm인 정사각형
입니다.
➡ 한 변의 길이가 6 cm인 정사각형을 그립니다.

11 (2) $9 \times 9 = 81$이므로 정사각형의 한 변의 길이는
9 m입니다.

12 정팔각형은 8개의 변의 길이가 같습니다.
□$\times 8 = 72$, □$=9$

13 한 변의 길이를 □m라 하면 □$\times 5 = 80$,
□$=16$입니다.

14 정사각형의 한 변의 길이는 $20 \div 4 = 5$ (cm)입니다.
한 변의 길이가 5 cm인 정사각형을 그립니다.

15 정육각형의 둘레가 48 m이므로 정육각형의 한 변의
길이를 $48 \div 6 = 8$ (m)로 해야 합니다.

③ STEP 수학 독해력 유형 162~163쪽

독해력 유형 ❶ ❶ 4 cm ❷ 4 cm ❸ 24 cm

쌍둥이 유형 ❶-❶ 25 cm

쌍둥이 유형 ❶-❷ 49 m

독해력 유형 ❷ ❶ 예
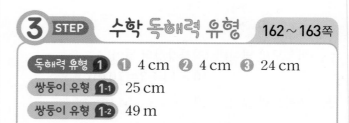

❷ 20 cm, 20 cm ❸ 200 cm^2

쌍둥이 유형 ❷-❶ 72 cm^2

쌍둥이 유형 ❷-❷ 242 m^2

독해력 유형 ❶ ❶ (정삼각형의 한 변의 길이)
         =(둘레)$\div 3 = 12 \div 3 = 4$ (cm)

❷ 정육각형의 한 변의 길이는 정삼각형의 한 변의 길이
와 같으므로 4 cm입니다.

❸ (정육각형의 둘레)=$4 \times 6 = 24$ (cm)

쌍둥이 유형 1-1 ❶ (정삼각형의 한 변의 길이)
　　　　　　=15÷3=5 (cm)

❷ 정오각형의 한 변의 길이도 5 cm입니다.

❸ (정오각형의 둘레)=5×5=25 (cm)

쌍둥이 유형 1-2 ❶ (정오각형의 한 변의 길이)
　　　　　　=35÷5=7 (m)

❷ 정칠각형의 한 변의 길이도 7 m입니다.

❸ (정칠각형의 둘레)=7×7=49 (m)

독해력 유형 2 ❶ 원 안에 그릴 수 있는 가장 큰 마름모는 두 대각선의 길이가 모두 원의 지름과 같은 마름모입니다.

❷ (마름모의 한 대각선의 길이)=(원의 지름)
　　　　　　　　　　　=10×2=20 (cm)

❸ (마름모의 넓이)=20×20÷2=200 (cm²)

쌍둥이 유형 2-1 ❶ 원 안에 그릴 수 있는 가장 큰 마름모는 두 대각선의 길이가 모두 원의 지름과 같은 마름모입니다.

예 6 cm

❷ (마름모의 한 대각선의 길이)=(원의 지름)
　　　　　　　　　　　=6×2=12 (cm)

❸ (마름모의 넓이)=12×12÷2=72 (cm²)

쌍둥이 유형 2-2 ❶ 원 안에 그릴 수 있는 가장 큰 마름모는 두 대각선의 길이가 모두 원의 지름과 같은 마름모입니다.

❷ (마름모의 한 대각선의 길이)=(원의 지름)
　　　　　　　　　　　=11×2=22 (m)

❸ (마름모의 넓이)=22×22÷2=242 (m²)

④ STEP 사고력 플러스 유형 164~169쪽

1-1 8	1-2 25
1-3 >	1-4 <
2-1 나	2-2 다　2-3 나
3-1 10	3-2 15　3-3 20 cm
4-1 14 m	4-2 12 cm　4-3 9 cm
5-1 4	5-2 12

6-1 예 1 cm²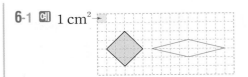

6-2 예 1 cm²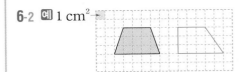

6-3 예 1 cm²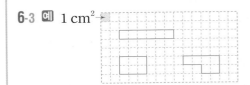

7-1 34 cm

7-2 예 직사각형의 가로를 □ cm라 하면
　　□×8=112, □=14입니다.
　　따라서 (직사각형의 둘레)=(14+8)×2
　　　　　　　　　　　=44 (cm)입니다.
　　　　　　　　　　　답 44 cm

7-3 24 m

8-1 6

8-2 예 평행사변형의 밑변의 길이를 15 cm로 하면 높이는 4 cm이므로
　　(평행사변형의 넓이)=15×4=60 (cm²)입니다.
　　따라서 평행사변형의 밑변의 길이를 6 cm로 하면 높이는 □ cm이므로 6×□=60, □=10입니다.
　　　　　　　　　　　답 10

9-1 12

9-2 예 삼각형의 밑변의 길이를 15 cm로 하면 높이는 12 cm이므로
　　(삼각형의 넓이)=15×12÷2=90 (cm²)입니다.
　　따라서 삼각형의 밑변의 길이를 □ cm로 하면 높이는 6 cm이므로 □×6÷2=90,
　　□×6=180, □=30입니다.
　　　　　　　　　　　답 30

9-3 10 m

10-1 단계 1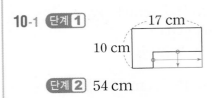

단계 2 54 cm

10-2 150 m

11-1 단계 **1**

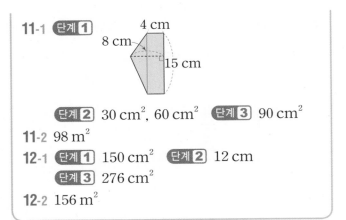

4 cm
8 cm
15 cm

단계 **2** 30 cm², 60 cm² 단계 **3** 90 cm²

11-2 98 m²

12-1 단계 **1** 150 cm² 단계 **2** 12 cm

단계 **3** 276 cm²

12-2 156 m²

1-1 80000 cm²=8 m²

1-2 25 km²=25000000 m²

1-3 7 m²=70000 cm²
➡ 70000 cm²>8000 cm²

1-4 8000000 m²=8 km²
➡ 8 km²<70 km²

2-1 높이가 모눈 3칸으로 모두 같으므로 밑변의 길이가 다른 하나를 찾으면 ㉯입니다.

2-2 높이가 모눈 3칸으로 모두 같으므로 밑변의 길이가 다른 하나를 찾으면 ㉰입니다.

2-3 밑변의 길이가 모눈 4칸으로 모두 같으므로 높이가 다른 하나를 찾으면 ㉯입니다.

3-1 (직사각형의 둘레)={(가로)+(세로)}×2
                  =(14+□)×2=48
➡ 14+□=24, □=10

3-2 (□+11)×2=52
➡ □+11=26, □=15

3-3 세로를 □cm라 하면
(25+□)×2=90 ➡ 90+□=45, □=20입니다.

4-1 다른 대각선의 길이를 □m라 하면
20×□÷2=140입니다.
➡ 20×□=280, □=14

4-2 다른 대각선의 길이를 □cm라 하면
15×□÷2=90입니다.
➡ 15×□=180, □=12

4-3 다른 대각선의 길이를 □cm라 하면
16×□÷2=72입니다.
➡ 16×□=144, □=9

5-1 윗변의 길이를 □cm라 하면
(□+6)×7÷2=35, (□+6)×7=70,
□+6=10, □=4입니다.

5-2 아랫변의 길이를 □cm라 하면
(7+□)×8÷2=76, (7+□)×8=152,
7+□=19, □=12입니다.

6-1 (주어진 마름모의 넓이)=4×4÷2=8 (cm²)
두 대각선의 길이의 곱이 16인 마름모를 그립니다.
16=1×16=2×8=4×4

6-2 주어진 사다리꼴의 윗변의 길이와 아랫변의 길이는 각각 3 cm, 5 cm이고 높이는 3 cm입니다.
(사다리꼴의 넓이)=(3+5)×3÷2=12 (cm²)
넓이가 12 cm²인 사다리꼴을 그립니다.

6-3 모눈 한 칸의 넓이가 1 cm²이므로 넓이가 6 cm²인 도형은 모눈 6칸으로 된 도형입니다.

7-1 직사각형의 세로를 □cm라 하면 12×□=60,
□=5입니다.
➡ (직사각형의 둘레)=(12+5)×2=34 (cm)

7-2 평가 기준
직사각형의 가로의 길이를 구한 후 직사각형의 둘레를 구했으면 정답입니다.

7-3 정사각형의 한 변의 길이를 □m라 하면
□×□=36, □=6입니다.
➡ (정사각형의 둘레)=6×4=24 (m)

8-1 평행사변형의 밑변의 길이를 12 cm로 하면 높이는 5 cm이므로
(평행사변형의 넓이)=12×5=60 (cm²)입니다.
➡ 평행사변형의 밑변의 길이를 □cm로 하면 높이는 10 cm이므로 □×10=60, □=6입니다.

8-2 평가 기준
평행사변형의 넓이를 구하여 □ 안에 알맞은 수를 구했으면 정답입니다.

9-1 삼각형의 밑변의 길이를 15 cm로 하면
높이는 20 cm이므로
(삼각형의 넓이)=15×20÷2=150 (cm²)입니다.
➡ 삼각형의 밑변의 길이를 25 cm로 하면
높이는 □cm이므로 25×□÷2=150,
25×□=300, □=12입니다.

삼각형의 넓이를 구하여 □ 안에 알맞은 수를 구했으면 정답 입니다.

9-3 삼각형 ㄱㄴㄷ의 밑변의 길이를 21 m로 하면 높이는 20 m이므로
(삼각형 ㄱㄴㄷ의 넓이)$=21×20÷2=210$ (m²)입니다.

➡ 선분 ㄴㄹ의 길이를 □m라 하고 삼각형 ㄱㄴㄹ의 밑변의 길이를 42 m로 하면 높이는 □m이므로 $42×□=420$, $□=10$입니다.

10-1 단계2 (도형의 둘레)$=(17+10)×2=54$ (cm)

10-2 도형의 둘레는 가로가 45 m, 세로가 30 m인 직사 각형의 둘레와 같습니다.

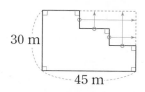

(도형의 둘레)$=(45+30)×2=150$ (m)

11-1 단계2 (삼각형의 넓이)$=15×(8-4)÷2$
$=15×4÷2=30$ (cm²)
(직사각형의 넓이)$=4×15=60$ (cm²)

단계3 (도형의 넓이)$=30+60=90$ (cm²)

11-2

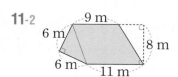

위와 같이 삼각형 1개와 사다리꼴 1개로 나눌 수 있습니다.
(삼각형의 넓이)$=6×6÷2=18$ (m²)
(사다리꼴의 넓이)$=(9+11)×8÷2=80$ (m²)

➡ (도형의 넓이)
$=$(삼각형의 넓이)$+$(사다리꼴의 넓이)
$=18+80=98$ (m²)

12-1 단계1 (삼각형 ㄱㅂㄹ의 넓이)$=15×20÷2$
$=150$ (cm²)

단계2 삼각형 ㄱㅂㄹ의 밑변의 길이를 선분 ㄱㄹ로 하면 높이는 선분 ㅁㅂ입니다.
(선분 ㅁㅂ)$=150×2÷25=12$ (cm)

단계3 (사다리꼴 ㄱㄴㄷㄹ의 넓이)
$=(25+21)×12÷2=276$ (cm²)

12-2 (삼각형 ㄱㄴㄹ의 넓이)$=20×6÷2=60$ (m²)
삼각형 ㄱㄴㄹ의 밑변의 길이를 선분 ㄱㄹ로 하면 높이는 선분 ㄹㄷ입니다.
(선분 ㄹㄷ)$=60×2÷10=12$ (m)
(사다리꼴 ㄱㄴㄷㄹ의 넓이)$=(10+16)×12÷2$
$=156$ (m²)

유형 TEST

170~172쪽

1 선분 ㄱㄷ
2 5, 35
3 (1) 50000 (2) 900000
4 48 cm
5 63 cm²
6 24 m²
7 가
8 $10×7÷2=35$, 35 cm²
9 40 cm
10 88 cm²
11 다
12 ㉢, ㉠, ㉡
13 $7×12=84$, 84 cm
14 72 m²
15 14 cm
16 22 cm

17 예 ❶ 직사각형의 가로를 □m라 하면 $□×11=132$, $□=12$입니다.
❷ 따라서 (직사각형의 둘레)$=(12+11)×2$
$=46$ (m)입니다.
답 46 m

18 예 ❶ 평행사변형의 밑변의 길이를 28 cm로 하면 높이는 12 cm이므로
(평행사변형의 넓이)$=28×12=336$ (cm²)입니다.
❷ 평행사변형의 밑변의 길이를 14 cm로 하면 높이는 □cm이므로 $14×□=336$, $□=24$입니다.
답 24

19 예 ❶ 삼각형의 밑변의 길이를 28 cm로 하면 높이는 5 cm이므로
(삼각형의 넓이)$=28×5÷2=70$ (cm²)입니다.
❷ 따라서 삼각형의 밑변의 길이를 □cm로 하면 높이는 7 cm이므로 $□×7÷2=70$, $7×□=140$, $□=20$입니다.
답 20

정답 및 풀이

20 예 ❶ 삼각형 ㄴㄷㄹ의 밑변의 길이를 60 cm로 하면 높이를 80 cm이므로

(삼각형 ㄴㄷㄹ의 넓이)=60×80÷2

=2400 (cm²)입니다.

❷ 삼각형 ㄴㄷㄹ의 밑변의 길이를 선분 ㄴㄷ 으로 하면 높이는 선분 ㄹㅁ입니다.

(선분 ㄹㅁ)=2400×2÷100=48 (cm)

❸ 따라서 (사다리꼴 ㄱㄴㄷㄹ의 넓이)

=(70+100)×48÷2=4080 (cm²)

입니다.   답 4080 cm²

15 한 변의 길이를 □ cm라 하면 □×6=84입니다.

□=84÷6=14이므로 한 변의 길이는 14 cm입니다.

16 다른 대각선의 길이를 □ cm라 하면

10×□÷2=110입니다. ➡ 10×□=220, □=22

17 채점 기준

❶ 직사각형의 가로의 길이를 구함.	2점	5점
❷ 직사각형의 둘레를 구함.	3점	

18 채점 기준

❶ 평행사변형의 넓이를 구함.	2점	5점
❷ ❶에서 구한 평행사변형의 넓이를 이용하여 □ 안에 알맞은 수를 구함.	3점	

19 채점 기준

❶ 삼각형의 넓이를 구함.	2점	5점
❷ ❶에서 구한 삼각형의 넓이를 이용하여 □ 안에 알맞은 수를 구함.	3점	

20 채점 기준

❶ 삼각형 ㄴㄷㄹ의 넓이를 구함.	2점	5점
❷ 선분 ㄹㅁ의 길이를 구함.	2점	
❸ 사다리꼴 ㄱㄴㄷㄹ의 넓이를 구함.	1점	

앞단원 유형 다시 보기   173쪽

① $\dfrac{2}{5}+\dfrac{7}{10}=\dfrac{2\times10}{5\times10}+\dfrac{7\times5}{10\times5}=\dfrac{20}{50}+\dfrac{35}{50}$

$=\dfrac{55}{50}=1\dfrac{5}{50}=1\dfrac{1}{10}$

② <

③ $\dfrac{6}{35}-\dfrac{1}{7}=\dfrac{1}{35}$, $\dfrac{1}{35}$ kg

④ $1\dfrac{7}{20}$ cm

③ (계산기의 무게)-(마우스의 무게)

$=\dfrac{6}{35}-\dfrac{1}{7}=\dfrac{6}{35}-\dfrac{5}{35}=\dfrac{1}{35}$ (kg)

④ 가장 긴 변: $4\dfrac{1}{4}$ cm, 가장 짧은 변: $2\dfrac{9}{10}$ cm

$4\dfrac{1}{4}-2\dfrac{9}{10}=4\dfrac{5}{20}-2\dfrac{18}{20}=3\dfrac{25}{20}-2\dfrac{18}{20}$

$=1\dfrac{7}{20}$ (cm)

재미있는 창의·융합·코딩   174~175쪽

코딩1 예

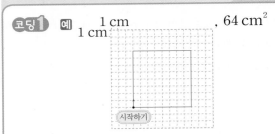

코딩2 54 cm

창의3 ① 공사 중 안전 표지판

② 남학생 모자

③ 자전거 통행 표시

④ 보도블록의 모양

⑤ 여학생 실내화 가방

코딩1 그린 정사각형의 한 변의 길이는 8 cm입니다.

➡ 정사각형의 넓이는 8×8=64 (cm²)입니다.

코딩2 (정육각형의 둘레)=(한 변의 길이)×6

① 7 cm 넣기 ➡ 7×6=42 (cm)

➡ 42 cm<50 cm

➡ 아니요 ➡ 7+1=8 (cm)

② 8 cm 넣기 ➡ 8×6=48 (cm)

➡ 48 cm<50 cm

➡ 아니요 ➡ 8+1=9 (cm)

③ 9 cm 넣기 ➡ 9×6=54 (cm)

➡ 54 cm>50 cm

따라서 처음 출력되어 나오는 값은 54 cm입니다.

1~2쪽 1. 자연수의 혼합 계산

1 $35-$⟨$5+2$⟩ **2** (계산 순서대로) 5, 55, 55

3 2, 47, 30 **4** ㉢, ㉡, ㉠, ㉣

5 (○)
  (   )

6 $20+(13-8)\times3=20+5\times3$
  ①   ＝$20+15$
  ②   ＝35
  ③

7 2 **8** 66 **9** 122, 28 / ×

10 40 **11** 39

12 $4\times(29-16)=52$

13 $18\times5\div10=9$, 9개

14 < **15** 44 **16** 44살

17 4 **18** $(77-32)\times5\div9=25$, 25

19 $82-(32+16)\div4=70$ **20** 18

---

4 덧셈, 뺄셈, 곱셈, 나눗셈이 섞여 있고 ( )가 있으면 ( ) 안을 가장 먼저 계산하고, 곱셈과 나눗셈, 덧셈과 뺄셈의 순서로 계산합니다.

5 $84-29+36=55+36=91$

7 $120\div(12\times5)=120\div60=2$

8 $45+93-8\times9=45+93-72$
  $=138-72=66$

9 • $93-18+47=75+47=122$
  • $93-(18+47)=93-65=28$

> **참고**
> ( )가 있을 때와 없을 때의 계산 결과는 다를 수 있습니다.

10 $49\div7+3\times15-12=7+3\times15-12$
  $=7+45-12$
  $=52-12=40$

11 $\square=(48+25)-34=73-34=39$

12 $\underline{29-16}=13$, $4\times\underline{13}=52$ ➡ $4\times(29-16)=52$

13 (한 명에게 줄 수 있는 사탕 수)
  ＝(한 봉지에 들어 있는 사탕 수)×(봉지 수)
  ÷(나누어 줄 사람 수)
  ＝$18\times5\div10=90\div10=9$(개)

---

14 • $45-18+54\div9=45-18+6$
  $=27+6=33$
  • $45-(18+54)\div9=45-72\div9$
  $=45-8=37$

15 • $26\times14\div4=364\div4=91$
  • $(125-41)\div6+33=84\div6+33=14+33=47$
  ➡ 계산 결과의 차: $91-47=44$

16 (경호 아버지의 나이)
  ＝(경호와 동생의 나이의 합)×2
  ＝$(12+10)\times2$
  ＝$22\times2=44$(살)

17 $60-(7+\square)-22=27$, $60-(7+\square)=49$,
  $7+\square=11$, $\square=11-7$, $\square=4$

18 $(77-32)\times5\div9=45\times5\div9$
  $=225\div9=25$ (℃)

19 $82-(32+16)\div4=82-48\div4$
  $=82-12=70$

20 계산 결과가 크려면 나누는 수가 작고, 더하는 수가 커야 합니다.
  ➡ $96\div(2\times4)+6=18$
  (또는 $96\div(4\times2)+6=18$)

3~4쪽 2. 약수와 배수

1 1, 3, 5, 15 **2** (1) 배수 (2) 약수

3 8, 16, 24 **4** 6, 9 / 5, 9, 15

5 1, 3, 9 / 9 **6** 2) 20 50 / 10
  5) 10 25
  2   5

7 6, 12, 18 / 6

8 1, 3, 7, 9, 21, 63 / 1, 3, 7, 9, 21, 63

9 ( )( )(○) **10** ④

11 140 **12** 민지

13 1, 3, 13, 39 **14** 35

15 7번 **16** 24

17 12 **18** 5월 13일

19 3개, 2개 **20** 90

3 8을 1배, 2배, 3배 한 수를 구합니다.

5 공약수 중에서 가장 큰 수가 최대공약수입니다.

정답 및 풀이

6 최대공약수: $2 \times 5 = 10$

7 2의 배수: 2, 4, 6, 8, 10, 12, 14, 16, 18……
3의 배수: 3, 6, 9, 12, 15, 18……
➡ 2와 3의 공배수: 6, 12, 18……
➡ 2와 3의 최소공배수: 6

9 $7 \times 6 = 42$
➡ 약수와 배수의 관계인 수는 7과 42입니다.

10 귤이 12개이므로 남김없이 똑같이 나누어 먹을 수 있는 사람 수는 12의 약수입니다.
➡ 12의 약수: 1, 2, 3, 4, 6, 12

11 $70 = 2 \times 5 \times 7$ $28 = 2 \times 2 \times 7$
➡ 최소공배수: $2 \times 7 \times 5 \times 2 = 140$

12 민지: 1은 모든 수의 약수입니다.

13 두 수의 공약수는 최대공약수의 약수입니다.
39의 약수: 1, 3, 13, 39
따라서 두 수의 공약수는 1, 3, 13, 39입니다.

14 5의 배수이면서 7의 배수인 수는 5와 7의 공배수이고 그중에서 가장 작은 수는 최소공배수입니다.
➡ 5와 7의 최소공배수: 35

15 버스가 9분 간격으로 출발하므로 9의 배수가 출발 시각이 됩니다.
오전 7시, 오전 7시 9분, 오전 7시 18분, 오전 7시 27분, 오전 7시 36분, 오전 7시 45분, 오전 7시 54분
➡ 7번

16 16의 약수: 1, 2, 4, 8, 16 ➡ 5개
24의 약수: 1, 2, 3, 4, 6, 8, 12, 24 ➡ 8개
91의 약수: 1, 7, 13, 91 ➡ 4개
따라서 약수의 수가 가장 많은 수는 24입니다.

주의
수가 크다고 약수가 항상 많은 것은 아닙니다.

17 7보다 크고 13보다 작은 수: 8, 9, 10, 11, 12
6의 배수: 6, 12, 18……
36의 약수: 1, 2, 3, 4, 6, 9, 12, 18, 36
따라서 보기 에서 설명하는 수는 12입니다.

18 3과 4의 최소공배수: 12
12일마다 두 화분에 동시에 물을 주므로 다음번에 동시에 물을 주는 날은 5월 1일에서 12일 뒤인 5월 13일입니다.

19 72와 48의 최대공약수: 24
(한 명이 받을 수 있는 지우개의 수) $= 72 \div 24 = 3$(개)
(한 명이 받을 수 있는 자의 수) $= 48 \div 24 = 2$(개)

20 어떤 수는 6의 배수이면서 9의 배수이므로 6과 9의 공배수입니다.
6과 9의 최소공배수: 18
6과 9의 공배수는 최소공배수의 배수이므로 18, 36, 54, 72, 90, 108……입니다.
따라서 어떤 수가 될 수 있는 수 중에서 가장 큰 두 자리 수는 90입니다.

5~6쪽	3. 규칙과 대응

1 2   **2** (○)( )   **3** 2
4 8, 12, 16   **5** ( )(○)   **6** 16, 17, 18
7 3, 3   **8** 0, 1, 2, 3
9 ○−1=□ (또는 □+1=○)   **10** 10개
11 2, 3, 4, 5 / ☆+1   **12** 7조각
13 예 세발자전거의 수, 세발자전거 바퀴의 수
14 ○×5=▽ (또는 ▽÷5=○)
15 ○×6=▽ (또는 ▽÷6=○)
16 20, 40, 60, 80   **17** 6000장
18 ☆×9=△ (또는 △÷9=☆)
19 13   **20** 22개

4 자동차 바퀴의 수는 자동차 수의 4배입니다.

5 (자동차의 수)×4=(자동차 바퀴의 수)
➡ ☆×4=♡

6 형의 나이는 진우의 나이보다 3살 더 많습니다.

7 (진우의 나이)+3=(형의 나이) ➡ ○+3=△
(형의 나이)−3=(진우의 나이) ➡ △−3=○

8 흰 바둑돌의 수는 검은 바둑돌의 수보다 1개 적습니다.

9 (검은 바둑돌의 수)−1=(흰 바둑돌의 수)
➡ ○−1=□
(흰 바둑돌의 수)+1=(검은 바둑돌의 수)
➡ □+1=○

10 (검은 바둑돌의 수)=(흰 바둑돌의 수)+1
(필요한 검은 바둑돌의 수)=9+1=10(개)

11 조각의 수는 자른 횟수보다 1 큽니다.

12 ☆이 6일 때이므로 △＝6＋1＝7(조각)이 됩니다.

15 접시 한 개에 놓이는 쿠키의 수가 1개 늘어났으므로 5배였던 대응 관계가 6배로 바뀝니다.

16 1초에 그림이 20장 필요하므로 2초에 40장, 3초에 60장, 4초에 80장…… 필요합니다.

17 1초 동안 그림이 20장 필요하므로 필요한 그림의 수는 상영 시간의 20배입니다. 따라서 5분(＝300초) 상영하려면 그림이 300×20＝6000(장) 필요합니다.

18 연아는 지효가 말한 수를 9배 한 수를 답합니다.
➡ ㉠＝11×9＝99

19 연아가 답한 수를 9로 나눈 몫이 지효가 말한 수입니다.
➡ 117÷9＝13

20

그림의 수(장)	1	2	3	4	……
누름 못의 수(개)	4	6	8	10	……

그림이 1장 늘어날 때마다 누름 못은 2개씩 늘어나므로 그림을 10장 붙이려면 누름 못은
4＋2×9＝22(개) 필요합니다.

7~8쪽　　4. 약분과 통분

1 2　　　　**2** 2, $\dfrac{8}{10}$, 0.8　　**3** 5, $\dfrac{5}{9}$

4 6, 24, 12　　**5** $\dfrac{45}{54}$, $\dfrac{24}{54}$　　**6** $\dfrac{15}{18}$, $\dfrac{8}{18}$

7 $\dfrac{9}{21}$, $\dfrac{6}{14}$, $\dfrac{3}{7}$　**8** 성민　　**9** $\dfrac{4}{5}$

10 ＜　　　**11** 고양이　　**12** $\dfrac{3}{4}$, $\dfrac{36}{48}$

13 민호　　　**14** (왼쪽부터) 14, 10

15 1, 3, 7, 9　**16** $\dfrac{13}{15}$, $\dfrac{5}{6}$, $\dfrac{2}{3}$　**17** 미술관

18 $\dfrac{21}{27}$　　　**19** 0.8　　**20** $\dfrac{17}{54}$

4 분모와 분자에 같은 수를 곱하여 크기가 같은 분수를 만듭니다.

6 6과 9의 최소공배수: 18

---

7 $\dfrac{18}{42}=\dfrac{18÷2}{42÷2}=\dfrac{9}{21}$, $\dfrac{18}{42}=\dfrac{18÷3}{42÷3}=\dfrac{6}{14}$, $\dfrac{18}{42}=\dfrac{18÷6}{42÷6}=\dfrac{3}{7}$

8 성민: 분모와 분자에 0이 아닌 같은 수를 곱해야 합니다.

9 60과 48의 최소공배수: 12
$\dfrac{48}{60}=\dfrac{48÷12}{60÷12}=\dfrac{4}{5}$

10 $\left(\dfrac{8}{15}, \dfrac{11}{20}\right)$ ➡ $\left(\dfrac{32}{60}, \dfrac{33}{60}\right)$ ➡ $\dfrac{8}{15}<\dfrac{11}{20}$

11 강아지: $3\dfrac{1}{2}$ kg$=3\dfrac{5}{10}$ kg$=3.5$ kg
➡ 3.5 kg＞3.45 kg

12 $\dfrac{9}{12}=\dfrac{3}{4}$, $\dfrac{9}{12}=\dfrac{18}{24}=\dfrac{27}{36}=\dfrac{36}{48}$……

13 영지: $\dfrac{2}{5}$ L$=0.4$ L ➡ 0.6 L＞0.4 L

14 통분한 분수를 각각 기약분수로 나타냅니다.
$\left(\dfrac{33}{42}, \dfrac{20}{42}\right)$ ➡ $\left(\dfrac{11}{14}, \dfrac{10}{21}\right)$

15 $\dfrac{\square}{10}$가 진분수가 되려면 □ 안에는 1부터 9까지의 수가 들어갈 수 있습니다. 기약분수가 되어야 하므로 □ 안에 2, 4, 5, 6, 8은 들어갈 수 없습니다. 따라서 □ 안에 들어갈 수 있는 자연수는 1, 3, 7, 9입니다.

16 $\left(\dfrac{2}{3}, \dfrac{5}{6}\right)$ ➡ $\left(\dfrac{4}{6}, \dfrac{5}{6}\right)$ ➡ $\dfrac{2}{3}<\dfrac{5}{6}$
$\left(\dfrac{5}{6}, \dfrac{13}{15}\right)$ ➡ $\left(\dfrac{25}{30}, \dfrac{26}{30}\right)$ ➡ $\dfrac{5}{6}<\dfrac{13}{15}$
➡ $\dfrac{13}{15}>\dfrac{5}{6}>\dfrac{2}{3}$

17 미술관: $1\dfrac{1}{4}$ km$=1\dfrac{25}{100}$ km$=1.25$ km
박물관: $1\dfrac{3}{10}$ km$=1.3$ km
➡ 1.34 km＞1.3 km＞1.25 km이므로 가장 가까운 곳은 미술관입니다.

18 $\dfrac{7}{9}=\dfrac{14}{18}=\dfrac{21}{27}=\dfrac{28}{36}=\cdots$
분모와 분자의 합이 40보다 크고 50보다 작은 수는 $\dfrac{21}{27}$입니다.

19 만들 수 있는 진분수: $\dfrac{1}{4}$, $\dfrac{1}{5}$, $\dfrac{4}{5}$

$\dfrac{1}{5} < \dfrac{1}{4} < \dfrac{4}{5}$ 이므로 가장 큰 수는 $\dfrac{4}{5}$ 입니다.

➡ $\dfrac{4}{5} = \dfrac{8}{10} = 0.8$

20 분모가 54인 분수를 $\dfrac{\square}{54}$ 라고 하면 $\dfrac{5}{18} < \dfrac{\square}{54} < \dfrac{1}{3}$

입니다.

$\dfrac{15}{54} < \dfrac{\square}{54} < \dfrac{18}{54}$ 에서 $15 < \square < 18$ 이므로 $\square = 16$,

17입니다.

$\dfrac{16}{54}$, $\dfrac{17}{54}$ 중에서 기약분수는 $\dfrac{17}{54}$ 이므로 **조건** 을 만

족하는 수는 $\dfrac{17}{54}$ 입니다.

9~10쪽   5. 분수의 덧셈과 뺄셈

1 8, 3, 11   **2** 9, 8 / 3, 9, 8 / $4\dfrac{1}{18}$

3 $\dfrac{5}{24}$ **4** ( )(○)( )

5 $2\dfrac{3}{4} + 1\dfrac{7}{8} = \dfrac{11}{4} + \dfrac{15}{8} = \dfrac{22}{8} + \dfrac{15}{8} = \dfrac{37}{8} = 4\dfrac{5}{8}$

6 $1\dfrac{34}{35}$ **7** $1\dfrac{1}{9}$

8 $\dfrac{3}{8} - \dfrac{1}{6} = \dfrac{9}{24} - \dfrac{4}{24} = \dfrac{5}{24}$

9 $3\dfrac{1}{36}$ **10** $\dfrac{21}{22}$ **11** ✕

12 $10\dfrac{3}{10} - 2\dfrac{5}{8} = 7\dfrac{27}{40}$, $7\dfrac{27}{40}$ m

13 <   **14** $\dfrac{2}{5} + \dfrac{1}{7} = \dfrac{19}{35}$, $\dfrac{19}{35}$ 컵

15 $3\dfrac{7}{15}$ **16** ⓒ   **17** 6개

18 $\dfrac{3}{8}$ **19** $6\dfrac{32}{63}$ **20** $4\dfrac{2}{15}$

3 $\dfrac{7}{12} - \dfrac{3}{8} = \dfrac{14}{24} - \dfrac{9}{24} = \dfrac{5}{24}$

4 $5\dfrac{9}{16} - 2\dfrac{3}{4} = 5\dfrac{9}{16} - 2\dfrac{12}{16} = 4\dfrac{25}{16} - 2\dfrac{12}{16} = 2\dfrac{13}{16}$

---

6 $3\dfrac{2}{5} - 1\dfrac{3}{7} = \dfrac{17}{5} - \dfrac{10}{7} = \dfrac{119}{35} - \dfrac{50}{35} = \dfrac{69}{35} = 1\dfrac{34}{35}$

7 $\dfrac{5}{6} + \dfrac{5}{18} = \dfrac{15}{18} + \dfrac{5}{18} = \dfrac{20}{18} = 1\dfrac{2}{18} = 1\dfrac{1}{9}$

8 두 분수를 통분할 때에는 분모와 분자에 같은 수를 곱해야 하는데 분모에만 곱했습니다.

9 $5\dfrac{7}{12} - 2\dfrac{5}{9} = 5\dfrac{21}{36} - 2\dfrac{20}{36} = 3\dfrac{1}{36}$

10 $\square = \dfrac{5}{11} + \dfrac{1}{2} = \dfrac{10}{22} + \dfrac{11}{22} = \dfrac{21}{22}$

11 $\dfrac{5}{9} - \dfrac{1}{6} = \dfrac{10}{18} - \dfrac{3}{18} = \dfrac{7}{18}$

$\dfrac{5}{6} - \dfrac{1}{4} = \dfrac{10}{12} - \dfrac{3}{12} = \dfrac{7}{12}$

12 (남은 끈의 길이)

= (처음 끈의 길이) − (사용한 끈의 길이)

$= 10\dfrac{3}{10} - 2\dfrac{5}{8} = 10\dfrac{12}{40} - 2\dfrac{25}{40}$

$= 9\dfrac{52}{40} - 2\dfrac{25}{40} = 7\dfrac{27}{40}$ (m)

13 $\dfrac{8}{15} + \dfrac{5}{6} = \dfrac{16}{30} + \dfrac{25}{30} = \dfrac{41}{30} = 1\dfrac{11}{30}$

➡ $1\dfrac{11}{30} < 1\dfrac{2}{5}\left(= 1\dfrac{12}{30}\right)$

14 (민지가 넣은 물의 양)

= (처음에 넣은 물의 양) + (더 넣은 물의 양)

$= \dfrac{2}{5} + \dfrac{1}{7} = \dfrac{14}{35} + \dfrac{5}{35} = \dfrac{19}{35}$ (컵)

15 $\square + 5\dfrac{1}{3} = 8\dfrac{4}{5}$

➡ $\square = 8\dfrac{4}{5} - 5\dfrac{1}{3} = 8\dfrac{12}{15} - 5\dfrac{5}{15} = 3\dfrac{7}{15}$

16 ㉠ $\dfrac{3}{10} + \dfrac{7}{12} = \dfrac{18}{60} + \dfrac{35}{60} = \dfrac{53}{60} < 1$

ㄴ $\dfrac{2}{3} + \dfrac{4}{9} = \dfrac{6}{9} + \dfrac{4}{9} = \dfrac{10}{9} = 1\dfrac{1}{9} > 1$

ㄷ $\dfrac{7}{8} + \dfrac{1}{10} = \dfrac{35}{40} + \dfrac{4}{40} = \dfrac{39}{40} < 1$

따라서 계산 결과가 1보다 큰 것은 ㄴ입니다.

17 $3\dfrac{5}{6} + 2\dfrac{3}{4} = 3\dfrac{10}{12} + 2\dfrac{9}{12} = 5\dfrac{19}{12} = 6\dfrac{7}{12}$

$6\dfrac{7}{12} > 6\dfrac{\square}{12}$ 에서 $7 > \square$ 이므로 $\square$ 안에 들어갈 수

있는 자연수는 1부터 6까지 모두 6개입니다.

18 전체를 1이라 하면 남은 피자는 전체의

$1-\dfrac{1}{4}-\dfrac{3}{8}=\dfrac{4}{4}-\dfrac{1}{4}-\dfrac{3}{8}=\dfrac{3}{4}-\dfrac{3}{8}=\dfrac{6}{8}-\dfrac{3}{8}=\dfrac{3}{8}$

입니다.

19 가장 큰 대분수: $9\dfrac{2}{7}$

가장 작은 대분수: $2\dfrac{7}{9}$

$\Rightarrow 9\dfrac{2}{7}-2\dfrac{7}{9}=9\dfrac{18}{63}-2\dfrac{49}{63}$

$\phantom{\Rightarrow 9\dfrac{2}{7}-2\dfrac{7}{9}}=8\dfrac{81}{63}-2\dfrac{49}{63}=6\dfrac{32}{63}$

20 어떤 수를 □라 하면 잘못 계산한 식은

$\square-1\dfrac{2}{5}=1\dfrac{1}{3}$입니다.

$\Rightarrow \square=1\dfrac{1}{3}+1\dfrac{2}{5}=1\dfrac{5}{15}+1\dfrac{6}{15}=2\dfrac{11}{15}$

바른 계산: $2\dfrac{11}{15}+1\dfrac{2}{5}=2\dfrac{11}{15}+1\dfrac{6}{15}$

$=3\dfrac{17}{15}=4\dfrac{2}{15}$

11~12쪽   6. 다각형의 둘레와 넓이

1 4, 24	**2** 예 	**3** 32 cm
4 20 cm	**5** 24 cm²	**6** 12 cm²
7 18 cm²	**8** 28 cm²	**9** ㉡
10 20 cm²	**11** 35 cm²	
12 86 cm, 450 cm²		
13 $(9+4)\times12\div2=78$, 78 m²		
14 9 km²	**15** 다	**16** 14 cm
17 16	**18** ㉢	**19** 24 cm
20 2150 cm²		

3 (평행사변형의 둘레)$=(9+7)\times2=32$ (cm)

4 (마름모의 둘레)$=5\times4=20$ (cm)

6 사다리꼴의 넓이는 평행사변형의 넓이의 반입니다.

7 도형에는 1 cm²가 18칸 있으므로 넓이는 18 cm²입니다.

---

8 (평행사변형의 넓이)$=4\times7=28$ (cm²)

9 ㉡ 1 km²$=1000000$ m²

$\Rightarrow 5.2$ km²$=5200000$ m²

10 (삼각형의 넓이)$=8\times5\div2=20$ (cm²)

11 (마름모의 넓이)$=7\times10\div2=35$ (cm²)

12 (둘레)$=(25+18)\times2=86$ (cm)
(넓이)$=25\times18=450$ (cm²)

13 사다리꼴의 높이는 두 밑변 사이의 거리이므로 12 m 입니다.

14 3000 m$=3$ km
$\Rightarrow$ (정사각형의 넓이)$=3\times3=9$ (km²)

15 네 삼각형의 높이는 모두 같지만 다는 밑변의 길이가 다르므로 넓이가 나머지와 다른 삼각형은 다입니다.

16 (정다각형의 한 변의 길이)$=$(둘레)$\div$(변의 수)
정오각형의 변은 5개이므로 한 변의 길이는
$70\div5=14$ (cm)입니다.

17 직사각형의 가로와 세로는 각각 마름모의 두 대각선의 길이와 같습니다.
$\square\times8\div2=64$, $\square\times8=128$, $\square=128\div8$,
$\square=16$

18 ㉠ $6\times4=24$ (km²)
㉡ $8\times2=16$ (km²)
㉢ $5\times5=25$ (km²)
$\Rightarrow 25$ km²>24 km²>16 km²

19 삼각형의 밑변의 길이를 30 cm, 높이를 40 cm라 하면 넓이는 $30\times40\div2=600$ (cm²)입니다.
(선분 ㄱㄹ)$=\square$ cm라 하면 $50\times\square\div2=600$,
$50\times\square=1200$, $\square=1200\div50=24$입니다.

20 모눈 한 칸의 길이는 10 cm입니다.
도형을 사다리꼴과 삼각형으로 나누어 넓이를 구합니다.
(사다리꼴의 넓이)$=(30+40)\times50\div2$
$=1750$ (cm²)
(삼각형의 넓이)$=40\times20\div2=400$ (cm²)
$\Rightarrow$ (도형의 넓이)$=1750+400=2150$ (cm²)

참고

도형을 나누는 방법에는 여러 가지가 있습니다.

14~16쪽 [총정리] 수학 성취도 평가

1 같은에 ○표　　　　**2** 6, 7, 13

3 (계산 순서대로) 5, 30, 30

4 $2\dfrac{11}{24}$

5
$$2\,)\overline{70\quad28}\;/\;14$$
$$7\,)\overline{35\quad14}$$
$$\quad\;\;5\quad\;2$$

6 $84-(11+4)\times3=84-15\times3$
$\qquad\qquad\qquad\quad=84-45=39$

7 $\dfrac{28}{40},\ \dfrac{25}{40}$　　　　**8** 2020, 2021, 2022

9 $\bigcirc+2008=\triangle$(또는 $\triangle-2008=\bigcirc$)

10 105 cm²　　**11** 유라　　　**12**

13 82

14 6, 12 / 6, 18 / 6, 48 / 12, 48

15 예 검은 바둑돌의 수는 흰 바둑돌의 수보다 2 큽니다. 」+4점

16 11개　　　　**17** $125-49+37=113$, 113명

18 120, 240, 360　　　**19** 태민

20 예 **①** $9\times1=9$, $9\times2=18$, $9\times3=27$,
$9\times4=36\cdots\cdots$」+1점

　　② 9의 배수를 쓴 것입니다. 」+1점

　　③ (15번째 수)$=9\times15=135$」+1점
　　　　　　　　　　　　　　　　답 135」+1점

21 $\dfrac{7}{20}$ km　　　　**22** 6

23 예 **①** (정사각형의 한 변의 길이)
　　　　　$=28\div4=7$ (cm)」+2점

　　② (정사각형의 넓이)$=7\times7=49$ (cm²)」+1점
　　　　　　　　　　　　　　답 49 cm²」+1점

24 $\dfrac{19}{30}$　　　　　**25** 4

---

4 $3\dfrac{5}{8}-1\dfrac{1}{6}=3\dfrac{15}{24}-1\dfrac{4}{24}=2\dfrac{11}{24}$

5 최대공약수: $2\times7=14$

7 10과 8의 최소공배수: 40
　➡ $\dfrac{7}{10}=\dfrac{7\times4}{10\times4}=\dfrac{28}{40}$, $\dfrac{5}{8}=\dfrac{5\times5}{8\times5}=\dfrac{25}{40}$

8 연도는 주호의 나이보다 2008 큰 수입니다.

---

10 (삼각형의 넓이)$=14\times15\div2=105$ (cm²)

11 $\dfrac{4}{5}=\dfrac{8}{10}=0.8$ ➡ $0.8>0.7$

12 5.2 m²$=52000$ cm², 52 m²$=520000$ cm²,
0.52 m²$=5200$ cm²

13 $40\div(10-2)\times9+37=40\div8\times9+37$
$\qquad\qquad\qquad\qquad\quad=5\times9+37=45+37=82$

14 $6\times2=12$, $6\times3=18$, $6\times8=48$, $12\times4=48$

15

검은 바둑돌의 수(개)	3	4	5	6	……
흰 바둑돌의 수(개)	1	2	3	4	……

16 (필요한 검은 바둑돌의 수)$=9+2=11$(개)

17 $125-49+37=76+37=113$(명)

18 두 수의 공배수는 최소공배수의 배수입니다.
120의 배수: 120, 240, 360……

19 $\dfrac{16}{96}$을 약분하여 만들 수 있는 분수는 $\dfrac{8}{48}$, $\dfrac{4}{24}$, $\dfrac{2}{12}$,
$\dfrac{1}{6}$이고, 기약분수로 나타내면 $\dfrac{1}{6}$입니다.

21 $1\dfrac{4}{5}+1\dfrac{1}{4}-2\dfrac{7}{10}=1\dfrac{16}{20}+1\dfrac{5}{20}-2\dfrac{7}{10}$
$\qquad\qquad\qquad\qquad\quad=2\dfrac{21}{20}-2\dfrac{14}{20}$
$\qquad\qquad\qquad\qquad\quad=\dfrac{7}{20}$ (km)

22 $(7+4)\times\square\div2=33$, $11\times\square\div2=33$,
$11\times\square=66$, $\square=66\div11=6$

24 어떤 수를 $\square$라 하면 잘못 계산한 식은
$\square+\dfrac{8}{15}=1\dfrac{7}{10}$입니다.

➡ $\square=1\dfrac{7}{10}-\dfrac{8}{15}=1\dfrac{21}{30}-\dfrac{16}{30}=1\dfrac{5}{30}=1\dfrac{1}{6}$

바른 계산: $1\dfrac{1}{6}-\dfrac{8}{15}=1\dfrac{5}{30}-\dfrac{16}{30}$
$\qquad\qquad\qquad\qquad=\dfrac{35}{30}-\dfrac{16}{30}=\dfrac{19}{30}$

25 $72\div(\square\times\square)+\square$에서 72를 나누는 수가 클수록, 더하는 수가 작을수록 계산 결과는 작아집니다.
➡ $72\div(9\times8)+3=72\div72+3=1+3=4$
(또는 $72\div(8\times9)+3=72\div72+3=1+3=4$)